SZESNASTY WIEK

OXFORD
Zarys
historii
Europy

Redaktor serii: *T.C.W. Blanning*

OXFORD

Zarys
historii
Europy

Redaktor serii T.C.W. Blanning

SZESNASTY WIEK

pod redakcją *Euana Camerona*

Z angielskiego przełożyła
Małgorzata Szubert

Świat Książki

Tytuł oryginału
THE SHORT OXFORD HISTORY OF EUROPE.
THE SIXTEENTH CENTURY

Projekt okładki
Małgorzata Karkowska

Redaktor prowadzący
Tomasz Jendryczko

Redakcja
Małgorzata Wojciechowska

Indeks
Paweł Staszczak

Redakcja techniczna
Lidia Lamparska

Korekta
Jacek Ring
Paweł Staszczak

Świat Książki
Warszawa 2011

Świat Książki sp. z o.o.
ul. Rosoła 10, 02-786 Warszawa

Skład i łamanie
DINKOGRAF

Druk i oprawa
Białostockie Zakłady Graficzne SA

ISBN 978-83-247-0404-0
Nr 5692

Spis treści

Przedmowa redaktora serii

Opracowanie wyczerpującej historii Europy przysparza wielu problemów, ale najtrudniejsze jest jednakowo wnikliwe potraktowanie wszystkich regionów kontynentu, ukazanie ich w całej złożoności i różnorodności aspektów. Historyk, który potrafiłby tego dokonać, jeszcze się nie narodził. W przeszłości stosowano dwa podstawowe rozwiązania: albo jeden uczony usiłował ogarnąć całość, siłą rzeczy ukazując daną epokę z osobistego punktu widzenia, albo zadania podejmowały się zespoły specjalistów, w efekcie zaś ich pracy powstawały antologie tekstów. W pierwszym przypadku spójności obrazu towarzyszyło nierówne potraktowanie poszczególnych zagadnień, w drugim jednolitość przekazu przegrywała z dążeniem do wyczerpującego potraktowania problematyki. Twórcy tej serii wyszli z założenia, że druga metoda ma mniej stron ujemnych, które można przy tym wyeliminować lub zneutralizować dzięki ścisłej współpracy między autorami, pracującymi pod bezpośrednim kierownictwem redaktora tomu. Wszyscy autorzy poszczególnych tomów czytają teksty napisane przez kolegów, dyskutują o powtórzeniach i ominięciach, a następnie poprawiają swoje rozdziały; rezultat ostateczny jest dziełem całego zespołu. Dla wzmocnienia spójności redaktor tomu pisze wstęp i podsumowanie, łączące w całość poszczególne zagadnienia. Zwięzłość przekazu, zasygnalizowana w tytule serii słowem „zarys", należy tu potraktować jako zaletę, ponieważ autorzy skupiają się na omówieniu kwestii rzeczywiście najistotniejszych w danym okresie, nie próbując ukazywać poszczególnych zagadnień ze wszystkich stron ani w odniesieniu do każdego kraju. Książka ta daje zwięzły, lecz wnikliwy obraz dziejów Europy XVI stulecia we wszystkich najważniejszych aspektach.

T.C.W. Blanning
Sidney Sussex College
Cambridge

Przedmowa do wydania polskiego

Kolejny tom *Zarysu historii Europy* poświęcony jest w całości dziejom XVI wieku. Zespół sześciu brytyjskich badaczy zajął się tym bardzo ważnym dla Europy okresem, analizując kwestie związane z gospodarką europejską, konfliktami politycznymi i wielkimi zmianami w Kościele, charakteryzując szesnastowieczne społeczeństwa a także ukazując rozwój kultury i nauki oraz kontakty mieszkańców Europy z terytoriami zamorskimi.

W historii Polski okres ten jest wyjątkowo pomyślny – od drugiej połowy XVI wieku nazywany jest wręcz złotym wiekiem jej dziejów. Czytelnik, sięgający po książkę, której autorzy zajmują się państwami europejskimi w tych czasach, mógłby się spodziewać, że dużo miejsca zajmują w niej sprawy polskie. Istotnie, sporo odniesień do nich znajdzie się w rozdziałach poświęconych gospodarce czy społeczeństwu, ale w pozostałych, z pewnymi wyjątkami, wspomina się o nich niewiele.

Dlatego dobrze sobie przypomnieć, że za panowania ostatnich Jagiellonów Rzeczpospolita miała znaczącą pozycję międzynarodową – mimo że w 1526 roku, po bezpotomnej śmierci Ludwika Jagiellończyka, Jagiellonowie stracili korony Czech i Węgier na rzecz rywalizujących z nimi Habsburgów. Stopniowo zacieśniano unię polsko-litewską, aż do 1569 roku, gdy po zawarciu między Polską i Litwą unii realnej utworzono federacyjną Rzeczpospolitą Obojga Narodów. Państwo to stało się jednym z największych w Europie, silnym nie tylko pod względem politycznym, wojskowym i gospodarczym. Za czasów Zygmunta I Starego i królowej Bony oraz ich syna Zygmunta II Augusta nastąpił także rozkwit polskiej kultury i sztuki. Również w nauce Polacy mieli wybitne osiągnięcia, z których jedno – opracowanie heliocentrycznej teorii budowy świata przez Mikołaja Kopernika – zostało omówione w rozdziale *Życie umysłowe* Charlesa Nauerta.

Żywe kontakty polsko-europejskie umożliwiły dość szybkie dotarcie do Rzeczypospolitej nauk reformatorów – Lutra i Kalwina – i ich przyjęcie przez wiele polskich rodzin szlacheckich. Wspomina o tym w rozdziale *Niepokoje religijne* Euan Cameron, zwracając zwłaszcza uwagę na rolę wywodzących się z polskiego zboru kalwińskiego arian i działalność ich słynnej Akademii w Rakowie na Kielecczyźnie.

Za panowania Zygmunta II Augusta na ziemie polskie dotarła kontrreformacja. Warto tu zwrócić uwagę, że w przeciwieństwie do ówczesnych państw europejskich, w których dochodziło do krwawych represji oraz niemal stale toczono wojny religijne, w Rzeczypospolitej innowiercy mogli czuć się stosunkowo bezpiecznie. Wynikało to z wiekowych tradycji tolerancji, panującej w wieloetnicznym, wielokulturowym i wielowyznaniowym państwie. Całkiem uprawnione jest więc nazywanie we współczesnej historiografii Rzeczypospolitej Obojga Narodów „państwem bez stosów".

Czytając *Szesnasty wiek* pod redakcją Euana Camerona polski czytelnik powinien pamiętać, że jest to zarys, a nie wyczerpująca historia naszego kontynentu, i potraktować zawarte w niej rozważania jako szerokie tło, umożliwiające lepsze zrozumienie dziejów Polski jako jednej z najważniejszych części składowych nowożytnej Europy.

Małgorzata Wojciechowska

Informacje o autorach

CHRISTOPHER BLACK – profesor historii włoskiej na University of Glasgow, zajmuje się historią społeczną Włoch w początkach epoki nowożytnej, ze szczególnym naciskiem na bractwa i życie parafialne. Opublikował wiele artykułów na temat życia politycznego, kultury i sztuki Perugii, jest autorem *Italian Confraternities in Sixteenth Century* (1989, 2004), *Early Modern Italy: A Social History* (2000) oraz *Church, Religion and Society in Early Modern Italy* (2004).

DAVID A. BRADING – członek Akademii Brytyjskiej, emerytowany profesor historii Meksyku na University of Cambridge, były dyrektor Centre of Latin American Studies i pracownik Clare Hall College w Cambridge. Zajmuje się historią Ameryki Łacińskiej w początkach epoki nowożytnej; opublikował między innymi: *Miners and Merchants in Bourbon Mexico, 1763–1810* (1971), *Haciendas and Ranchos in the Mexican Bajío, León, 1700–1860* (1978), *Prophecy and Myth in Mexican History* (1984), *The Origins of Mexican Nationalism* (1985), *The First America: The Spanish Monarchy, Creole Patriots and the Liberal State, 1492–1867* (1991), *Church and State in Bourbon Mexico: The Diocese of Michoacán, 1749–1810* (1994) i *Mexican Phoenix: Our Lady of Guadalupe: Image nad Tradition across Five Centuries* (2002).

EUAN CAMERON – wykładowca historii Kościoła i dziekan Union Theological Seminary w Nowym Jorku. Przedmiotem jego zainteresowań są rozłamy i podziały religijne w średniowieczu i początkach epoki nowożytnej. Opublikował: *The Reformation of the Heretics: The Waldenses of the Alps 1480–1580* (1984), *The European Reformation* (1991), *Waldenses: Rejections of Holy Church in Medieval Europe* (2000) oraz *Interpreting Christian History: The Challenge of the Churches' Past* (2005); był także redaktorem *Early Modern Europe: An Oxford History* (1999).

MARK GREENGRASS – profesor historii na University of Sheffield i specjalista w zakresie historii Francji początków nowożytności. Kierował Hartlib Papers Projekt, w którego ramach przekładano, opracowywano i wydawano rękopisy z unikalnej kolekcji Samuela Hartliba (ok. 1600––1662). Obecnie sprawuje nadzór nad University of Sheffield the British Academy John Foxe Project. Opublikował między innymi: *France in the Age of Henri IV* (1984), *The French Reformation* (1987), *Conquest and Coalescence: The Shaping of the State in Early Modern Europe* (1990) i *The Longman Companion to the European Reformation, c. 1500–1618* (1998). Był również współwydawcą *Samuel Hartlib and Universal Reformation: Studies in Intellectual Communication* (1994) oraz *The Adventure of Religious Pluralism in Early Modern France* (2000).

CHARLES G. NAUERT – emerytowany profesor historii na University of Missouri-Columbia. Zajmuje się dziejami relacji między kulturą humanistyczną a kulturą scholastyczną na uniwersytetach Europy Północnej i ogólnie historią idei europejskiego renesansu, poświęcając szczególną uwagę odrodzeniu starożytnego sceptycyzmu w XVI wieku. Jest autorem *Agrippa and the Crisis of Renaissance Thought* (1965), *The Age of Renaissance and Reformation* (1977), *Humanism and the Culture of Renaissance Europe* (1995) oraz obszernego artykułu na temat renesansowych komentarzy do *Historii Naturalnej* Pliniusza Starszego, opublikowanego w *Catalogus Translationum et Commentariorum*. Opracował również *Historical Dictionary of the Renaissance* (2004) oraz wstęp i przypisy do dwóch tomów *The Collected Works of Erasmus* wydanych przez University of Toronto Press.

TOM SCOTT – profesor w Reformation Studies Institute na University of St Andrews. Prowadzi badania nad stosunkami miasto–wieś oraz świadomością regionalną w Niemczech na przełomie średniowiecza i epoki nowożytnej oraz nad reformacją i wojną chłopską. Opublikował wiele prac na temat nowożytnej gospodarki i historii społecznej, między innymi: *Freiburg and the Breisgau: Town-Country Relations in the Age of Reformation and Peasants' War* (1986), *Thomas Müntzer: Theology and Revolution in the German Reformation* (1989), *Regional Identity and Economic Change: The Upper Rhine, 1450–1600* (1997), *Society and Economy in Germany, 1300–1600* (2002), *Town, Country and Regions in Reformation Germany* (2005). Jest również redaktorem *The Peasantries of Europe from the Fourteenth to the Eighteenth Centuries* (1998) oraz współredaktorem *The German Peasants' War: A History in Documents* (1991).

Wstęp

Euan Cameron

Trudno nie zgodzić się z tezą o przełomowym znaczeniu XVI wieku w dziejach Europy. W polityce, życiu umysłowym i duchowym kontynentu końca XV wieku ciągle jeszcze dominowało dziedzictwo średniowiecza. Do roku 1600 wszystko to się zmieniło. Europejczycy po raz pierwszy zetknęli się ze zjawiskiem masowej komunikacji i doświadczyli pierwszych zmian i konfliktów natury ideologicznej. Na ich oczach z upadku zaczęła podnosić się gospodarka, w której zachodziły strukturalne, często bolesne przemiany, i wzrastała liczba ludności. Musieli zmierzyć się ze światem, który nagle stał się znacznie większy, i zrobili to z mieszaniną konsternacji i przekonania, że należy narzucić reszcie globu własną kulturę i wartości. W dawniejszej historiografii rozprzestrzenienie się i dominację kultury europejskiej uznawano za powód do dumy. Dziś nie ma już o tym mowy, tego rodzaju podejście wypacza obraz epoki. Wiek XVI to okres przystosowania się, czas, w którym ludzie zostali zmuszeni do zastanowienia się nad problemami nieogarnianymi wcześniej myślą. Wraz ze wszystkimi radykalnymi zmianami horyzontów umysłowych przyszły wszelkiego rodzaju wstrząsy i konflikty, dotykające zarówno Europejczyków, jak i ludzi, z którymi się oni stykali.

Europa w 1500 roku

Historycy gospodarki tradycyjnie analizowali jej kondycję, odwołując się do kategorii cykli wzrostu i regresu. To dialektyczne podejście nie oddaje, w jaki sposób postrzegano gospodarkę w badanym okresie –

15

a można by przypuszczać, że widziano ją jako układ idealnie stabilny, z ustalonymi relacjami i uczciwymi cenami; układ, w którym wszelkie zmiany są najprawdopodobniej skutkiem ludzkiego grzechu i zachłanności. Mimo to mniej więcej do lat siedemdziesiątych XV wieku w gospodarce Europy Zachodniej dominowały czynniki niesprzyjające jej rozwojowi. Nadal odczuwalne były skutki katastrofalnego zmniejszenia się liczby ludności w drugiej połowie XIV wieku – straty zaczęto nadrabiać dopiero w końcu następnego stulecia. Rynek podstawowych artykułów spożywczych znalazł się w kryzysie, ponieważ, mówiąc wprost, mniej było gąb do wyżywienia. W konsekwencji społeczności rolnicze różnicowały się, powstawały regiony wyspecjalizowane w produkcji na przykład wina czy barwników farbiarskich. Już około 1500 roku dały się zauważyć oznaki ożywienia zarówno w handlu lokalnym, jak i międzynarodowym; gospodarowano nie tylko po to, aby przetrwać.

W handlu musiały jednak nastąpić zmiany. O gospodarce w basenie Morza Śródziemnego w rozkwicie średniowiecza decydował podział na strefę łacińską i bizantyńską na północnych wybrzeżach oraz muzułmańską – na południowych, przy czym duże znaczenie miały kolonie handlowe włoskich potęg morskich, Wenecji i Genui, na wyspach Lewantu. W drugiej połowie XV wieku, wraz z ekspansją imperium ottomańskiego i podbojem reszty Azji Mniejszej, a po 1526 roku – całej Grecji i południowych Bałkanów, podział północ–południe został zastąpiony przez podział wschód–zachód. Nie oznaczało to izolacji Wschodu od Zachodu, nadal trwał handel i wszelkie formy wymiany, pokojowe i nie całkiem pokojowe. Zmieniły się jednak zasady i gracze, a południowo-wschodnie obrzeża Europy straciły swe dawne znaczenie na rzecz Zachodu i Północy. Zmiana ta po raz pierwszy wywołała pewne wątpliwości co do przynależności części Bałkanów do Europy; wątpliwości te przetrwały wieki, a ich odbiciem stało się stwierdzenie Tony'ego Blaira z 1999 roku, że Kosowo jest „progiem Europy".

W połowie XV wieku zaczął również dobiegać kresu ważny etap dziejów politycznych kontynentu. Kilkusetletnie boje między monarchiami angielską i francuską, toczone na francuskiej ziemi, zakończyły się wraz z ostatecznym wygnaniem Anglików z Gaskonii w 1453 roku. Zawarty w 1454 roku pokój w Lodi zapoczątkował czterdziestoletni okres pokoju wewnętrznego w środkowych Włoszech, przerwany brutalnie przez najazd króla francuskiego Karola VIII w 1494 roku. W pozostałej części Europy w drugiej połowie XV wieku toczyły się ostatnie wojny między feudałami, w których stosowano przestarzałe już zasady rycerskiej sztuki walki. Artyleria i szwajcarska piechota, opłacane przez króla francuskiego Ludwika IX, stopniowo podkopywały pozycję polityczną rodzącego się quasi-państwa burgundzko-flandryjskiego, swego rodzaju reliktu, którego władcy świadomie kultywowali wyidealizowane cnoty rycerskie. Po 1477 roku posiadłości książąt burgundzkich zostały podzielone między Habsburgów a królów francuskich. Losy Burgundii wskazywały, że przewaga militarna znajdzie się po stronie krajów dysponujących dużą liczbą armat i pik.

W strukturze społecznej schyłku średniowiecza wciąż dominującą rolę odgrywała szlachta, czyli dawne rycerstwo, z którego około 1000 roku wyłoniła się europejska arystokracja. Stan ten utrzymał zarówno swoje przywileje fiskalne i prawne, jak i wpływy polityczne, a jego przedstawiciele posiadali wystarczająco dużo ziemi, by nie musieć imać się żadnego produktywnego zajęcia, oraz umiejętności odpowiednie po temu, by służyć suzerenowi podczas wojny. Nawet wśród książąt Kościoła cnoty rycerskie miały znaczenie; dobrym przykładem może być tu arcybiskup Salzburga Mateusz Lang von Wellenburg (1468–1540), który długo prowadził działalność polityczną i wojskową w służbie Maksymiliana I, a święcenia kapłańskie przyjął dopiero dzień przed objęciem arcybiskupstwa w 1519 roku. Około 1500 roku zaczęły pojawiać się jednak sygnały, że przyszłość może należeć do elit politycznych wyróżniających się czymś więcej niż próżniactwem i skłonnością do przemocy. Popularność poradników dwornego zachowania zapowiadała wzrost zapotrzebowania na obytych, dobrze ułożonych doradców. Nawet książę burgundzki Karol Zuchwały próbował rządzić swą okrojoną domeną we Flandrii przy pomocy „prześwietnej rady". W coraz większym stopniu realizowanie polityki, a po pewnym czasie także wytyczanie jej kierunków, stawało się udziałem świeckiej warstwy urzędniczej, której przedstawiciele nie rekrutowali się ani z szeregów szlachty, ani z duchowieństwa (choć oba te stany utrzymały swą pozycję).

Powolnemu, stopniowemu rozwojowi warstwy urzędniczej towarzyszyły subtelne, lecz głębokie zmiany sposobu funkcjonowania systemu władzy i polityki. W XV wieku coraz powszechniej używano papieru, dzięki czemu nie tylko produkcja książek stała się o wiele prostsza i tańsza niż przy zastosowaniu pergaminu, kosztownego i wymagającego pracochłonnej obróbki, ale możliwe okazało się również prowadzenie korespondencji urzędowej na skalę znacznie szerszą niż wcześniej. Władze mogły więc dokumentować swoje decyzje i działania, natomiast dla jednostek pozostawianie na papierze świadectw własnych myśli nierzadko okazywało się ryzykowne. Jak zauważył jeden z badaczy dziejów reformacji, w licznych zachowanych listach z epoki znajduje się postscriptum: „spalić po przeczytaniu". W XVI wieku nastąpił ogromny wzrost liczby i różnorodności pisanych źródeł dokumentujących poczynania Europejczyków.

Poniżej poziomu elit rządzących przemiany następowały nieco wolniej i były mniej radykalne. Należy pamiętać, że w owej epoce za ideał uchodziły stabilność i trwałość porządku społecznego. Zmiany postrzegano w najlepszym razie jako nieuniknioną, acz niepożądaną konieczność. Dla ludzi późnego średniowiecza największe znaczenie miały udział we wspólnocie i hierarchia społeczna. „Wspólnota" oznaczała sieć powiązań łączących mężczyzn i kobiety żyjących i funkcjonujących jako elementy tego samego organizmu społecznego, czy była to wieś utrzymująca się z uprawy roli, czy miasto lub parafia w dużym mieście. Poczucie przynależności do „wspólnoty" było w niektórych regionach Europy (na przykład w południowo-zachodnich Niemczech) szczególnie silne, choć w XVI wieku niejednokrotnie wystawiano je na ciężką próbę. „Hierarchia społeczna" wiązała się natomiast z przekonaniem – dziś trudnym raczej do zaakceptowania – że we właściwym, mającym boską sankcję porządku społecznym każdy człowiek ma określone miejsce, tak że jedni są ponad nim, a inni – pod nim. Ludziom późnego średniowiecza równość stanów, pokoleń czy płci wydawała się nie do pomyślenia. Kto nie wszedł do stanu duchownego, przypisany był do stanu szlacheckiego, mieszczańskiego lub chłopskiego, niżej w hierarchii znajdowali się najemni pracownicy fizyczni i służba. Duchowieństwo tworzyło odrębny, zhierarchizowany i rządzący się własnymi prawami stan, którego członkowie wyróżniali się tym, że umieli czytać i pisać. W pewnym sensie duchowieństwo stało ponad resztą społeczeństwa ze względu na swe przywileje – zwolnienie (czasem tylko teoretyczne) od służby wojskowej i ciężarów podatkowych narzucanych społeczności świeckiej – i ze względu na sprawowany przez siebie rząd dusz. Duchowni, podzieleni podobnie jak świeccy, mający własną szlachtę i własne pospólstwo, podlegali w gruncie rzeczy takim samym naciskom politycznym i dręczeni byli przez takie same niepokoje jak reszta społeczeństwa.

Duża część społeczeństw późnego średniowiecza nie przestrzegała praw i norm etycznych ustanowionych przez władzę, czy to polityczną, czy religijną. Badacze dostrzegają obecnie znaczenie nieformalnych więzi społecznych i norm zachowania wyrosłych z lokalnych tradycji i obyczajów. Nawet w dziedzinie takiej jak moralność seksualna, do której zarówno państwo, jak i Kościół przykładały wielką wagę, propagując właściwe modele zachowań, wygrywały zakorzenione zwyczaje i praktyki. Historycy rodziny prześledzili, jak w średniowiecznym kanonie prawa małżeńskiego próbowano utrzymać kruchą równowagę między teoretycznymi zasadami ustalonymi przez Kościół a zwyczajami tradycyjnie obowiązującymi w życiu wsi. Wymowne świadectwo daremności tych wysiłków stanowił duży odsetek ciężarnych panien młodych. Podobnie więzi krwi i poczucie wspólnoty rodowej mogły niekiedy konkurować z oczekiwaniami wspólnoty, a nawet brać nad nimi górę lub nie liczyć się z hierarchią społeczną.

W literaturze, sztuce i filozofii Europy około 1500 roku nadal szerzył się nurt zwany renesansem. Już co najmniej od stu lat małe grupki uczonych, ludzi pióra i artystów udowadniały, że za ich sprawą nastąpiło definitywne zerwanie z kanonami obowiązującymi w poprzednich wiekach, w epoce, którą nazwali „wiekami średnimi", czyli czasem pośrednim między starożytnością grecką i rzymską a ich własnymi, „nowożytnymi" czasami. Ludzie ci żywili przekonanie, że udało im się przywrócić do życia klasyczną elegancję, proporcje, wrażliwość etyczną starożytnych. We Włoszech końca XV wieku mężczyźni i kobiety renesansu nadawali ton życiu kulturalnemu, reprezentowali styl swoich czasów. Renesansowy smak obowiązywał w tak różnych kwestiach, jak styl literacki, kształcenie młodzieży, kanony estetyczne w malarstwie, rzeźbie, architekturze i typografii, a nawet krój rękawów i wzory zbroi. Przedstawiciele renesansu zapoczątkowali również dyskusję, czy większą wartość ma życie w odosobnieniu, ascetyczne i pełne wyrzeczeń, czy też czynne włączenie się w życie rodzinne i społeczne.

We Włoszech styl gotycki nigdy nie rozwinął się tak jak w Europie Północnej. Na północ od Alp sytuacja była o wiele bardziej skomplikowana. Renesans oznaczał tu napływ elementów obcych, a nawet egzotycznych, do wysoko rozwiniętej, wyrafinowanej kultury literackiej i artystycznej. W połowie XV wieku ideały renesansu zostały przyjęte przez niewielkie grupki uczonych francuskich, niemieckich i angielskich, ale nie rozpowszechniły się na tyle, by można było uznać ów nurt za dominujący w kulturze i sztuce. Niekiedy jego zwolennicy wyolbrzymiali swoje zmagania z „barbarzyńcami" i „przeciwnikami" dobrej literatury, przypisując sobie wyimaginowaną izolację (czasem sami sobie ją narzucali), co nie oddawało ich rzeczywistej pozycji w świecie nauki lub kultury. Około 1500 roku uczeni ci zaczęli zdobywać sobie pozycję szanowanej mniejszości jako wykładowcy nawet na konserwatywnych uniwersytetach, stając się aktywnymi uczestnikami europejskiego życia umysłowego.

Kultura Europy w przededniu reformacji – sądząc po jej zewnętrznych przejawach – była nie tyle przesycona religią, ile bardzo konformistyczna. Źródła dowodzą, że Kościół odgrywał wielką rolę w życiu Europejczyków. Przebudowywano i ozdabiano kościoły w najmodniejszym stylu gotyckim, malarze i rzeźbiarze wykonywali na zamówienie liczne ołtarze, chrześcijanie ze wszystkich warstw społecznych zabiegali o fizyczny, namacalny kontakt z *sacrum* w postaci relikwii lub świętych obrazów i rzeźb. Nieustannie rosła liczba mszy zamawianych przez wiernych w intencji zmarłych. Ponadto znacznie rzadziej niż dwieście–dwieście pięćdziesiąt lat wcześniej pojawiały się herezje i zorganizowane grupy odstępców od wiary i Kościoła. Wyjątek, ale tylko w pewnym sensie, stanowiły Anglia i Czechy. Krótko mówiąc, niewiele było sygnałów świadczących, że nadchodzi wielki wstrząs, który zachwieje podstawami nauczania Kościoła katolickiego i praktyk religijnych społeczności chrześcijańskiej. Z drugiej strony zdawano sobie sprawę z występujących wówczas problemów, krytykowano występki wielu księży przeciwko moralności i upadek dyscypliny wśród kleru, przywileje i polityczną aktywność Kościoła. Najwybitniejsi przedstawiciele wyższego duchowieństwa sami widzieli konieczność zmian i podejmowali próby naprawy sytuacji.

Prawdziwy podział między chrześcijanami przebiegał wzdłuż osi, na której jednym końcu znajdowali się teologowie, na drugim zaś – najmniej wykształceni świeccy. Dla tej ostatniej grupy rytuał stanowił mechanizm wywierania nacisku na świat nadprzyrodzony. Praktyki religijne i parareligijne pomagały ludziom uporać się z trudami codziennego życia. W warstwach najlepiej wykształconych do Boga odwoływano się zawsze w odpowiedniej intencji, korzono się i przeżywano uniesienia religijne, a przy tym często krytykowano „przesądne" rytuały mas nieoświeconych; nie wiedziano jednak, jak odprawianiu tych rytuałów zaradzić, ponieważ potępienie z ambony mogło narazić księdza na utratę zaufania wiernych. Niektórzy teologowie być może nie zdawali sobie nawet sprawy, jak głęboko „przesądy" zakorzeniły się już w rozmaitych warstwach społecznych.

Wnikliwszy obserwator mógł dostrzec pewne zagrożenia. Rygorystyczne i opresyjne systemy władzy stają się podatne na ciosy, gdy osoby poddane tej władzy przestają w pełni jej wierzyć. Należy być wówczas bardzo ostrożnym. Myśliciele północnoeuropejscy byli w większości konwencjonalnie pobożnymi chrześcijanami, niektóre jednak z tych wyrafinowanych umysłów, w tym najwyżsi przedstawiciele Kościoła, z trudem mogły uwierzyć, że zbawienie wieczne duszy ludzkiej naprawdę zależy od liczby wysłuchanych mszy, odbytych pielgrzymek i rytuałów pokutnych. W XIII wieku traktowanie sakramentów jako przepustki do nieba było podejściem świeżym i żywotnym, w końcu wieku XV nadal dominowało i wydawało się niezagrożone, ale europejskie elity stawały się, łagodnie mówiąc, coraz bardziej rozczarowane uproszczoną i niezbyt elegancko podawaną teologią, połączoną z mnóstwem rytuałów traktowanych jako jedyna droga do zbawienia. Krytyczne stanowiska nie zostały jeszcze w pełni wykrystalizowane; nie odnosiły się lub odnosiły w niewielkim stopniu do dogmatyki (jako przeciwieństwa estetyki), a ich przedstawiciele nie zamierzali podważać władzy Kościoła. Któż jednak potrafiłby przewidzieć, jak zachowają się te niespokojne, poszukujące umysły, gdy pojawi się alternatywna koncepcja odkupienia duszy jednostki?

Rok 1500 był świadkiem jeszcze jednej zmiany o doniosłym znaczeniu – Europejczycy zyskali nowy obraz świata zewnętrznego. Przez większość średniowiecza europejska wizja świata, nader ograniczona i niepełna, kształtowała się pod wpływem zarówno skąpych informacji, jak i – może przede wszystkim – opowieści i legend. W XIV i XV wieku jedną z najpopularniejszych i najczęściej tłumaczonych opowieści o szerokim świecie były *Podróże* Johna Mandeville'a. Dzieło to, pomyślane jako przewodnik dla pielgrzymów pragnących dotrzeć do Jerozolimy, zawierało liczne dygresje z opisami krajów Azji, przede wszystkim Chin, oraz całkowicie zmyślone opowieści o dziwacznych, fantastycznych stworach zamieszkujących odległe zakątki ziemi. Europejczycy niewiele mogli się z *Podróży* dowiedzieć o świecie i trwali w ignorancji aż do odkryć geograficznych końca XV wieku. Ponadto, stłoczeni na północno-zachodnim krańcu lądu obejmującego Europę, Azję i Afrykę i coraz bardziej osaczani przez Turków, zostali w praktyce odcięci od ogromnych połaci Azji Południowej i Wschodniej i mieli mętne wyobrażenie o istniejących tam imperiach i rozwiniętej kulturze.

Problem polegał nie na tym, że w przededniu odkrycia Indii Zachodnich i kontynentu amerykańskiego Europejczycy postrzegali dalekie lądy i ich mieszkańców jako coś nieznanego i egzotycznego, ale na tym, że porównywali je i szukali analogii z rzeczami, które już znali i rozumieli. Ponadto wydawało się niemal nie do pomyślenia, że starożytni kosmologowie i geografowie, a tym bardziej pisarze powołujący się na Biblię jako źródło wiedzy, nie mieli dostępu do rzetelnych informacji, mogli więc całkowicie mylić się w opisach świata i miejsca w nim chrześcijan. Ponieważ na nieznanych lądach spodziewano się znaleźć giganty i człekopodobne monstra, dokładnie opisane w księgach, bez trudu można było zakwestionować człowieczeństwo ich mieszkańców. Nie sposób wyobrazić sobie ludzi gorzej przygotowanych pod względem intelektualnym, kulturalnym i moralnym do roli kolonizatorów i panów reszty świata niż Europejczycy późnego średniowiecza.

XVI stulecie w oczach historyków

Badanie każdej epoki historycznej owocuje powstaniem pewnej liczby konwencji interpretacyjnych, które z czasem mogą stać się truizmami. Dla wieku XVI powstało ich szczególnie dużo, choć wysiłki uczonych zmierzające do podważenia tych stwierdzeń sprawiły, że dziś niewiele z nich powraca w tradycyjnym kształcie. Mimo to przetrwały koncepcje, czy może raczej pojęcia-klucze, do których czują się w obowiązku odnieść wszyscy historycy, studenci, nauczyciele i pisarze. Wzrost liczby ludności, „rewolucja cenowa", „rewolucyjny wynalazek druku", „rozwój kapitalizmu", reformacja i kontrreformacja, „powstanie państw narodowych", rozwój świeckiej myśli filozoficznej, politycznej i naukowej – wszystko to wydaje się niezbędne dla wyczerpania tematu. Te obiegowe terminy są jednak wyrazem pewnej postawy. Jej wyraziciele kładą nacisk na ruch i dynamiczne zmiany, pomijając to, co trwałe i niezmienne. Zajmują się przede wszystkim dużymi, silnymi państwami Europy Zachodniej, nie interesując się zbytnio mniejszymi państwami lub bardziej złożonymi systemami władzy. Zwracają uwagę głównie na te trendy i wydarzenia, które z d a j ą s i ę – nie zawsze słusznie – zapowiadać późniejsze zmiany i otwierać drogę „nowożytności".

Tego rodzaju podejście wydaje się do pewnego stopnia nieuniknione. Alternatywą jest zarzucenie badań nad ogólnymi trendami i zajęcie się wyłącznie wycinkową historią małych regionów i wyodrębnionych problemów. Nie brakuje opracowań, których autorzy celowo zrezygnowali z całościowej interpretacji, tworząc jednocześnie dzieła rzetelne, udokumentowane i wartościowe z punktu widzenia nauki. Prawdziwym wyzwaniem dla historyków jest jednak połączyć jak najwięcej drobnych szczegółów tak, aby tworzyły spójny, całościowy obraz. Wielkie problemy powinny zostać przebadane, dopracowane, usytuowane w odpowiednim kontekście, tam zaś, gdzie konieczne – zmodyfikowane lub nawet zarzucone i zastąpione tematami lepiej udokumentowanymi w źródłach.

Najważniejsze zagadnienia tej książki

Każdy z autorów tego tomu opracował na swój sposób partię materiału, aby przedstawić nam obraz XVI wieku w świetle najnowszych badań. W rozdziale poświęconym gospodarce Tom Scott przekonująco ukazuje zróżnicowanie Europy pod względem geograficznym. Europa Wschodnia i region Morza Śródziemnego rozwijały się zupełnie inaczej niż północno-zachodnie regiony Francji i cesarstwo niemieckie. Scott stawia pytanie, czy formułowane dawniej oceny takich czy innych metod produkcji rolniczej i przemysłowej, które uznano za „przestarzałe" lub „niewydajne", są rzeczywiście słuszne. Być może owe pozornie zacofane metody były w tamtym czasie i miejscu bardziej racjonalne niż te, które z perspektywy czasu jawią się jako bardziej „nowoczesne". Scott przestrzega nas również przed patrzeniem na postęp gospodarczy wyłącznie przez pryzmat odwołujących się do modeli idealnych takich pojęć, jak „rozwój kapitalizmu". Wykazuje, że poszczególne środki produkcji mogły rozpowszechniać się z rozmaitych powodów, z których wiele miało mało wspólnego z gospodarką, za to więcej z konwencjami kulturowymi. Na zakończenie pojawia się konkluzja, że cykle gospodarcze (wtedy i teraz!) w różnych regionach nie zbiegają się w czasie. Okres ekspansji trwał o wiele dłużej w regionie Morza Śródziemnego niż Morza Północnego i Bałtyckiego.

Mark Greengrass też zwraca naszą uwagę na te aspekty wydarzeń politycznych i militarnych, które wolą pomijać badacze jednostronnie nastawieni na szukanie „korzeni współczesności". Dowodzi, że w XVI wieku najważniejszą rolę polityczną odgrywały monarchie dziedziczne. Państwa te rozrastały się dzięki małżeństwom władców, dziedziczeniu i podbojom, traciły zaś terytoria wskutek działów spadkowych (tam, gdzie pozwalało na to prawo), zapisów posagowych, wygaśnięcia rodu lub klęski militarnej. Alianse polityczne najpotężniejszych państw Europy zależały od przypadków i od tego, kto się z kim ożenił, ilu spłodził potomków i ilu z nich przeżyło. Lektura źródeł doprowadziła Greengrassa do przekonania, że w XVI wieku nie istniały „państwa narodowe". Innymi słowy – żadne państwo nie miało „naturalnych" granic, a jego mieszkańcy poczucia tak ogromnej odrębności, by państwo to nie mogło zostać częścią wielonarodowej monarchii.

W XVI wieku mocno zmieniła się nawet monarchia angielska, która jawiła się jako instytucja o długiej, silnie ugruntowanej tradycji. Królowie angielscy w pełni podporządkowali swej władzy walijskie posiadłości, a następnie, w latach czterdziestych, przyjęli tytuł królów Irlandii. W latach pięćdziesiątych, poprzez małżeństwo królowej, Anglia stała się na kilka lat częścią imperium habsburskiego, obejmującego Hiszpanię, Flandrię, Mediolan, Neapol i posiadłości w Ameryce. W 1603 roku dynastia panująca wygasła, na tron angielski wstąpili szkoccy Stuartowie, choć formalnie nie mieli prawa do sukcesji. Zmienność kolei losów Anglii blednie jednak w porównaniu z niezwykłością dziejów monarchii Habsburgów. Ten osobliwy konglomerat, obejmujący przede wszystkim Austrię, Węgry, Czechy, Flandrię, Kastylię, Aragonię i część ziem włoskich, powstał w latach 1516–1519 i 1556 w rezultacie umów między dynastiami, zbiegów okoliczności, przedwczesnych śmierci i korzystnego dziedziczenia. Nie służyło to interesom żadnego z tych krajów, ponieważ skazane one zostały albo na rządy często nieobecnego i wiecznie zirytowanego Karola V, albo na jednego regenta po drugim.

Wewnątrz struktur renesansowej monarchii zmienił się styl służenia monarsze przez szlachtę. Ponieważ coraz większego znaczenia nabierały dokumenty pisane i rządzenie z pomocą komisji, pojawiło się miejsce dla arystokratów chcących zostać administratorami zza biurek, a także dla ludzi aspirujących do stanu szlacheckiego, do czego uprawniały ich teraz umiejętności i kwalifikacje. Od dworzanina-administratora wymagano jednak nie tylko kwalifikacji zawodowych, ale także uzdolnień retorycznych i artystycznych; nawet znajomość sztuki walki uznawano za niezbędną dla członków królewskiego dworu, podobnie jak zasad właściwego zachowania się i dobrych manier, choć pojęcie grzeczności nieustannie ewoluowało. Mogłoby się wydawać, że Europa zrobiła krok w tył na drodze do nowoczesnego systemu rządów, ciągle podtrzymując złudzenie, że dwór królewski jest tylko powiększoną kopią dworu arystokratycznego, dworzanie zaś – raczej osobistymi służącymi monarchy niż przedstawicielami władzy państwowej.

Christopher Black stawia nas od razu przed pytaniem, czy społeczeństwo początków ery nowożytnej należy opisywać, odwołując się do kategorii rzekomo odwiecznej walki klasowej, czy też założyć, że stanowiło ono w istocie harmonijnie działający organizm, którego funkcjonowanie regulowały zasady zrozumiałe dla wszystkich. Wydaje się, że odpowiedź na to pytanie więcej mówi nam o sympatiach politycznych badacza niż o epoce stanowiącej przedmiot jego studiów. Mimo to zwolennicy obu sposobów interpretacji znajdą w źródłach argumenty za słusznością swojej postawy. W różnych momentach przełomowych, w czasie wojen religijnych czy powstań chłopskich, które przetoczyły się przez Europę w XVI wieku, występowały zjawiska świadczące o rywalizacji między stanami i konfliktach klasowych, choć w postaci specyficznej dla epoki, czasem pod przykrywką radykalizmu religijnego lub obrony dawnych wartości.

Niezależnie od rodzących się czy tylko potencjalnych konfliktów na tle klasowym ludzie XVI wieku nadal byli połączeni ze sobą licznymi więzami rozmaitej natury. Każdy należał do różnego rodzaju wspólnot, nie tylko rodzinnej czy rodowej, ale też parafialnej, był członkiem bractwa lub zakonu, cechu lub gildii kupieckiej. Dzięki zainteresowaniu Blacka południem Europy możemy spojrzeć na społeczeństwo XVI wieku z szerszej perspektywy, zbyt często bowiem skupiano się dotąd na Francji i Niemczech, pomijając resztę kontynentu. Podobnie jak Scott w rozdziale dotyczącym gospodarki, autor rozdziału 3 przestrzega nas przed uproszczonym, uogólniającym spojrzeniem na całą Europę. Na Południu na przykład najrozmaitsze bractwa religijne przetrwały, mimo wątpliwości zarówno duchowieństwa, jak i władców świeckich, o wiele dłużej niż w niektórych regionach Europy Północnej. Co więcej, zupełnie inaczej biegły tam linie podziałów społecznych – pewne regiony miały stosunkowo płaską strukturę społeczną, z nader wąską warstwą arystokratyczną i urzędniczą, ale o wiele bardziej typowe były nie do końca jasne, nieskończenie skomplikowane, zhierarchizowane struktury, zarówno w społecznościach miejskich, jak i wiejskich, gdzie występowała gradacja statusu nawet wśród ludzi parających się tym samym zajęciem.

Christopher Black uświadamia nam również zaskakującą różnorodność wyboru dróg życiowych dostępnych (lub niedostępnych) dla kobiet w wieku renesansu i reformacji. Choć zgodnie z obowiązującymi wzorcami kobiety nie miały dostępu do stanowisk związanych z władzą i wpływami (z wyjątkiem księżnych i królowych), miały także znacznie mniejsze możliwości zdobycia wykształcenia, istniały wyjątki; garstce artystek i kobiet twórczych udało się wybić i uzyskać pozycję niedostępną większości swoich współczesnych. To znów przywodzi na myśl Włochy – być może jedyny kraj, w którym wykształcona kurtyzana mogła stać się sławną na arenie międzynarodowej i wpływową osobistością. W XVI wieku, wraz z upływem lat, coraz mniejsze stawało się przyzwolenie na przekraczanie norm społecznych i etycznych. Miało to różnorakiej natury skutki. Z jednej strony ograniczona została pewna swoboda wyborów życiowych dokonywanych przez kobiety, z drugiej – społeczeństwo zostało „zdyscyplinowane" dzięki polityce zarówno kontroli, jak i opieki. Nic lepiej nie ukazuje różnicy między wiekiem XVI a współczesnością niż ówczesna polityka kontroli i nadzoru społecznego. Szesnastowieczni stróże porządku społecznego, paternalistyczni, ale i opiekuńczy, moralizujący, lecz dążący do wykazania się pewnym stopniem wyrozumiałości, postrzegali się zarówno jako obrońcy norm moralnych, jak i opiekunowie ubogich. Jak wykazuje Christopher Black, tego rodzaju dyscyplinowanie społeczeństwa rzadko okazywało się tak skuteczne i tak rygorystyczne, jak nakazywała teoria.

Wiek XVI był świadkiem rozwoju renesansu w Europie Północnej, a jednocześnie zmierzchu tej idei. Zakrawa na paradoks sposób, w jaki humanizm został przyjęty na północ od Alp. W myśl rozpowszechnionego, choć wątpliwej wartości poglądu humanizm włoski miał charakter świecki, północny zaś – religijny. Truizm ten wymaga gruntownej rewizji, ponieważ na północ od Alp działali przed 1500 rokiem świeccy humaniści, podobnie jak we Włoszech istnieli humaniści religijni. Mimo to najważniejszym wkładem Europy Północnej w myśl renesansu była, jak wykazuje Charles Nauert, oparta na patrystyce i Biblii teoria duchowości wypracowana przez Erazma z Rotterdamu. Teoria ta nie zdążyła jeszcze wywrzeć znaczącego wpływu na świadomość wykształconych mieszkańców Europy, gdy znalazła się w ogniu polemik toczonych w pierwszym okresie reformacji. Można by nawet powiedzieć, że poglądy Erazma zyskały taką sławę i znaczenie dzięki dyskusjom wokół reformacji, ponieważ wtedy właśnie ogromnie wzrosła ranga pisarstwa religijnego. Pisarze reprezentujący renesans północny, a zwłaszcza Erazm, zaproponowali Europie nowe podejście do chrześcijaństwa, zbyt późno jednak, aby zdobyć szersze grono gorących zwolenników.

W rezultacie każde opracowanie dotyczące renesansu północnego musi odnieść się do zróżnicowania i podziałów tego nurtu w sytuacji, gdy na życiu religijnym epoki coraz silniejsze piętno odciskały konflikty między zwalczającymi się obozami. Charles Nauert poświęca więc wiele uwagi bogactwu i różnorodności życia umysłowego XVI wieku, pisząc o literaturze, prawie, matematyce i innych naukach ścisłych, a także o filozofii moralności i myśli politycznej. Renesans skończył się wraz z rozpłynięciem się poglądów i postaw przyjętych na pierwszej fali zachwytów nad starożytnością klasyczną, w morzu ewoluującej, obejmującej szerszą problematykę myśli europejskiej. Zmalały nieco górnolotne ambicje uczynienia istoty ludzkiej lepszą za sprawą „literatury humanistycznej"; pozostały umiejętność krytycznego podejścia do słowa pisanego, a także lepsze zrozumienie historii, literatury i filozofii starożytnej oraz roli nauki i programów nauczania. Rozłam religijny w skromnym, ale znaczącym stopniu sprawił, że poszczególne dyscypliny naukowe mogły zyskać większą autonomię i uniezależnić się od siebie. Myśliciele różnych wyznań mogli utrzymywać kontakty, korespondować i toczyć dyskusje dotyczące takich dziedzin, jak matematyka, kosmologia czy nauki przyrodnicze bez konieczności odnoszenia się do kwestii ostatecznych. Rozbicie nauki na dyscypliny – nieuchronne, gdy wiedza rozwija się gwałtownie, ale w różnym tempie – musiało jednak rodzić swego rodzaju niepewność i niewiadome. Nauert kończy rozdział przedstawieniem nurtów myślenia sceptycznego, które wyłoniły się w końcu XVI wieku. Niektórym niezależnym myślicielom wątpienie w możliwość poznania przez człowieka prawdy absolutnej wydało się jedyną rozsądną postawą w czasach krwawych wojen religijnych i ciągłych zmian.

Wiek XVI to przede wszystkim epoka reformacji. Dawniejsi badacze zwykle dowodzili, że ówczesne niepokoje religijne powinno się objaśniać w kategoriach gospodarczych i społecznych, na przykład walki klasowej, bardziej jakoby „rzeczywistych" niż wiara religijna. Z pewnością byłoby błędem także skrajnie przeciwne stanowisko, postrzeganie każdej decyzji podejmowanej w kwestiach religijnych jako rezultatu głębokich poszukiwań duchowych albo zwykłego fanatyzmu. W czasach reformacji i kontrreformacji żyli zarówno ludzie uduchowieni, jak i fanatycy, ale także ludzie wyrachowani i niebaczący na religię gracze polityczni. O losach religii decydowała wówczas cała sekwencja złożonych i nieprzewidywalnych relacji między szczerą wiarą, wynikającymi z niewiedzy uprzedzeniami i cyniczną kalkulacją korzyści osobistych i grupowych.

Nie ulega jednak wątpliwości, że reformacja zapoczątkowała zupełnie nowy sposób rozumienia roli religii w życiu ludzi. Przed reformacją celem chrześcijańskich praktyk religijnych było przekazywanie zbiorowej prawości i czystości ucieleśnionej w Chrystusie – a strzeżonej przez Kościół założony przez Chrystusa – wiernym, którzy w ten sposób stawali się prawi i czyści. Bóg godził się na to przeniesienie czystości, a chrześcijanin zapewniał sobie dzięki temu zbawienie duszy. Po reformacji (w tych krajach, gdzie przyjęto jej podstawowe przesłanie) wiara chrześcijańska zasadzała się na przekonaniu, że Bóg udziela łaski i przebaczenia, aby raczej zakryć, niż zmyć niedoskonałości ludzkiej duszy, z natury grzesznej i nieczystej. Rolą Kościoła było nauczanie wiernych o łasce i przebaczeniu poprzez słowo i sakramenty, łączenie społeczności w aktach wdzięczności i dobrej woli w podzięce za łaskę oraz utrzymanie dyscypliny moralnej i społecznej. Krótko mówiąc, oczyszczenie przez rytuał ustąpiło miejsca przebaczeniu przez zrozumienie.

Gdy pojmie się podstawową zasadę, wokół której skupiał się główny nurt reformacji, resztę programu można odkryć metodą dedukcji; tam gdzie jest to niemożliwe, należy spodziewać się kontrowersji i podziałów. Nie sposób natomiast wydedukować z samych tylko założeń ideowych niezwykle skomplikowanego procesu, który sprawił, że reformacja zmieniła rzeczywistość społeczną i polityczną. Przy każdej próbie przedstawienia problemu napotykamy ogrom nakładających się na siebie motywów i sprzeczności; najlepsze więc, co może zrobić historyk, jeśli musi ograniczyć się do krótkiego tekstu, to starać się wychwycić wiele mniej lub bardziej typowych procesów lub zjawisk, ukazujących rozwój reformacji. Żaden z tych przykładów – czy chodzi o wolne miasta południowoniemieckie, czy Hanzę, czy monarchie skandynawskie, czy uchodźstwo religijne i Jana Kalwina – nie wyczerpuje całości zagadnienia, pozwala natomiast uchwycić ogólny obraz sytuacji.

Nawet jednak wówczas, gdy weźmie się pod uwagę i uwzględni wszelkie zbiegi okoliczności i przypadki, które zdecydowały o takim, a nie innym rozwoju wydarzeń, nadal trzeba zgodzić się, że na dzisiejszym chrześcijaństwie, nie tylko w Europie i obu Amerykach, ale wszędzie tam, gdzie powieliły się podziały na różne wyznania, wciąż odciska swe piętno spuścizna XVI wieku. Uwaga ta jest szczególnie słuszna w odniesieniu do katolicyzmu, konfesji, która najmniej się zmieniła pod wpływem wydarzeń owego stulecia. Zmianie uległa nie tyle treść nauczania Kościoła – choć także tam nie wszystko zostało po staremu – ile raczej sposób przekazywania nauki wiernym. Katolicyzm przejął po wieku XVI – wieku „dyscypliny społecznej" – autorytaryzm, przekonanie, że w formułach słownych zawiera się to, co transcendentne, oraz chęć nauczania poprzez rygorystycznie traktowaną katechizację. Protestantyzm również przejął wiele podobnych cech, ponieważ wpisane były one w mentalność epoki. Różnica polegała na tym, że w katolicyzmie cechy te przetrwały o wiele dłużej.

Powstanie zamorskich imperiów kolonialnych często traktowane jest jako naturalna konsekwencja odkryć geograficznych, jakby wydawało się oczywiste, że nowo odkryte ziemie powinny zostać skolonizowane i zawłaszczone, a ich ludność podbita lub zasymilowana. Jest to oczywiście podejście całkowicie błędne. Pisząc o powstaniu imperiów hiszpańskiego i portugalskiego, David A. Brading rzuca światło na zależność między odkryciami zamorskimi a zdecydowanym dążeniem władców Europy Zachodniej do rozszerzenia swej władzy i wpływów pod pozorem dbałości o handel, chęci powiększenia terytorium kraju czy też chrystianizacji. Odkrycia zaowocowały założeniem imperiów, ponieważ władcy potęg morskich mogli otworzyć sobie linie kredytowe na opłacenie ludzi oraz sfinansowanie okrętów i ekwipunku, dzięki czemu zdobycze terytorialne stały się najpierw możliwe, a następnie warte obrony i eksploatacji. Nie należy też zapominać o roli biurokracji i pieniądza w rozszerzaniu wpływów europejskich oraz o odwadze i waleczności śmiałków, którzy tworzyli podwaliny europejskich społeczeństw za oceanem.

W dziejach powstawania i utrzymywania się hegemonii, zwłaszcza hiszpańskiej i portugalskiej, na podbitych ziemiach niejednoznaczną rolę odegrał Kościół katolicki. Z jednej strony katoliccy księża i zakonnicy widzieli w ludności tubylczej dusze, które trzeba poprowadzić do zbawienia. Kościół próbował więc łagodzić najostrzejsze, najbardziej brutalne przejawy praktykowanej przez Europejczyków eksploatacji tubylców, a przynajmniej nie dopuścić do zupełnego upodlenia nowej grupy „podludzi". Z drugiej strony – w ówczesnym katolicyzmie istniał silny nurt podkreślający człowieczeństwo i potrzeby duchowe mieszkańców Nowego Świata (choć podobny dyskurs nie dotyczył jeszcze mieszkańców wybrzeży Afryki). Pragnienie pozyskania dusz dla chrześcijańskiego Boga nieodłącznie związane było jednak z silnym poczuciem wyższości Europejczyków, nie tylko pod względem religii i norm etycznych. W pewnym okresie w polu zainteresowań badaczy znalazły się zmiany sposobu postrzegania przez Europejczyków tubylców z Ameryki Środkowej i Południowej. Jak się okazało, mieszkańców Karaibów początkowo chwalono za naiwną prostoduszność, później miejsce pochwał zajęła podejrzliwość, ponieważ tamtejsze systemy rządów uznano za okrutne i despotyczne, a w końcu przerażenie zaczęły budzić tubylcze rytuały religijne. W tej sytuacji względy natury etycznej i ekonomicznej mogły ze sobą współgrać, sprawiając, że europeizacja Nowego Świata wydawała się absolutną koniecznością.

Rzetelne, naukowe opracowanie dziejów Europy w XVI wieku nie powinno być zbyt uproszczone, a tym bardziej zagmatwane i za długie; badacz nie może też uchylać się od wyciągania wniosków natury ogólnej i poszukiwania prawidłowości. Autorzy tego tomu przystąpili do pracy, mając świadomość niezwykłej złożoności ludzkich losów na kontynencie liczącym blisko sto milionów mieszkańców, w czasach gwałtownych i często bolesnych przemian. Przekonani są, że tradycyjna metoda badań, polegająca na szukaniu prawidłowości i konstruowaniu modeli, pozwoli przybliżyć czytelnikowi ewolucję społeczeństwa europejskiego w XVI wieku. Nie ulega wątpliwości, że przygotowane przez zespół opracowania okażą się po pewnym czasie wytworem swojej epoki – będzie to kolejny dowód, że historia nie stoi w miejscu.

1

Gospodarka

Tom Scott

Dawniejsze opracowania poświęcone gospodarce europejskiej XVI wieku tradycyjnie podkreślały trzy jej cechy. Po pierwsze, na terenach zachodniej części basenu Morza Śródziemnego – we Włoszech i Hiszpanii – skąd brała swą siłę napędową gospodarka średniowiecza, nastąpił wyraźny zastój, ponieważ w wieku podbojów zamorskich, kolonizacji i eksploatacji zajętych ziem centrum życia gospodarczego przesunęło się zdecydowanie na północno-zachodnie wybrzeże Atlantyku. Po drugie, przy rozpatrywaniu gospodarki granice chronologiczne XVI stulecia należy rozciągnąć – wstecz do około 1470 roku i w przód (biorąc pod uwagę niektóre jej aspekty) do lat pięćdziesiątych następnego stulecia. W „długim wieku XVI" wystąpiła faza wzrostu gospodarczego, wyrażającego się (choć niekoniecznie spowodowanego) przyrostem liczby ludności trwającym do momentu, w którym zaczęło brakować ziemi i żywności, co ponownie doprowadziło do niedostatku, głodu i tendencji zniżkowej w gospodarce. Towarzyszył temu duży jak nigdy wcześniej wzrost cen (nazywany niegdyś „rewolucją cenową"), ale bez wzrostu zarobków, a w rezultacie inflacja, dewaluacja i zubożenie dużych grup ludności. Po trzecie, „długi wiek XVI" uważany był za okres rozwoju kapitalizmu, czyli początku nowoczesnej gospodarki rozumianej w kategoriach wzrostu, innowacyjności i akumulacji; badania Immanuela Wallersteina wykazały, że wówczas dostrzec można zalążki wczesnokapitalistycznej „gospodarki światowej", w której nowe centra pozbawiły znaczenia dotychczas dobrze prosperujące ośrodki i zdominowały gospodarkę nowych peryferii zarówno w samej Europie, jak i w koloniach zamorskich, traktowanych jako teren eksploatacji.

W ostatnich latach zakwestionowano wiele elementów tej koncepcji i wykazano, że – przynajmniej dla okresu sprzed 1600 roku – są one nie do utrzymania. Krótko rzecz ujmując: wpływ kolonii na gospodarkę Europy, polegający jakoby na spowodowaniu inflacji i destabilizacji wskutek napływu kruszców, był do lat osiemdziesiątych ledwie zauważalny, natomiast decydująca zmiana – przesunięcie punktu ciężkości z wybrzeży Morza Śródziemnego na wybrzeże Atlantyku, skąd wyruszały wyprawy do Nowego Świata – dokonała się w czasie nie więcej niż trzydziestu lat, między rokiem 1590 a 1620. Co więcej, pomijano dotychczas (z wyjątkiem problematycznych badań Wallersteina) rolę w tym procesie Europy Wschodniej, której gospodarka w XVI wieku po raz pierwszy zintegrowała się (obojętne, kto na tym bardziej skorzystał) z gospodarką Europy jako całości. Wkład kolonii do europejskiego produktu narodowego brutto w XVI wieku (gdybyśmy potrafili go obliczyć dla epoki przedstatystycznej) okazałby się prawdopodobnie marginalny.

Ludność, ceny i płace

Aby przybliżyć te zagadnienia, omówimy najpierw gospodarkę trzech wielkich regionów – Europy Wschodniej, basenu Morza Śródziemnego i krajów atlantyckich, następnie zaś przedstawimy wnioski dotyczące powiązań handlowych i przejawów wczesnego kapitalizmu. Należy zaznaczyć, że regiony te nie stanowią jednorodnych całości, a granice między nimi są płynne. Odzwierciedlają one jednak podziały, w ramach których historycy tradycyjnie analizowali rozwój lub zacofanie gospodarcze Europy. Na początku konieczne jest ukazanie zasadniczych zmian, jakie zaszły w liczbie ludności, cenach i płacach. Według najbardziej wiarygodnych, najnowszych szacunków Jana de Vriesa, liczba mieszkańców Europy wzrosła z 60,9 miliona w 1500 roku do 68,9 miliona w roku 1550 i 77,9 miliona w 1600, co oznacza wzrost o 27,9 procent. Stopa wzrostu zgadza się z wcześniejszymi obliczeniami (na przykład Petera Kriedtego), według których wynosiła ona 26 procent na obszarze obejmującym również Rosję europejską (na zachód od Uralu), Węgry, Rumunię i Bałkany, przy 80,9 miliona mieszkańców w 1500 roku i 102,1 miliona w 1600. W liczbach tych, dotyczących całej Europy, nie znajdują odbicia istotne różnice regionalne, co skwapliwie podkreślają historycy kładący w swych badaniach nacisk na zróżnicowanie rozwoju gospodarczego i szacujący wzrost populacji Europy Północnej i Zachodniej na 44,7 procent. Uważa się, że na przykład w Anglii nastąpił w latach 1500–1600 przyrost liczby ludności z 2,3 do 4,2 miliona, co daje stopę wzrostu 82,6 procent, zdecydowanie najwyższą w Europie; na drugim miejscu znalazły się północne Niderlandy (Holandia) ze stopą wzrostu 57,8 procent. W tym samym czasie populacja Szkocji i Irlandii wzrosła nie więcej niż 25 procent. Wskaźniki dotyczące krajów „atlantyckich" są wyraźnie wyższe niż śródziemnomorskich, gdzie stopa wzrostu wynosiła zaledwie 21,8 procent, oraz Europy Wschodniej ze stopą wzrostu 28,3 procent. Jeśli chodzi o Europę Środkowozachodnią podana przez de Vriesa średnia stopa wzrostu 27,2 procent budzi jednak wątpliwości. Populacja Niemiec miała liczyć w 1500 roku 12 milionów i wzrosnąć do 16 milionów w roku 1600 (wzrost o 33 procent), ale według nowszych szacunków Christiana Pfistera Niemcy miały w 1500 roku nie więcej niż 9–10 milionów mieszkańców, natomiast sto lat później – 16–17 milionów; daje to wzrost rzędu 60–88 procent, w przypadku tej ostatniej liczby wyższy niż w Anglii! Różnice zaznaczyły się wyraźnie w XVII wieku, gdy Niemcy zostały zdewastowane wskutek wojny trzydziestoletniej, zaś liczba mieszkańców Anglii szybko wzrastała i w 1650 roku wyniosła 5,5 miliona, ponad dwa razy więcej niż w roku 1500.

Każdy wzrost populacji musi oznaczać większy popyt na towary i usługi, często jednak utrzymuje się, że na stan gospodarki w omawianym okresie wpływ miał przede wszystkim stosunek ludności miejskiej do wiejskiej, przy czym miasta stanowiły główne ośrodki produkcji rzemieślniczej i konsumpcji. Na pierwszy rzut oka liczby ukazywały niezbyt korzystną sytuację, choć w regionie Morza Śródziemnego działo się nieco lepiej. W ciągu XVI wieku stopień urbanizacji Europy – i tak niewysoki – nadal pozostał niski. W Szwajcarii współczynnik ludności miejskiej spadł z 6,8 do 5,5 procent (spadek o 20 procent), mimo że ogólna liczba mieszkańców wzrosła ponoć o 50 procent. Najwyższe tempo urbanizacji zaznaczyło się we Włoszech (w ciągu całego okresu ponad 22 procent), Flandrii (również mniej lub bardziej stałe, 28–29,3 procent) oraz w północnych Niderlandach, gdzie współczynnik ludności miejskiej wzrósł, według jednego z szacunków, z 29,5 do 34,7 procent (wzrost o 17,6 procent), a być może jeszcze więcej (choć dopiero po 1580 roku), ponieważ w 1650 roku 42 procent ludności mieszkało w miastach liczących 25 tysięcy lub więcej mieszkańców; w samej tylko Holandii współczynnik ten (nieoddający istoty sytuacji ze względu na wyjątkowy rozwój Amsterdamu) wynosił 61 procent. Należy zaznaczyć, że część wschodnich Niderlandów pozostała bardzo słabo zaludniona, a tym bardziej zurbanizowana. W Anglii sytuacja przypominała w pewien sposób to, co działo się w Holandii. O wiele niższy początkowo współczynnik urbanizacji, zaledwie 7,9 procent w 1500 roku, wzrósł w roku 1600 do 10,8 procent (wzrost o 36,7 procent) i nadal się zwiększał w następnych latach, przy czym nieproporcjonalnie duży wpływ wywarł nań nadzwyczajny rozwój Londynu – 40 tysięcy mieszkańców w roku 1500, 400 tysięcy w 1650!

O czym świadczą te liczby? Słaba korelacja między stopniem urbanizacji a prężnością gospodarki w XVI wieku – jedynie w Holandii występuje na pozór bezpośredni związek – wskazuje, że w długiej perspektywie poziom urbanizacji jest niezbyt wiarygodnym wskaźnikiem rozwoju gospodarczego, a ponadto biorąc go pod uwagę, nie uwzględnia się takich typowych dla XVI wieku fenomenów, jak rozrośnięte nad miarę miasta u wybrzeży Europy, na przykład Sewilla, Lizbona czy Neapol, rojące się od żebraków i robotników sezonowych, z populacją sięgającą pod koniec XVI wieku odpowiednio 90, 100 i 281 tysięcy; miasta te drenowały pod względem gospodarczym okoliczne regiony.

Warto przytoczyć przykład Kastylii, gdzie do 1600 roku liczba miast mających 5–10 tysięcy mieszkańców (niemałych, jak na ówczesne normy) skoczyła z 30 do niemal 80. Wiele z tych nowych miast pozostawało jednak w izolacji gospodarczej, utrzymywało słabe więzi z większymi centrami regionalnymi i żadne z nich, z wyjątkiem Toledo, nie przekroczyło 15 tysięcy mieszkańców. Na drugim krańcu kontynentu Ruś Czerwona (region na południe od Lwowa, dziś na Ukrainie, w XVI wieku należący do Polski) przeżywała do 1600 roku prawdziwą eksplozję urbanistyczną, ale jej skutki dla gospodarki okazały się mało znaczące, być może dlatego, że miasta te były zakładane przez miejscową szlachtę jako ośrodki administracyjne, nie zaś handlowe.

Historycy zgadzają się, że w XVI wieku nastąpił znaczny wzrost cen i podobnie jak ludzie tamtej epoki uważają to za zjawisko negatywne, sprawą otwartą pozostaje jednak, czy Europa miała wówczas po raz pierwszy do czynienia ze zjawiskiem szalejącej inflacji, występowały też znaczące wahania cen między krajami lub regionami oraz między towarami. Na ogół ceny produktów żywnościowych, a zwłaszcza podstawowych zbóż, rosły szybciej niż ceny wyrobów rzemieślniczych. Jeśli weźmiemy za punkt wyjścia rok 1500, ceny zboża wzrosły sześć i pół raza we Francji, ponad czterokrotnie w Anglii, południowych Niderlandach, części Hiszpanii (Walencja i Nowa Kastylia) i w Polsce, ale tylko dwa i pół razy w krajach niemieckich i Austrii. Nie ulega wątpliwości, że nie ma bezpośredniego związku między wzrostem cen zboża a wzrostem liczby ludności w różnych krajach Europy. Badacze skupiali się na cenach zboża, co jest zupełnie zrozumiałe, ponieważ chleb stanowił podstawowe pożywienie Europejczyków z wyjątkiem mieszkańców niektórych regionów Południa, gdzie jego funkcję pełnił ryż, ale ceny innych produktów żywnościowych rosły o wiele wolniej. W Bazylei (należącej od 1501 roku do Szwajcarii, przedtem do Niemiec) indeks cen wzrósł do 1600 roku dla wołowiny do 262, wina – do 290, masła – do 293, suszonych śledzi – do 350; tylko ceny jaj rosły tak jak ceny zboża (w tym przypadku orkiszu, pośledniego gatunku pszenicy, podstawowej uprawy na południowo-zachodnich ziemiach niemieckich) i osiągnęły wskaźnik odpowiednio 400 i 408. Wiarygodność tych liczb pozostaje w sferze przypuszczeń, ponieważ czterokrotny wzrost cen zboża w Bazylei byłby wyjątkiem, skoro na pozostałych ziemiach niemieckich indeks osiągnął zaledwie 255.

Wzrost cen w XVI wieku tłumaczono w różny sposób. Najczęstsza i najmniej przekonująca koncepcja wiąże to zjawisko z importem kruszców z kolonii. Złoto i srebro zaczęły napływać z Ameryki dopiero w końcu stulecia, ale nie wywołałoby to inflacji, gdyby gospodarka się rozwijała. Nawet w Hiszpanii, gdzie bezsprzecznie występowały pewne tendencje do inflacji, większość srebra natychmiast odsyłano tytułem spłaty do niemieckich i genueńskich bankierów, Hiszpania cierpiała więc niedostatek, nie zaś nadmiar srebra i złota. W mniejszym stopniu odnosi się to do Portugalii, która sprowadzała wielkie ilości złota z Afryki Północnej na długo przed napływem amerykańskiego srebra, być może nawet 40 ton rocznie, co odpowiada 520 tonom srebra. W Europie Środkowej natomiast boom wydobywczy na początku stulecia sprawił, że na rynku pojawiało się około 50 ton srebra rocznie (a prawdopodobnie więcej); takie ilości srebra amerykańskiego napływały dopiero od lat sześćdziesiątych. W pewnych sytuacjach – dobrym przykładem jest tu Anglia w latach czterdziestych i pięćdziesiątych – do inflacji przyczyniło się obniżenie wartości pieniądza przez państwo, należy jednak pamiętać, że w XVI wieku, inaczej niż w poprzednim stuleciu, w zasadzie nie psuto bitych monet. O wiele większy wpływ na inflację miało powstanie nowych form kredytu, w tym długu publicznego, oraz banków akcyjnych i giełd. Gwałtowny rozwój systemu kredytowego wywołał popyt na pieniądz i szybkie dochody, a stąd był już tylko krok do inflacji. Oczywiście pewną rolę odegrał również wzrost liczby ludności. Wobec wzrostu cen dochód netto przeznaczano nie na towary luksusowe, lecz na podstawowe artykuły żywnościowe, a zwłaszcza zboże, na które popyt musiał zostać zaspokojony – dlatego ceny zbóż rosły szybciej niż ceny innych produktów żywnościowych i wyrobów rzemieślniczych. Według danych zebranych dla różnych miast niemieckich, w ostatniej ćwierci stulecia terminator u murarza lub cieśli mógł kupić 8,9 kilograma żyta i 6,8 kilograma grochu, ale tylko 3 kilogramy wołowiny, 2,4 kilograma wieprzowiny i zaledwie 0,95 kilograma masła. Zboże i rośliny strączkowe stanowiły więc podstawowe pożywienie. Z perspektywy dzisiejszych teorii żywienia, zakładających, że zbilansowana dieta powinna zawierać 12 procent białek, 27 procent tłuszczów i 61 procent węglowodanów, przedstawia się to doskonale, ponieważ zboża i rośliny strączkowe są jedynymi produktami żywnościowymi zawierającymi duże ilości węglowodanów, głównego źródła energii. Ważne są jednak także tłuszcze – masło, ser, tłuszcz zawarty w mięsie, boczek, wszystkie dostarczają bowiem wartościowych składników odżywczych. Białka, mające zasadnicze znaczenie dla rozwoju tkanek ciała, były natomiast dostępne tylko w mięsie, jajach i rybach. W pewnym zakresie można zastąpić tłuszcze węglowodanami, a węglowodany białkami – a historycy są często zaskoczeni ilością mięsa zjadanego w początkach epoki nowożytnej. W południowych Włoszech nie rozwijano uprawy pszenicy, w Lombardii zaś od połowy stulecia uprawiano kukurydzę, ale nabrała ona większego znaczenia dopiero po 1600 roku. Dla porównania – ceny wyrobów rzemieślniczych lub wytworzonych w manufakturach podwoiły się wszędzie z wyjątkiem ziem austriackich, gdzie wzrosły zaledwie o 10 procent, i Anglii, gdzie odnotowano wzrost o 50 procent.

W Europie XVI wieku płace nie dotrzymywały kroku cenom. Dane dla Europy wskazują, że płace wzrosły tam w najlepszym razie o 50 procent, we Francji nie więcej niż o 10 procent, podczas gdy w Austrii spadły o 10 procent poniżej poziomu z roku 1500. Jedynie w południowych Niderlandach indeks wzrósł do 300, był większy niż dla wyrobów rzemieślniczych, ale niższy niż dla zbóż. Z upływem lat pogarszała się więc sytuacja pracowników najemnych. Dodajmy jeszcze, że dla Bazylei indeks dniówki wzrósł ze 100 w 1500 roku do 168 w 1600, ale po porównaniu z indeksem cen żywności okazuje się, że już w połowie stulecia spadł w rzeczywistości ze 100 do 47, zmniejszyła się bowiem siła nabywcza płac, i tendencja spadkowa utrzymywała się w następnych latach. Pozostawania płac w tyle za cenami nie sposób wyjaśnić tylko działaniem prawa popytu i podaży. W wielu miastach władze interweniowały, ograniczając maksymalne stawki, mogły bowiem liczyć na milczącą aprobatę tych mistrzów rzemiosła, którzy zatrudniali pracowników najemnych. Podobnie, gdy w Antwerpii w drugiej połowie stulecia wynagrodzenie zaczynało doganiać ceny, szybko interweniowały stany brabanckie, żądając ustawowego ograniczenia płac. Jednocześnie jest oczywiste, że zarobki, przynajmniej częściowo, wypłacane były w naturze, a robotnicy rolni i służba często otrzymywali wikt i mieszkanie w domu swoich pracodawców. Chroniło to biedotę i bezrolnych od najgorszych skutków wzrostu cen żywności. Dokumenty z archiwów miejskich świadczą jednak niezbicie, że wzrastała liczba osób pozbawionych własności i środków do życia.

Europa Wschodnia

Często sądzi się, że w początkach epoki nowożytnej ziemie Europy Wschodniej były w porównaniu z Europą Zachodnią gospodarczo zacofane. Pogląd ten opiera się przede wszystkim na danych szacunkowych dotyczących intensywnej produkcji zboża, nie uwzględnia natomiast dobrze rozwijającego się handlu bydłem oraz górnictwa metali, w tym także szlachetnych. Górnictwo uważano w każdym razie za zdominowane przez przybyszów z zewnątrz i przynoszące małe korzyści miejscowej gospodarce. Powstanie w ciągu XVI wieku w Europie Wschodniej, czyli w krajach położonych na wschód od Łaby – Meklemburgii, Pomorzu, Prusach, Polsce i Litwie – wyspecjalizowanych w produkcji zbożowej na wielką skalę folwarków szlacheckich i latyfundiów magnackich trakto-wano zwykle jako dowód kolonialnej zależności Europy Wschodniej od rynków zachodnich i przyczynę rozwoju poddaństwa i pańszczyzny; po-zbawieni wolności osobistej chłopi zmuszani byli do darmowej pracy dla pana, a w końcu wywłaszczani z ziemi. Jest to pogląd mylny. Eksport zboża z terenów na wschód od Łaby rzeczywiście wzrósł znacząco w ciągu XVI wieku. Dane statystyczne dotyczące portu w Gdańsku, skąd odpływało najwięcej polskiego zboża, wskazują, że w końcu XV wieku eksport żyta, zboża, z którego robiono chleb powszedni, wynosił zaled-wie 2300 łasztów (około 4600 ton)*; liczba ta stopniowo rosła z 10 ty-sięcy łasztów w roku 1500 do 14 tysięcy w 1530. W latach późniejszych, mimo okresowych załamań, jak na przykład po śmierci ostatniego króla z dynastii Jagiellonów, gdy doszło do walk o koronę polską, eksport żyta stale przekraczał 20 tysięcy łasztów, a w latach dziewięćdziesiątych – 30 tysięcy łasztów, choć po roku 1600 osiągnął zupełnie inny poziom, dochodząc do 70–90 tysięcy łasztów. Cały eksport na Zachód był oczy-wiście wyższy, ponieważ zboże wywożono także ze Szczecina, Elbląga, Królewca, Rewla (dziś: Tallin) i Rygi. Rejestry opłat za przepłynięcie przez cieśninę Sund wskazują, że w 1550 roku przewieziono 50 tysięcy łasztów zboża, w latach siedemdziesiątych liczba ta się zmniejszyła, ale do 1600 roku wróciła do poprzedniego poziomu. Przez Sund przepły-wało nie tylko żyto, ale też inne zboża, głównie pszenica, której eksport wynosił w XVII wieku jedną trzecią eksportu żyta.

Do zintensyfikowania uprawy zbóż nie przyczynił się jednak popyt na rynkach zachodnich, ale miejscowych, regionalnych. W latach sześćdzie-siątych całkowita produkcja zbóż w Polsce osiągnęła 600 tysięcy ton, z czego ponad dwie trzecie, 415 tysięcy ton, skonsumowano na miejscu. Z pozostałej części 60 procent rzucono na rynek w Polsce, a tylko 40 pro-

---

* Łaszt był jednostką objętości ładunku statku, nie zaś wagi; ciężar 1 łasztu różnił się w zależności od rodzaju przewożonego towaru. Łaszt żyta ważył około 2 ton (inne zboża były lżejsze).

cent, 74 tysiące ton, czyli około 12 procent całkowitej produkcji, wyeksportowano. Tak niski eksport nie powinien zaskakiwać. Gęstość zaludnienia była w Polsce większa, niż się często przypuszcza: w 1550 roku wynosiła 21,3 osoby na kilometr kwadratowy, w Anglii na podobną gęstość zaludnienia trzeba było czekać do 1650 roku. W samym Gdańsku zapotrzebowanie na zboże było ogromne, liczba mieszkańców miasta wzrosła z 26 tysięcy w 1500 roku do ponad 40 tysięcy w połowie wieku; w XVII wieku liczyła już 70 tysięcy*. Eksport szedł przy tym często na rynki nadbałtyckie. Szczególnie z Meklemburgii i Pomorza wysyłano żyto do portów bałtyckich i szybko rozwijającego się Hamburga. Zboża takie jak jęczmień i owies dostarczano na różne rynki; jęczmień stanowił surowiec dla kwitnącego w Lubece, Hamburgu, Rostoku i samym Gdańsku browarnictwa. Dotyczy to również Czech, jedynego w XVI wieku wysoko zurbanizowanego regionu w Europie Wschodniej, gdzie istniał duży rynek na produkty rolne i gdzie dzięki słynnym browarom w Pilznie i Czeskich Budziejowicach popyt na jęczmień był większy niż na inne zboża.

Gdy spojrzymy na handel z innego niż dotąd punktu widzenia, szybko okaże się, że północne Niderlandy nie były tak zależne od sprowadzanego Bałtykiem zboża, jak niegdyś sądzono. Dawniej szacowano, że drogą tą docierało do Holandii 25 procent zboża mającego zaspokoić w danym roku potrzeby rynku, później mówiło się o 13–14 procentach, ale teraz nawet ta liczba wydaje się za wysoka, ponieważ zboże sprowadzano również z Niemiec Łabą, Wezerą, Renem i Mozą, z Anglii (zwłaszcza jęczmień i owies) i z północnej Francji. Znamienne, że – jak podaje jeden z nowszych szacunków – skoro jeden łaszt zboża wystarczył do wyżywienia przez rok dziesięciu osób, cały eksport bałtycki w drugiej połowie XVI wieku mógłby zaspokoić potrzeby sześciuset tysięcy osób – więcej niż wynosiła wówczas ludność Holandii! Wyjaśnienie jest proste: znaczną część sprowadzanego Bałtykiem zboża wysyłano dalej, zaledwie jedną czwartą konsumowano w Amsterdamie. Większość szła do Portugalii i Hiszpanii (nawet w czasie rewolucji

---

* Liczby te, zaczerpnięte z książki Edmunda Cieślaka i Czesława Biernata *Historia Gdańska*, Gdańsk 1995, s. 103, modyfikują nieco dane przytoczone przez Jana de Vriesa w *European Urbanization 1500–1800*, London 1984, s. 272.

holenderskiej), trochę do Anglii, a później do Włoch. Od 1592 roku w ciągu dziesięciu lat liczba statków (nie wszystkie oczywiście wiozły zboże) zawijających do Livorno, nowo założonego portu Wielkiego Księstwa Toskańskiego, zwiększyła się z dwustu do dwóch i pół tysiąca. Co więcej, kupcy holenderscy spekulowali na rodzimym rynku, wypłacali zaliczki kupcom gdańskim na dostawy długoterminowe, mogli więc zwozić i magazynować zapasy zboża, dopóki w okresie głodu ceny nie poszły w górę. Handel zbożem na wschód od Łaby wcale nie nosił typowych cech zależności kolonialnej, warunki wymiany handlowej z Europą Zachodnią były korzystne, ponieważ wartość eksportu zboża przewyższała wartość sprowadzanych wyrobów, takich jak tkaniny.

Podobnie działo się w przypadku handlu bydłem i winem. Z tych regionów Polski, które nie nadawały się pod uprawę zboża, takich jak Mazowsze i Podlasie, eksportowano wielkie ilości bydła, w pierwszej połowie XVI wieku eksport wynosił dwadzieścia–czterdzieści tysięcy sztuk rocznie. Po włączeniu do Polski ziem ukraińskich w 1569 roku eksport wzrósł do sześćdziesięciu tysięcy sztuk, by w 1584 roku osiągnąć najwyższy pułap, osiemdziesięciu tysięcy sztuk – wtedy to eksporterzy polskiego bydła zaczęli zagrażać pozycji innych wschodnioeuropejskich kupców. Bydło to dostarczano na rynki całych zachodnich Niemiec, choć wydaje się, że po 1600 roku eksport się zmniejszał. Głównym eksporterem bydła na Zachód były jednak Węgry, skąd do 1500 roku wysyłano za granicę sto tysięcy sztuk rocznie, co stanowiło 50–60 procent wartości całego węgierskiego eksportu. Największy rozwój węgierskiego handlu bydłem rozpoczął się w latach sześćdziesiątych, kiedy to nowa rasa siwego bydła stepowego (ciężar jednej sztuki dochodził do 500 kilogramów) zaczęła wypierać na międzynarodowych rynkach dotychczas hodowane mniejsze bydło (ważące około 200 kilogramów), choć tym ostatnim nadal handlowano na rynkach regionalnych. Eksport węgierski szedł nie tylko do Austrii i Górnych Niemiec, ale również do Wenecji, a jeśli dodać bydło hodowane w Siedmiogrodzie, całkowity roczny eksport dochodził w latach siedemdziesiątych do stu pięćdziesięciu tysięcy sztuk rocznie i w roku 1600 prawdopodobnie osiągnął dwieście tysięcy sztuk. Handel bydłem był przede wszystkim domeną szlachty.

W handlu bydłem dużą rolę odgrywała również Skandynawia. Około 1500 roku eksport z Danii i Skanii (południowa Szwecja) był wprawdzie niewielki, dwadzieścia tysięcy sztuk rocznie, ale w ciągu stulecia wzrósł do pięćdziesięciu–sześćdziesięciu tysięcy sztuk; bydło to przewożono wiosną na bujne pastwiska na moczarach nad Wezerą i Łabą, a później przepędzano na południe na sprzedaż do metropolii Górnych Niemiec. Jak obliczył Ian Blanchard, na targowiskach znalazło się co najmniej milion sztuk bydła, którego wartość stanowiła ekwiwalent 150 ton srebra, trzykrotnie przewyższając wartość przewożonego Bałtykiem zboża.

Węgry były też wielkim producentem wina. W ich zachodnim regionie, Sopron (niemiecki Ödenburg), na eksport szło ponad 40 procent produkcji rocznej winnic, choć całkowity eksport z Węgier nie przekraczał 10 procent. Oprócz podstawowych produktów, takich jak futra czy wosk, które eksportowano już w średniowieczu, na rynkach zachodnich zaczęto poszukiwać innych towarów z Europy Wschodniej; na przykład z Inflant wywożono w XVI wieku przez Rygę i Rewal len i konopie, ponieważ w Europie Zachodniej zaczęła się szybko rozwijać wytwórczość wyrobów lnianych; z Litwy i południowej Polski eksportowano natomiast drewno, przede wszystkim dębowe, używane do wyrobu podobrazi.

W gospodarce Europy Wschodniej początków epoki nowożytnej największe inwestycje wiązały się z górnictwem, które przeżywało znów ogromny rozwój. Najbardziej poszukiwane było srebro, którego złoża znajdowały się w północnych Czechach, na Słowacji, w Karyntii i Tyrolu. Początkowo srebro uzyskiwano przede wszystkim z rud ołowiu metodą kupelacji, ale stosowanie od drugiej połowy XV wieku nowej techniki likwacji (segregacji) sprawiło, że możliwe stało się pozyskiwanie go z rud miedzi. W rezultacie rozwinął się wtórny rynek zarówno ołowiu (ze Słowacji i Polski, choć większość tego surowca pochodziła z bardziej odległych regionów), jak i miedzi; popyt na stop miedzi z cynkiem, czyli brąz, z którego wyrabiano sprzęty gospodarstwa domowego i uzbrojenie, utrzymywał się nawet po wyczerpaniu złóż srebra. Często podkreśla się, że dla gospodarki europejskiej metale szlachetne miały o wiele mniejsze znaczenie niż żelazo. To prawda, ale Polska, Czechy, a zwłaszcza Słowacja nie miały złóż rud żelaza, podczas gdy w Austrii były one obfite, występowały w Steyr w Górnej Austrii, w Judenburgu, Leoben, Brucku nad rzeką Mur w Styrii. W ośrodkach tych, słynnych już w XIV wieku, wyrabiano narzędzia, między innymi kosy, ale produkcja na większą skalę ruszyła tam dopiero w drugiej połowie XVI wieku.

Złoża innych metali były mniejsze, złoto występowało na Dolnym Śląsku i na Węgrzech, natomiast cyna i cynk – w górach Harzu. W Austrii znajdowały się ponadto duże złoża soli kamiennej, ciągnące się od północnego Tyrolu do Styrii: w Hall, Schwaz, Reichenhall, Hallein i Aussee; sól eksportowano do miast Górnych Niemiec. Kopalnie soli istniały również na Słowacji i w Małopolsce, wydobywały one jednak sól na regionalne rynki na Śląsku, w Czechach i na Węgrzech.

W Europie Środkowej i Wschodniej kopalnie były otwierane głównie przez spółki handlowe i finansowe z Górnych Niemiec, korzystające z pomocy miejscowych specjalistów. Najsłynniejszym z takich przedsiębiorców był Niemiec z Lewoczy na Spiszu, Johann Thurzo, który jako rajca krakowski założył w pobliżu Krakowa pierwszą w Polsce dużą odlewnię miedzi, gdzie stosowano technologię likwacji. W 1494 roku Thurzo zawiązał spółkę z Jakobem Fuggerem z Augsburga i wspólnie zainwestowali pieniądze w kopalnię miedzi i srebra na Słowacji, w Bańskiej Bystrzycy; przedsiębiorstwo nosiło nazwę Der gemeine ungarische Handel. Do 1526 roku Fuggerowie uzyskiwali roczne dochody trzykrotnie przekraczające wkład, sprzedając około 40 ton srebronośnej rudy miedzi; dużą pomocą okazały się przy tym łagodne prawa zwyczajowe i zwolnienie od opłat przewozowych przyznane przez króla węgierskiego. Po spłaceniu spadkobierców Thurzo Fuggerowie prowadzili przedsiębiorstwo sami, sprzedając do 1596 roku 60 ton miedzi i blisko 120 ton srebra.

W Czechach wydobywanie srebra w Jachimowie rozpoczęło się również z inicjatywy miejscowej rodziny szlacheckiej von Schlicków (Ślików) i rozkwitało dzięki późniejszym inwestycjom Fuggerów oraz innych rodzin przedsiębiorców z Augsburga, takich jak Welserowie czy Höchstetterowie. Do końca lat dwudziestych wydobycie rosło systematycznie, osiągnęło poziom porównywalny z wydobyciem w innych regionach górniczych, ale w latach trzydziestych gwałtownie skoczyło do 48 ton, co stanowiło 40–50 procent produkcji srebra w Europie Środkowej. Później, w latach siedemdziesiątych, znów ustabilizowało się na poziomie wydobycia w innych regionach.

Podobnie wyglądała sytuacja w Tyrolu. Kopalnie srebra w Schwaz i galenitu (rudy ołowiu) na południe od przełęczy Brenner, w Vipiteno (niemiecki Sterzing) należały początkowo do licznej grupy drobnych przedsiębiorców, w czasie recesji, około 1500 roku, przeszły w ręce innej grupy miejscowych właścicieli, ale już w latach dwudziestych górnictwo w Tyrolu zostało całkowicie zdominowane przez domy kupieckie z Augsburga – Höchstetterów, Baumgartnerów i Pimmelów, a przede wszystkim Fuggerów. Jedyne miejscowe przedsiębiorstwo Stöcklów przetrwało dzięki temu, że związało się z Fuggerami. Roczne wydobycie w Schwaz osiągnęło poziom około 6,8 tony w 1522 roku i 12 ton w roku następnym, było wówczas najwyższe w Europie, wkrótce jednak przewyższyło je wydobycie kopalń w północnych Czechach i w górach Harzu. Cechą charakterystyczną górnictwa tyrolskiego była bardzo wysoka proporcja uzyskanego srebra w stosunku do miedzi, wynosząca około 80:20. Dla porównania – na Słowacji proporcja ta wynosiła tylko 50:50, a w Turyngii 60:40. W ciągu XVI wieku została ona wszędzie (z wyjątkiem Tyrolu) odwrócona, ale fortuny zaczęto zbijać na miedzi lub cynku. Niemieccy inwestorzy – „wielka finansjera" według określenia Wolfganga von Stromera – do lat dwudziestych XVI wieku zdołali utworzyć w Europie Środkowej zintegrowany międzynarodowy system wydobycia i dystrybucji srebra, znajdujący się w rękach kilku dużych oligopoli.

Dobra koniunktura w górnictwie Europy Środkowej i Wschodniej nie trwała jednak długo. W latach czterdziestych wydobycie srebronośnej rudy miedzi spadło gwałtownie z około 45 do 30 ton rocznie, utrzymało się na tym poziomie do lat sześćdziesiątych, po czym w końcu tej dekady spadło do 20 ton. Już w roku 1546 Anton Fugger wycofał udziały z kopalń słowackich, choć jego firma kontynuowała działalność, przerzuciwszy się, bez większego powodzenia, na górnictwo żelaza (natrafiła na twardą konkurencję ze strony Styrii). W tym samym czasie na niemieckie przedsiębiorstwa handlujące metalami szlachetnymi i nieszlachetnymi (a także innymi towarami), wymieniające je w Antwerpii na przyprawy korzenne i pozostające w bliskich związkach handlowych z Portugalią, spadł ciężki cios: w 1549 roku król portugalski, mający monopol na handel korzeniami i utrzymujący dotąd jego centrum w Antwerpii, przeniósł je do Lizbony. Jednocześnie wzrastające koszty wydobycia srebra w Europie Środkowej i Wschodniej sprawiły, że przestało być ono konkurencyjne w stosunku do srebra sprowadzanego z obu Ameryk.

Nie oznaczało to nagłego końca górnictwa srebra w Europie. Dzięki nowej technologii, amalgamowaniu, w której srebro wydobywano z rud metali za pomocą rtęci, opłacalne okazało się wykorzystanie rozmaitych, dotąd niebranych pod uwagę rud. Było to jednak tylko wyjście tymczasowe. W latach siedemdziesiątych rynek zaczęło zalewać tanie srebro z Peru i choć spadła cena rtęci, europejskie górnictwo srebra straciło znaczenie. Obrotni przedsiębiorcy przerzucili się na inne metale; niektórzy włoscy inwestorzy postawili na miedź i żelazo, ale Fuggerowie (i inni późniejsi przybysze z Augsburga, tacy jak Haugowie i Manlichowie) woleli zająć się raczej handlem miedzią niż jej wydobyciem, a wiele kopalni przeszło na własność państwa.

Bez trudu można by więc zgodzić się z dawną marksistowską koncepcją (powtórzoną przez Wallersteina), w myśl której kapitalistyczne domy handlowe z Augsburga i Norymbergi odpowiedzialne były za gospodarcze spustoszenie Europy Wschodniej w początkach epoki nowożytnej, a zatem również zacofanie społeczne i gospodarcze tego regionu, odciętego od świata zewnętrznego i zmuszonego utrzymywać z nim więzy przez pośredników. Pogląd ten jest jednak zbyt uproszczony. W XVI wieku w Europie Wschodniej kwitł handel między różnymi krajami i regionami, a także eksport na Zachód, co potwierdzają liczne źródła. Rejestry celne stolicy Słowacji, Preszburga (dziś: Bratysława), z 1542 roku pokazują na przykład, że tkaniny sprowadzane z zagranicy stanowiły 70 procent całego importu, przy czym eksportowano je z Czech, Moraw i Śląska, nie z Zachodu. Z kolei tkaniny z lnu i konopi, wyrabiane w Polsce i na Śląsku, wysyłano na Litwę, Ukrainę i do Rosji. Do tego dochodził wspominany już handel zbożem.

Należało więc znaleźć innego winowajcę – szlachtę, którą cechowała niechęć do ulepszeń i inwestowania połączona z zamiłowaniem do wystawności i przepychu, co uniemożliwiało tej grupie zaangażowanie się w gospodarkę w racjonalny, mieszczański, czyli kapitalistyczny sposób. Szlachta nie tylko podporządkowała sobie handel zbożem, ale także wytwórczość i górnictwo na Śląsku i w Czechach oraz węgierski handel bydłem i winem. Odpowiadał jej więc system feudalny, w którym w folwarkach, manufakturach i kopalniach pracowali poddani, nie zaś wolni dzierżawcy i najemni robotnicy.

Pogląd ten wytrzymuje krytykę tylko wówczas, jeśli podejdzie się do niego w inny sposób i wyodrębni się rolnictwo na wschód od Łaby spośród pozostałych sektorów wschodnioeuropejskiej gospodarki. Uważa się zwykle, że w folwarkach i latyfundiach należało wprowadzić poddaństwo i pańszczyznę – choć chłopi, jako koloniści, początkowo byli wolni – aby zapewnić odpowiednią liczbę rąk do pracy, ale jest to argument nie do obrony. Powstanie wielkiej własności ziemskiej i umocnienie się stosunków feudalnych na wsi było następstwem epidemii „czarnej śmierci" i kryzysu rolnego w XIV wieku, kiedy to ceny zboża spadły, nie wiąże się więc w żaden sposób z zapotrzebowaniem na siłę roboczą wobec popytu na zboże na rynki zewnętrzne. W regionie już wcześniej dość słabo zaludnionym, gdzie opuszczonych zostało wiele gospodarstw, panowie feudalni zyskali jedyną w swoim rodzaju sposobność do konsolidacji rozrzuconych posiadłości, skupiając w jednym ręku prawa do własności ziemskiej i jurysdykcję feudalną. Ważne jest to, że w XV wieku szlachta dążyła do umocnienia zależności chłopstwa, przywiązania go do ziemi; poddaństwo osobiste, pańszczyzna, rugi chłopskie, przymus pracy dzieci chłopskich przez określony czas na folwarku szlacheckim były zasadniczo zjawiskami charakterystycznymi dla XVII wieku (a i wówczas nie wszędzie występowały w jednakowym natężeniu), gdy popyt na zboże przeznaczone na eksport osiągnął najwyższy poziom i gdy miejscowa siła robocza została przetrzebiona w wyniku działań wojennych (wojny trzydziestoletniej, wojen polsko-szwedzkich).

Na wschód od Łaby szlachcie udało się w wielkim stopniu podporządkować sobie chłopstwo, ponieważ od XIV wieku zyskiwała silniejszą pozycję kosztem słabnącej władzy królewskiej i książęcej, wstrząsanej niepokojami wewnętrznymi i wojnami, na przykład między zakonem krzyżackim a królami polskimi. W rezultacie szlachta uzyskała ogromne wpływy i silniejszą pozycję niż królowie i władcy terytorialni – najsłynniejszym przykładem jest tu monarchia polska, która stała się więźniem szlacheckiego sejmu i w istocie była republiką szlachecką – podczas gdy mieszczaństwo, zepchnięte na margines, nie stanowiło znaczącej dla niej przeciwwagi.

Na pytanie, dlaczego szlachta sama zajęła się na tak ogromną skalę gospodarką rolną, odpowiedź brzmi – dzięki odpowiednim warunkom naturalnym i kosztom alternatywnym. Lekkie, piaszczyste ziemie tego regionu doskonale nadawały się pod uprawę zboża, a jednocześnie trudno było znaleźć inne formy dochodowego inwestowania. Do uprawy zbóż zachęcały również duże powierzchnie latyfundiów i folwarków oraz stała

47

możliwość zagospodarowywania nieużytków – jeszcze w 1500 roku 30–40 procent ziemi w Brandenburgii opisywano jako „opuszczoną" – ponieważ dochody można było uzyskać bez większych nakładów na sprzęt i zwiększania wydajności upraw. Ciągle jednak pozostaje zagadką, dlaczego szlachta zajmowała się gospodarowaniem, zamiast puścić ziemię w dzierżawę w zamian za czynsz. Problem ten badał wybitny polski historyk Jan Rutkowski, który doszedł do wniosku, że odpowiedź tkwi w samej istocie władzy senioralnej. Szlachcie łatwiej było narzucać chłopom ciężary, na przykład kolejne serwituty, niż szukać źródeł większych dochodów w czynszach pieniężnych (z których płaceniem dzierżawcy i tak mogliby mieć trudności), natomiast zatrudnienie pracowników najemnych doprowadziłoby jedynie do tego, że szlachta nie wytrzymałaby konkurencji na rynkach międzynarodowych. Dlatego eksport mógł być opłacalny nawet przy mniejszej wydajności. Innymi słowy, władza pana nad chłopem, a więc i darmowa siła robocza sprawiały, że opłacała się gospodarka ekstensywna i niewydajna, nie zachęcały natomiast do intensyfikacji produkcji rolnej. Wydaje się jednak prawdopodobne, że w tych majątkach szlacheckich, z których na rynek szło ponad trzy czwarte zbiorów, darmowa robocizna była najefektywniejszym, najbardziej dochodowym rozwiązaniem – podobnie działo się później na plantacjach Nowego Świata.

Na wchód od Łaby znajdowały się również tereny, na których nie dominowała gospodarka folwarczno-pańszczyźniana; dobrym przykładem są tu Śląsk i Łużyce Górne. Wielu chłopów zachowało tam wolność osobistą i dzierżawiło ziemię na korzystnych warunkach, a zatrudnianie robotników sezonowych i specjalizacja upraw należały do codzienności. Śląsk był słynny z produkcji wyrobów lnianych i barwników, na przykład z marzanny barwierskiej uprawianej w okolicach Wrocławia; w Łużycach produkowano wełnę. Warunki nie sprzyjały tam rozwojowi gospodarki folwarczno-pańszczyźnianej, ale w drugiej połowie XVI wieku szlachta zaczęła wykorzystywać swoje prawa płynące z posiadania ziemi, aby wzbogacić się na istniejącej koniunkturze gospodarczej przez promowanie rozwoju rzemiosła i sukiennictwa. Nie wywłaszczano dzierżawców, pozwolono natomiast osiedlać się nowym osadnikom na pańskiej i wspólnej ziemi oraz ściągnięto manufaktury lniane z miast do posiadłości wiejskich, gdzie zostały one włączone w system rent feudalnych. Szlachta nie sprawowała bezpośredniego nadzoru nad produkcją, wykorzystywała natomiast swą władzę nad poddanymi, aby zmusić ich do kupowania wyłącznie towarów wytworzonych w jej majątkach i zbijać pieniądze na przykład na monopolu browarniczym lub gorzelnianym. Zjawisko to występowało również w krajach austriackich, gdzie na początku XVI wieku panowie feudalni rozwijali własne rynki i wypierali handel z mających długą tradycję rynków miejskich, co wywoływało nieustanne protesty ze strony miast.

Podobnie działo się w sąsiednich Czechach. W gospodarce wiejskiej najważniejszą rolę odgrywały tam hodowla zwierząt i ryb oraz browarnictwo; żadna z tych dziedzin nie nadawała się specjalnie do zastosowania w niej pracy przymusowej. Jeśli korzystano z pracy chłopów pańszczyźnianych, zwykle mieli oni do odrobienia pewną liczbę dniówek w ciągu roku, nie zaś w ciągu tygodnia. Panowie feudalni stosowali przymus głównie do werbowania robotników najemnych i utrzymywania swoich monopoli. W Czechach wzrost znaczenia szlachty zaznaczył się w XV wieku jako rezultat upadku ruchu husyckiego, wtedy bowiem szlachta uzyskała większy wpływ na rządzenie krajem; po 1500 roku pojawiły się natomiast pierwsze oznaki wprowadzania dziedzicznego poddaństwa, przywiązywania chłopów do ziemi, a nawet przymusowej pracy dzieci – na długo przed bitwą pod Białą Górą, która stanowiła moment przełomowy w rozwoju społecznym Czech. Na Węgrzech poddaństwo również wykorzystywane było raczej do kontroli dystrybucji niż jako narzędzie niezbędne do prowadzenia gospodarki folwarcznej.

„Zacofanie" gospodarcze Europy Wschodniej przedstawia się najczęściej jako skutek powrotu do poddaństwa, dominacji szlachty i rodzaju produkcji. Każdy z tych trzech czynników sam w sobie niczego nie wyjaśnia, ale razem mogą pomóc w uzyskaniu jaśniejszego obrazu. Należy jednak poświęcić więcej niż dotychczas uwagi zagadnieniom inwestowania, kredytu oraz ram instytucjonalnych gospodarki.

Kraje śródziemnomorskie

Tak często przypisywane gospodarce Europy Wschodniej początków epoki nowożytnej „zacofanie" uważa się również za charakterystyczną cechę kwitnącej niegdyś gospodarki regionu Morza Śródziemnego –

Włoch, Półwyspu Iberyjskiego i południowej Francji. Opinia ta jest równie mało przekonująca w stosunku do Południa, jak okazała się w stosunku do Europy Wschodniej, choć w typologii Wallersteina region Morza Śródziemnego został uznany za semiperyferia, znajdujące się w niemal kolonialnej zależności od krajów atlantyckich. W przeważającej części tego regionu – zarówno w północnych i południowych Włoszech, jak i południowej Hiszpanii, Katalonii i południowej Francji – rozwinięta średniowieczna sieć miast nie tylko przetrwała: w XVI wieku większe miasta nadal się rozwijały (niektóre ponad miarę), tak że w 1600 roku 17 procent ludności Włoch i Półwyspu Iberyjskiego mieszkało w miastach liczących 5 tysięcy lub więcej mieszkańców, podczas gdy na północ od Alp odsetek ten wynosił zaledwie 8 procent. Na południu Włoch na przykład, w regionie często powierzchownie ocenianym jako „zacofany", w XVI wieku czterdzieści miast miało 10 tysięcy lub więcej mieszkańców. Oznaczało to ciągły popyt na usługi i towary, przede wszystkim na żywność, a co za tym idzie, odpowiadający zapotrzebowaniu rozwój zaplecza rolniczego miast. Elity miejskie dużo inwestowały w okoliczne ziemie, często przyczyniając się do poprawy stanu rolnictwa, na przykład patrycjusze weneccy zaczęli po 1500 roku kupować posiadłości ziemskie w *terraferma**. Zapotrzebowanie miast na zboże mógł jednak zaspokoić tylko import, zarówno regionalny (we Włoszech z Apulii i Sycylii), jak i zamorski, zwłaszcza ze wschodniej części basenu Morza Śródziemnego, z Egiptu, Grecji, a także z Bułgarii.

Wydajność upraw zbożowych była bardzo zróżnicowana. Jeśli chodzi o pszenicę, stosunek ziarna wysianego do zebranego wynosił w Kastylii 1:8, a w Romanii 1:7, ale na pozostałych terenach był dużo niższy, a ponadto wszędzie utrzymywała się tendencja spadkowa: w Kastylii do 1600 roku wydajność spadła do zaledwie 1:4, choć przyczyny tego zjawiska nadal są przedmiotem sporów. Dawniej uważano, że uprawa zboża stała się nieopłacalna z powodu *tasa*, narzuconego przez państwo limitu cen, a ponadto przepędzanie wielkich stad należących do mesty, cechu hodowców owiec, spowodowało erozję gruntów. Teraz przeważa jednak pogląd, iż stało się tak z powodu podatków, zwłaszcza od sprze-

---

* Wł. sucha ziemia – należący do Republiki Weneckiej pas ziemi rozciągający się od Istrii do granic Mediolanu i od rzeki Pad do wysokich Alp (przyp. tłum.).

daży, *alcabala*, które w latach 1560–1590 (i ponownie w 1620 roku) wzrosły dwuipółkrotnie, oraz wskutek sprzedaży wspólnej ziemi, *baldíos*, na której wieśniacy wypasali bydło i gdzie zbierali nawóz, przez elity miejskie, chcące rekompensować sobie własne należności podatkowe. W Romanii, gdzie w 1590 roku wydajność spadła do nie więcej niż 1:5, nie wystąpiły tego rodzaju trudności; pogorszenie się kondycji rolnictwa było tam prawdopodobnie konsekwencją spadku urodzajności ziemi, która musiała wyżywić coraz większą liczbę ludzi. Jedyną oznaką wzrastającego znów znaczenia uprawy zbóż było ograniczanie uprawy winorośli, zauważalne w Langwedocji i wielu innych regionach Europy. Mniejsze plony nie musiały jednak oznaczać pogorszenia się sytuacji chłopów żyjących z uprawy zboża, jeżeli alternatywą było dla nich pozostanie przy uprawie winorośli w nisko położonych, słabo zmeliorowanych winnicach, w których rzadko udawało się wyprodukować wino dobrej jakości. Zmiana miejsca i rodzaju uprawy mogła okazać się wówczas całkiem korzystna. W niektórych regionach Francji zamożni chłopi, posiadający dostatecznie duży majątek, aby podjąć ryzyko produkcji na rynek, powiększali swoje dzierżawy, tworząc gospodarstwa specjalizujące się czy to w uprawie kukurydzy, czy w hodowli jedwabników na południowym zachodzie, czy uprawie winorośli w Langwedocji i Akwitanii.

Dla większości chłopstwa strategią na przeżycie pozostała jednak nie specjalizacja, ale dywersyfikacja upraw. W regionie Morza Śródziemnego powszechna była praktyka zwana *coltura mista* lub *promiscua*, polegająca na uprawianiu jednocześnie winorośli, oliwek i zbóż, aby zmniejszyć ryzyko i przede wszystkim zapewnić gospodarstwu przetrwanie, nie zaś odpowiadać na zmienne potrzeby rynku. Źródła dotyczące Sycylii po 1450 roku wskazują jednak, że w pewnych okolicznościach – takich jak dostęp do rynków zagranicznych, dobre warunki dzierżawy, możliwość łatwego zakupu żywności – chłopi chętnie stosowali dywersyfikację sezonową, której celem nie było wyłącznie przetrwanie; w systemie tym len dojrzewał i przerabiany był w pełni lata i zimą, jedwabniki – między majem a sierpniem, winogrona wiosną i jesienią, a oliwki wczesną wiosną i w środku zimy. Prawdziwa specjalizacja produkcji rolnej występowała natomiast na równinach Lombardii, choć i tu konieczne było spełnienie pewnych warunków, w tym wypadku – irygacja gruntów. Wysoką wydajność osiągały tam duże gospodarstwa, dzierżawione za wyznaczany przez rynek czynsz pieniężny wiejskim przedsiębiorcom, korzystającym z pracy sezonowych robotników rolnych; zakazane było utrzymywanie nieużytków, a uprawę zboża łączono z wypasem bydła na podmokłych łąkach.

W regionie Morza Śródziemnego chłopi powszechnie zawierali z właścicielami ziemi kontrakty dzierżawne (franc. *métayage*, wł. *mezzadria*), na mocy których właściciel udzielał dzierżawcy kredytu w postaci ziarna, narzędzi, kapitału lub samej ziemi w zamian za udział w zbiorach (zwyczajowo była to połowa). Zdaniem badaczy tego rodzaju umowy dzierżawne nie sprzyjały rozwojowi gospodarki rolnej, nie zachęcały ani właścicieli, ani dzierżawców do inwestowania czy wprowadzania ulepszeń. Wallerstein uważa je za typowe dla gospodarki wiejskiej na terenach oddalonych od centrów życia gospodarczego, ponieważ dzięki tego typu kontraktom elity miejskie mogły nabywać i utrzymywać posiadłości na wsi w celu podniesienia statusu społecznego oraz jako zabezpieczenie przed głodem, ale bez bezpośredniego angażowania się w gospodarowanie. *Métayage* uznaje się za przyczynę zacofania rolnictwa w południowej i zachodniej Francji w porównaniu z Anglią, nawet jeśli dzierżawa taka miała dobroczynne skutki społeczne (umożliwiała na przykład synom chłopskim bez pieniędzy utrzymanie się z gospodarowania na roli). Tych obiegowych negatywnych opinii nie należy przyjmować bez zastrzeżeń. Przede wszystkim, nie jest do końca udowodnione, że umowy dzierżawne ze swej istoty hamowały postęp w rolnictwie. W Andaluzji wielcy właściciele ziemscy dominujący w gospodarce wiejskiej, niemal wyłącznie szlachta, zaczynali od inwestowania w produkcję rolną na rynek i dopiero w końcu stulecia przerzucili się na umowy dzierżawne i zostali rentierami, ponieważ dochody z obligacji państwowych przewyższały mniej pewne zyski z bezpośredniego gospodarowania. Co więcej, w środkowych Włoszech i południowej Francji posiadacze ziemi zawierali umowy dzierżawne na prowadzenie upraw wymagających dużego nakładu siły roboczej – winorośli, drzew owocowych, morw do hodowli jedwabników – ale przynoszących wyższe zyski niż uprawa zbóż; powstaje więc pytanie, na co przeznaczali te zyski. Dzierżawienie ziemi, jak dowodził Robert DuPlessis, początkowo mogło być formą inwestowania kapitału na wsi, a dopiero później stało się przyczyną niekorzystnych procesów i zacofania. Nie ulega wątpliwości, że regiony, w których dominowały dzierżawy, zamieszkane były przez małorolnych lub bezrolnych chłopów, właścicieli ziemskich pociągało więc to, że można było im „zapłacić" za pracę mniej, niż wynosiła stawka rynkowa; rynek pracy trwał przez to w zastoju, a chłopi nie mieli żadnej motywacji, by produkować na rynek lub podjąć uprawy specjalistyczne. Dzierżawienie ziemi było mimo to korzystne tam, gdzie dzięki odpowiednim warunkom naturalnym właściciele i dzierżawcy-inwestorzy mogli ze swej strony forsować uprawy towarowe i gdzie istniał duży lokalny rynek (w miastach). System dzierżawy za udział w plonach funkcjonował więc sprawnie w pewnych warunkach, ale zasadniczo nie sprzyjał rozwojowi rolnictwa, a w następnych wiekach z pewnością był nie do pogodzenia z zaczynającą się industrializacją, czego dowodzi przykład przemysłu jedwabniczego w Lombardii.

Rozwój hodowli nie napotykał podobnych ograniczeń, przez większość XVI wieku zarówno we Włoszech, jak i w Hiszpanii produkcja i eksport wełny szybko wzrastały. W Królestwie Neapolu sprzedaż owiec i wełny, prowadzona przez cech pasterzy, dogana (odpowiednik kastylijskiej mesty), wzrosła po roku 1550 czterokrotnie. W Kastylii eksport wełny do Brugii, wynoszący w drugiej dekadzie XVI wieku zaledwie trzynaście tysięcy worków rocznie, osiągnął do 1550 roku siedemdziesiąt tysięcy worków, choć w następnym stuleciu zmalał o połowę. Spadek eksportu wełny wiązał się ściśle z niepokojami na rynkach zagranicznych (rewolucja holenderska), ze wzrostem zapotrzebowania na wełnę gorszej jakości niż runo merynosów oraz z coraz większą samowystarczalnością kolonii. Rezultaty nie były wcale jednoznaczne – Brugia straciła, ale za to zyskała Florencja, ponieważ nowe dostawy kastylijskiej wełny trafiały do stolicy Toskanii.

Niezależnie od sytuacji zewnętrznej większość kastylijskiej wełny i tak przeznaczona była dla miejscowych wytwórców tkanin. Prowadzący politykę merkantylistyczną królowie hiszpańscy zabiegali o rozwój przemysłu krajowego, zakazywali importu i wprowadzili ścisłą kontrolę jakości wyrobów. W 1500 roku istniały w Kastylii dwa rejony produkcji sukienniczej: pierwszy na północ od Madrytu, z ośrodkami w Segowii i Avili, gdzie wyrabiano wielkie ilości tkanin średniej jakości, drugi na południowy wschód od stolicy, wokół Cuenca, Toledo, Ciudad Real i dalej, wokół Murcji, Kordoby i Jaén, specjalizujący się w wysokiej jakości tkaninach z wełny merynosów. Mniejsze ośrodki popadały z czasem w zależność od kapitału kupieckiego większych miast, po części wskutek rosnącej siły i wpływów cechów rzemieślniczych (jak na przykład w Toledo); sprawiało to, że wytwórczość przenoszono na wieś. Kastylijskie sukiennictwo skorzystało też w pewnym stopniu na nieszczęściach, jakie stały się udziałem potencjalnych konkurentów, ponieważ wyrób tkanin we Francji i w Niderlandach stanął z powodu wojen religijnych i rewolucji holenderskiej. Wiek XVI był dla kastylijskich tekstyliów okresem wielkiej prosperity (Segowia przestawiła się z sukcesem na wyrób tkanin wysokiej jakości), ale gdy za granicą skończyły się wojny, a korona zmieniła politykę, otwierając krajowe rynki dla towarów zagranicznych, nastąpił szybki upadek hiszpańskiego przemysłu wełnianego (choć niektórzy kupcy okazali się dość przewidujący, by przerzucić się na import tkanin z zagranicy i eksport wełny).

Kastylijskie sukiennictwo nigdy jednak nie dorównało skalą francuskiemu. Tu również większość produkcji zorganizowana była w systemie nakładczym (chałupniczym), a wieś żyła w symbiozie z miejskimi ośrodkami handlowymi. Symbioza oznaczała jednak zależność, chałupnictwo więc podupadało, ilekroć w gospodarce wystąpiła tendencja spadkowa, ponieważ kupcy (czyli nakładcy) zaczynali wówczas dawać pracę tkaczom w miastach, pozostawiając wieś swojemu losowi. We Włoszech, jak się wydaje, system nakładczy był mniej rozpowszechniony, choć występowały tam duże różnice regionalne. Dopuszczano konkurencję, jak na przykład w Wenecji, której miasta w *terraferma* stały się w XVI wieku dużymi ośrodkami sukienniczymi – Republika zadowalała się ochroną wyrabianych w samej Wenecji tkanin luksusowych, pozostawiając tamtym miastom wolną rękę. Konkurencja bywała też tępiona, jak działo się we Florencji, która zazdrośnie strzegła swego monopolu wytwórczego kosztem gospodarki innych miast księstwa, a w dłuższej perspektywie – kosztem własnego rozwoju gospodarczego.

Mówiąc najogólniej, w ciągu XVI wieku większość regionu Morza Śródziemnego dobrze prosperowała, choć zachodziły zmiany strukturalne w poszczególnych sektorach gospodarki – wystąpił na przykład trend do przenoszenia się manufaktur sukienniczych, lnianych i jedwabniczych, nakładczych albo innego typu, z dużych miast do miasteczek i na wieś – i występowały trudności w poszczególnych regionach, takie jak na przykład upadek baskijskiego przemysłu żelaznego. Na tym samym poziomie utrzymywał się handel regionu z tradycyjnymi partnerami handlowymi z Afryki Północnej i Bliskiego Wschodu, niezależnie od poziomu eksportu do Europy Północnej. Przeniesienie przez królów portugalskich w połowie stulecia monopolu na handel korzeniami z Antwerpii do Lizbony nie zmieniło sytuacji, ponieważ monopol ten był już w istocie naruszony przez kupców weneckich i genueńskich. W XVI wieku import przypraw korzennych ze Wschodu wzrósł czterokrotnie, przy czym największy udział miały w nim dwa wymienione miasta włoskie, nie wzrósł natomiast import portugalski. Zaskakująca jest, mimo okresów zastoju, ciągła prężność Wenecji i Genui, głównych ośrodków średniowiecznego handlu śródziemnomorskiego. Wenecja pozostała nie tylko głównym portem przeładunkowym w handlu ze Wschodem, lecz także ważnym ośrodkiem wytwórczości i przetwórstwa – wyrabiano tam szkło, mydło, produkowano cukier i wosk, a także budowano statki – a rozwojowi gospodarki sprzyjał monopol państwowy. Nadal doskonale prosperowały tamtejsze banki; Genua zdołała zbić kapitał na upadku giełd antwerpskiej i lyońskiej, przejmując kontrolę nad targami w Besançon, ustanowionymi w latach trzydziestych, a w 1579 roku przeniesionymi do Piacenzy w Lombardii, gdzie pozostawały pod kontrolą kupców genueńskich jeszcze w następnym stuleciu.

Nie sposób zaprzeczyć, że w końcu XVI wieku w gospodarce regionu Morza Śródziemnego (a także innych regionów Europy) wystąpiły niekorzystne tendencje, ale ich przyczyny nadal pozostają kwestią otwartą. Jako główną przyczynę zastoju gospodarczego podaje się często obciążenia podatkowe i dług publiczny, ale do poglądu tego należy podchodzić z ostrożnością. We Francji podatki królewskie na pokrycie długu gwałtownie wzrosły, ale czy nadążały za inflacją? W latach 1547–1574 dochód królewski wzrósł o 33 procent, ale wartość liwra, oficjalnej waluty rozliczeniowej, zmalała o 50 procent. Podobnie w Hiszpanii obciążenia z tytułu podatku od sprzedaży, *alcabala*, nie były w 1600 roku realnie wyższe niż w roku 1500, mimo że drastycznie zwiększyły się w ostatnich dekadach wieku XVI, natomiast całkowite wpływy królewskie z podatków wzrosły w ciągu stulecia zaledwie o 10 procent. Inna była sytuacja ludności utrzymującej się z pracy na roli, a więc większości populacji. W południowej Francji, Hiszpanii i południowych Włoszech wiele gruntów przeszło w ręce Kościoła i arystokracji lub stało się własnością zamożnych mieszczan, którzy albo zostali zwolnieni od podatków, albo przerzucili ich ciężar na swoich chłopów. Problem leżał więc nie w wysokości obciążeń, ale w tym, na kogo one spadły. Co więcej, właściciele ziemscy przeznaczali dochody na wystawne życie lub wydatki związane z tytułem albo sprawowanym urzędem, a przede wszystkim na zakup obligacji państwowych, rzadko inwestując w majątki rolne. Tymczasem, ponieważ spadły płace i wzrosły ceny, a głód i niedostatek stawały się coraz częstsze, powiększała się liczba bezrolnych i bezrobotnych nędzarzy; w kategoriach ludzkich oznaczało to nieszczęście, w kategoriach ekonomicznych – przeszkodę, ponieważ, jak zauważył Adam Smith, zmniejszenie konsumpcji, a więc i popytu, zasadniczo utrudnia rozwój gospodarczy.

Europa Północna i Zachodnia

Terminem tym określa się tak różne regiony, jak zachodnie Niemcy, północną Francję, północne i południowe Niderlandy oraz Anglię, a także regiony peryferyjne, częściowo lub w całości słabo rozwinięte, takie jak Skandynawia, Szkocja i Irlandia. Dynamiczny rozwój gospodarczy Anglii i holenderskich Zjednoczonych Prowincji w XVI wieku przeciwstawiano często sytuacji w innych krajach regionu. W ostatnich latach Peter Musgrave zakwestionował to podejście, utrzymując, że skoro w średniowieczu Anglia i północne Niderlandy stały pod względem gospodarczym dość nisko, w XVI wieku raczej się „modernizowały", niż stanowiły ukształtowane, rozwinięte organizmy (widać tu echa koncepcji Wallersteina, który postrzegał „zacofanie" jako warunek rozwoju), ponieważ były mniej stabilne, a przez to bardziej podatne na szybkie zmiany.

Jeśli chodzi rolnictwo, pogląd ten pozwala zakwestionować założenia zapoczątkowanej przez Roberta Brennera dyskusji na temat rozwoju gospodarki rolnej w okresie przejścia od średniowiecza do epoki nowożytnej. Brenner początkowo podkreślał kontrast między rozwojem stosunków kapitalistycznych na wsi angielskiej a tradycyjnym rolnictwem francuskim, którego podstawę stanowiły nastawione na przetrwanie gospodarstwa chłopskie. Później na tym samym poziomie co Anglia umieścił Holandię. Dyskusja wokół tez Brennera, w której odwoływano się przede wszystkim do kategorii struktury społecznej (układu zależności między klasami społecznymi), prawa własności oraz ram prawnych lub instytucjonalnych, w żadnym razie nie może stanowić punktu wyjścia dla naszych rozważań; w istocie wszystko obraca się bowiem wokół odpowiedzi na pytanie, czy chłopi mogli, przy odpowiedniej motywacji, stać się przedsiębiorcami rolnymi. Na większości terenów północnej Francji, w rejonie uprawy winorośli do produkcji szampana, nastąpiła taka sama jak w Anglii koncentracja ziemi w rękach zamożnych chłopów i towarzysząca jej pauperyzacja drobnych dzierżawców, którzy spadli do roli najemnych robotników rolnych. W rejonie wokół Paryża około połowy stulecia, wskutek przyrostu ludności, gospodarka towarowa jednak podupadła, ponieważ chłopi zaprzestali produkcji na rynek i hodowli, aby uprawiać więcej zboża na własne potrzeby, a ponadto dzielili dzierżawy między liczne dzieci. Sytuacja taka nie wystąpiła w rejonach, gdzie obowiązywała zasada majoratu, na przykład w południowo-zachodnich Niemczech; gospodarstwa pozostały tam w całości i korzystały z pracy nieposiadających ziemi członków rodziny, produkując zboże na rynek. W rejonach nadmorskich chłopi coraz częściej przechodzili natomiast na dochodową hodowlę. Jeżeli chodzi o produktywność, różnica między „chłopską" a „wczesnokapitalistyczną" gospodarką rolną nie musiała występować z założenia. W Skandynawii wydajność upraw, ze względu na klimat i nieurodzajną ziemię, nie mogła być wysoka, wynosiła najwyżej 1:4; w zachodnich Niemczech była nieco wyższa, 1:5, czyli niższa niż na wczesnokapitalistycznej ponoć wsi angielskiej czy holenderskiej, gdzie sięgała 1:7 lub więcej – ale za to wydajność we Flandrii (łącznie z okręgami znajdującymi się teraz we Francji) sięgała prawdopodobnie 1:9 lub 1:10. Liczby te dają do myślenia. W Anglii wydajność zaczęła spadać około 1630 roku, właśnie w czasie, gdy kapitalistyczna gospodarka rolna osiągnęła pełnię rozwoju, natomiast liczby dotyczące Holandii nie mają w pewnym sensie znaczenia, ponieważ po 1500 roku kraj ten więcej zboża importował, niż go produkował. Wydajność w południowych Niderlandach i części Nadrenii wzrosła już wcześniej dzięki wprowadzeniu międzyplonów, na przykład bogatych w azot roślin strączkowych, i szerszemu stosowaniu nawozów zwierzęcych. W Anglii u progu nowożytności rozwój rolnictwa również zależał od uzupełniających się nawzajem uprawy ziemi i hodowli. Na rolnictwo południowych Niderlandów w niewielkim jednak stopniu wywarł wpływ kapitalizm typu angielskiego. Oznacza to, że problemy podniesione przez Brennera nadal czekają na rozwiązanie.

W dyskusji wokół koncepcji Brennera stanowczo za mało uwagi poświęcono zjawisku, które zaczęło rozpowszechniać się na wsi w Europie Północnej i Zachodniej w XV wieku, a osiągnęło apogeum w wieku XVI – powstawaniu małych warsztatów produkujących systemem nakładczym (nakładcami byli zwykle kupcy miejscy) tkaniny lniane, barchanowe i wełniane. W południowo-zachodnich Niemczech tkalnie lnu i barchanu znajdowały się początkowo głównie w dużych miastach, ale przed 1500 rokiem wiele warsztatów działało już na wsi, ponieważ przedsiębiorcy chcieli obejść ograniczenia narzucane przez cechy i prawa miejskie. Wykorzystywali rozwiniętą już wytwórczość wiejską, skłaniając chałupników do produkcji na rynki lokalne i międzynarodowe. W miastach średniej wielkości, takich jak Ulm, Konstancja, Nördlingen czy Memmingen, pozycja kupców była jednak stopniowo podkopywana nie tylko przez kartele powstające w wielkich miastach – Augsburg zdołał na przykład zdławić przedsięwzięcia kupieckie w mniejszych ośrodkach w promieniu 70 kilometrów – ale także przez konkurencję z północy, z Westfalii i Saksonii, gdzie w połowie lat pięćdziesiątych centrum przemysłu lnianego, zarówno miejskiego, jak i wiejskiego, stało się Chemnitz. W odpowiedzi niektóre norymberskie przedsiębiorstwa włókiennicze zaczęły prowadzić działalność na Śląsku i na Łużycach, przyczyniając się do powstania tam nowych ośrodków produkcyjnych. Przemysł lniany był jednak w mniejszym stopniu narażony na penetrację ze strony kapitału miejskiego niż wytwórczość barchanu, ponieważ bawełnę trzeba było sprowadzać do krajów położonych na północ od Alp z regionu Morza Śródziemnego, a sprowadzali ją kupcy mający odpowiednie zaplecze organizacyjne i dostęp do kapitału. W urynkowieniu zachodnioniemieckiej gospodarki wiejskiej nie należy jednak zbyt ochoczo dopatrywać się początków kapitalizmu, ponieważ w okresie wzrostu liczby ludności chłopi z południowo-zachodnich Niemiec, gdzie ziemię dzielono między potomstwo, a gospodarstwa ulegały rozdrobnieniu, traktowali pracę najemną i chałupnictwo jako niezbędny warunek przetrwania.

Tkaniny lniane i barchanowe były tanie, ale z wełnami wysokiej jakości, nie wspominając już o tkaninach luksusowych, takich jak jedwab czy satyna, używanymi także do wyrobu pasmanterii, obić, kobierców czy gobelinów, sytuacja wyglądała inaczej. Jak już wspomniano, w Hiszpanii w XVI wieku rozwijała się produkcja zarówno tkanin tanich, jak wysokiej jakości i drogich, przeznaczonych na rynki lokalne i zagraniczne. Podobnie działo się w północnej Francji, gdzie tanie sukna wyrabiano w Pikardii, Normandii i Szampanii, podczas gdy tkaniny luksusowe, takie jak jedwabie – w Tours i Lyonie, gobeliny zaś w Paryżu i okolicach Orleanu; sprzedawano je w regionie Morza Śródziemnego, Afryce Północnej i na Bliskim Wschodzie. We Flandrii z kolei tkacze z trzech głównych ośrodków włókienniczych, Gandawy, Brugii i Ypres, zagwarantowali sobie wyłączność na wyrób wysokiej jakości sukna, co sprawiło, że na wsi przerzucono się na produkcję tkanin lnianych, niezależną od kapitału miejskiego. W XV wieku we włókiennictwie panował zastój, w następnym stuleciu produkcja odżyła, przy czym Flandria i Brabancja przestawiły się na lżejsze wyroby. Od początku XVI wieku do 1565 roku sprzedaż tkanin lnianych w Eeklo, głównym flamandzkim rynku zbytu, wzrosła dziesięciokrotnie, Brugia natomiast stała się ośrodkiem rozwijającej się produkcji barchanów. Tam gdzie przetrwało sukiennictwo, podstawę stanowiły małe samodzielne warsztaty produkujące na rynek poza systemem nakładczym.

Przyczyn szybkiego przystosowania się południowych Niderlandów do nowych trendów w produkcji włókienniczej można upatrywać w całkowitym urynkowieniu gospodarki, w której miasta, sprawujące jurysdykcję nad przyległymi terenami, kontrolowały rynek pracy, bardzo płynny, ponieważ chłopskie dzierżawy były zwykle zbyt małe, aby można było wyżyć z uprawy roli. W XVI wieku ta zdolność przystosowania się przejawiła się przede wszystkim w rozwoju produkcji tak zwanych nowych bławatów. Nie chodziło tu o nowe techniki wytwarzania, ale zwykłe naśladownictwo wysokiej jakości „starych bławatów", przy użyciu tańszych wełen i uproszczeniu procesu wykańczania gotowych wyrobów, a także dodawanie do wełny lnu lub bawełny. Dzięki tym nowym tkaninom, tak zwanym serżom, odżyło po 1500 roku flamandzkie włókiennictwo, przede wszystkim w Lille, gdzie ich produkcja wzrosła od lat trzydziestych do pięćdziesiątych dziesięciokrotnie; sama tylko produkcja tanich tkanin o jedwabistym połysku, zwanych *changéants*, wzrosła z około dwóch tysięcy bel w latach czterdziestych do stu siedemdziesięciu tysięcy bel w 1619 roku. W części zachodnich Niemiec i w Anglii produkowano innego rodzaju nowe tkaniny – nie z wełny zgrzebnej, o twardszym, krótkim włosie, lecz czesankowej, o miękkich, długich włosach, lub mieszanej, o osnowie z przędzy czesankowej, a wątku ze zgrzebnej. Tkaniny te, lżejsze niż tradycyjne wyroby o ścisłym splocie, zaspokajały potrzeby nowego rodzaju odbiorców; wyrabiano je domowym sposobem, głównie w Schwarzwaldzie, gdzie pod koniec XVI wieku, w regionie hodowli owiec wokół Calw, farbiarze zaczęli organizować hodowców i tkaczy, co zaowocowało powstaniem w 1650 roku znanej spółki produkującej wełny czesankowe.

Gospodarka wiejska północno-zachodniej Europy kontynentalnej w XVI wieku, głęboko powiązana z sektorem wytwórczości przemysłowej i miastami, zaczęła więc nabierać szczególnego charakteru. Jej rozwojowi sprzyjała uprawa roślin przemysłowych potrzebnych do wyrobu tkanin, przede wszystkim roślin na barwniki. Region wokół Erfurtu w Turyngii (zachodnia Saksonia) stał się słynny z uprawy urzetu barwierskiego (indygo), wymagającej poważnych nakładów kapitałowych z powodu dużego upływu czasu między siewem a zbiorami i wytłaczaniem. Barwnik ten dostarczano do Hesji i na Łużyce – te ostatnie korzystały także z łatwego dostępu do marzanny barwierskiej uprawianej na zachód od Wrocławia. W Europie Północnej i Zachodniej jedynym działem rynkowej gospodarki wiejskiej, w którym zaznaczył się wyraźny regres, była uprawa winorośli, ale należy postrzegać to jako element przemian strukturalnych, a nie przejaw kryzysu, ponieważ rezygnacja z upraw na terenach o mniej korzystnych warunkach naturalnych i koncentracja winnic w odpowiedniejszych miejscach szła w parze z rozwojem browarnictwa. Wytwarzane do tej pory piwo przeznaczone do bezpośredniej konsumpcji zaspokajało lokalne potrzeby, ale dzięki dodatkowi rośliny przemysłowej, chmielu, można je było przechowywać i eksportować na rynki regionalne. Właśnie w wieku XVI ukształtowały się podstawy wspaniałego rozwoju browarnictwa frankońskiego (Kulmbach, Bamberg, Norymberga), dolnosaksońskiego (Braunschweig, Einbeck, Goslar), a także w miastach hanzeatyckich.

Na tle gospodarki europejskich krajów atlantyckich Anglia i północne Niderlandy wcale nie rzucają się od razu w oczy jako przypadki szczególne. W opracowaniach dotyczących dziejów rolnictwa w północnych Niderlandach zwykle podkreśla się słabość władzy senioralnej, szczątkowe (lub w ogóle nieistniejące) poddaństwo, rozpowszechnione posiadanie ziemi przez chłopów, którzy nie dzielili gospodarstw między potomstwo, oraz ożywiony handel ziemią. Wydawało się, że warunki sprzyjały raczej wyłonieniu się grupy zamożnych farmerów niż wywłaszczeniom czy zanikaniu tradycyjnego chłopstwa. Z powodu wzrastającej liczby ludności i wielkiego popytu w miastach główne holenderskie prowincje (Holandia, Zelandia, Fryzja i Utrecht) poszły jednak inną drogą – współistniały w nich obie konfiguracje, natomiast tylko w prowincjach wschodnich (Drenthe, Overijsel i Geldria) zachowało się wiele elementów stosunków feudalnych. W prowincjach nadmorskich niektórzy chłopi, posiadający duże, kapitałochłonne gospodarstwa, produkowali wyłącznie na rynek – głównie bydło i produkty mleczne – podczas gdy nadwyżka ludności wiejskiej, zamiast emigrować, przerzucała się na nowe zajęcia – budowę dróg i kanałów, wyrób cegieł, kopanie torfu, kowalstwo lub drobny handel.

Toczyły się niezliczone dyskusje (nad którymi nie ma potrzeby się tu zatrzymywać), czy farmerów prowadzących gospodarstwa specjalistyczne wciąż można zaliczać do chłopstwa. Ważniejsze jest, dlaczego chłopi posiadający ziemię – jak się wydaje, północne Niderlandy były pod tym względem wyjątkiem – prowadzili gospodarkę typową dla wczesnego kapitalizmu. Decydującą rolę odegrały tu warunki naturalne. Osuszanie bagien w końcu średniowiecza doprowadziło najpierw do wyschnięcia, a następnie do zalania gruntów rolnych; w rezultacie nastąpiła degradacja rolnictwa. Chłopi, którzy byli w większości właścicielami uprawianej przez siebie ziemi, zostali pozbawieni środków koniecznych do przeżycia (ale nie środków produkcji). W tej sytuacji nie mogli imać się sposobów, które gdzie indziej zwiększały szanse przeżycia (dzielenie dzierżaw, praca sezonowa), zaryzykowali więc podjęcie wyspecjalizowanej produkcji na rynek, co zmusiło ich do inwestowania i akumulacji. Nie mieli wyboru, mogli najwyżej w ogóle zrezygnować z pracy na roli. Aby przekonać się o słuszności tego poglądu, wystarczy przypomnieć, co wydarzyło się w czasie kryzysu, który dotknął rolnictwo północnych

Niderlandów po roku 1660. Kapitalistyczne gospodarstwa rozwijały się nadal mimo spadku cen i zaległości w opłatach za czynsz, podczas gdy nieradzący sobie dzierżawcy byli po prostu wyrzucani przez swoich panów, a ich miejsce zajmowali przybysze posiadający środki niezbędne do przetrwania; inaczej niż w południowych Niderlandach nie dzielono gospodarstw i nie próbowano utrzymywać chłopów w roli gospodarzy walczących o przetrwanie. Dla przemian zachodzących w rolnictwie holenderskim od XVI wieku zasadnicze znaczenie miało, jak zauważył Jan de Vries, nie to, że chłopi posiadali ziemię i dlatego postępowali racjonalnie, lecz to, że żyli w zurbanizowanym społeczeństwie, w kraju, w którym istniał prężny rynek, dobry system komunikacyjny, łatwy dostęp do kredytu i rozwijający się handel eksportowy.

Rozwój angielskiej gospodarki rolnej po 1500 roku uważano za pod wieloma względami lustrzane odbicie rozwoju rolnictwa północnych Niderlandów. Dawni chłopscy dzierżawcy mieli być usuwani z ziemi, ponieważ wspierani przez dwór i parlament właściciele rozszerzali swoje prawa własności, aby puścić ziemię w dzierżawę za czynsze ustalone przez rynek. Szacowano, że w latach 1450–1700 w Anglii szlachta posiadała połowę ziemi uprawnej, choć być może od jednej trzeciej do jednej czwartej znalazło się rękach drobnych właścicieli. Ziemia, pozostająca dotąd w systemie pól otwartych, była ogradzana, czyli przydzielana na wyłączność poszczególnym farmerom, i często przeznaczana na pastwiska, ponieważ runo owcze stanowiło surowiec dla przemysłu sukienniczego, który musiał zaspokoić potrzeby gwałtownie zwiększającej się liczby ludności. W ten sposób wytyczona została droga do kapitalistycznych stosunków w rolnictwie, co odróżniało Anglię początków nowożytności od jej sąsiadów z kontynentu i stało się punktem wyjścia dla analizy porównawczej przemian w rolnictwie dokonanej przez Roberta Brennera.

W ostatnich latach tego rodzaju pogląd na angielską gospodarkę wiejską (Szkocja i Irlandia to odrębny problem) został zakwestionowany. Większość badaczy, nawet jeśli podzielają oni podstawowe założenia, przyznaje, że zmiany były wolniejsze i mniej radykalne, niż poprzednio sądzono; na przykład ograniczanie praw dzierżawców starego typu* na-

---

* Chodzi o charakterystyczny dla Anglii średniowiecznej typ dzierżawy za pracę na rzecz dworu, tzw. *copyhold*, zastępowany później przez *freehold*, rodzaj dzierżawy wieczystej (przyp. tłum.).

der rzadko występowało przed 1650 rokiem. Wątpliwości budzą również skala i tempo grodzenia lub scalania ziemi (łączenia gospodarstw w dużą posiadłość). W dość typowym dla Anglii środkowej hrabstwie Leicester do 1600 roku ogrodzono zaledwie 10 procent ziemi uprawnej, dopiero w XVII wieku odsetek ten osiągnął 50 procent. Właśnie hrabstwa środkowej Anglii, gdzie grodzenie ziemi przybrało największe rozmiary, zaopatrywały ogromny rynek londyński. Grodzeń na naprawdę dużą skalę dokonywano jednak przed 1500 rokiem, w czasie, gdy gospodarka znajdowała się w zastoju, co wywoływało protesty zarówno polityków, jak i ludzi Kościoła (Thomas More pisał w *Utopii*, że owce, dotąd mało żarłoczne, łagodne i oswojone, „stały się tak żarte i dzikie, że zjadają i połykają nawet samych ludzi"); zjawisko to ograniczało się jednak do hrabstw północno-zachodnich, gdzie pasterstwo zawsze odgrywało największą rolę. Jeśli parlament interweniował w sprawie grodzenia, zwykle służyło to obronie dzierżawców, nie zaś właścicieli ziemskich. Ponadto ziemia stanowiąca własność rolników – prawdopodobnie jedna czwarta wszystkich gruntów uprawnych – w ogóle nie mogła być grodzona.

Nowe ustalenia w największym stopniu przyczyniły się jednak do zmiany podejścia w kwestii praw dzierżawców. Rozwój sytemu dzierżawnego nie naruszył praw chłopów do ziemi; przeciwnie, do 1600 roku dzierżawcy starego typu zachowali wszystkie prawa. W rezultacie wszyscy posiadający zwyczajowe umowy dzierżawne (dawni poddani) stali się chłopami właścicielami i to spośród nich – podobnie jak spośród dzierżawców nowego typu – wyłoniła się warstwa zamożnych farmerów. W XVI wieku żadna ustawa parlamentu nie faworyzowała nowych dzierżawców kosztem dawnych; ci ostatni, mimo że byli już drobnymi właścicielami, zaliczani są przez historyków do chłopstwa. To, że zarówno wielcy posiadacze ziemscy, jak i drobni właściciele prowadzili kapitalistyczną gospodarkę rolną, było efektem wytworzenia się w Anglii szczególnej sytuacji politycznej, społecznej i prawnej – sprawy dotyczące indywidualnych praw własności rozpatrywały tam sądy, jurysdykcja senioralna nie miała znaczenia, a powinności feudalne nie zostały zastąpione (tak jak we Francji i w innych krajach) uciążliwymi podatkami na rzecz państwa. Rozwojowi rolnictwa i specjalizacji gospodarki rolnej sprzyjało ponadto powstanie w końcu średniowiecza rynku ogólnokrajowego, napędzanego przez Londyn, a wspieranego przez sieć regionalnych targów.

W konsekwencji zaszły głębokie zmiany między innymi w angielskim sukiennictwie. Zakazany został eksport runa owczego, rozwinęła się natomiast produkcja sukna; przemysł ten wchłonął rzeszę wiejskich robotników najemnych, którzy nie musieli już szukać pracy w rolnictwie. Ośrodki sukiennictwa, początkowo usytuowane w rejonie południowo-zachodnim (głównie w Cotswolds), zaczęły przenosić się do wschodniej Anglii, do hrabstw Lincoln i York, skąd łatwiej było prowadzić eksport na kontynent. Przed rokiem 1550 eksportowano jedynie gęsto tkane sukno o splocie prostym lub ukośnym, później szło za granicę wiele rodzajów tkanin, między innymi nowe bławaty. Eksport wspierany był przez monarchię, która nadawała przywileje prowadzącym go kompaniom handlowym; w 1555 roku powstała Kompania Moskiewska, sprzedająca sukna do Rosji i dalej, aż do Persji, w 1579 Kompania Wschodnia z siedzibą w Elblągu, działająca w krajach bałtyckich, w 1581 roku zaś Kompania Lewantyńska, sprzedająca sukna z Suffolk, a później nowe bławaty ze wschodniej Anglii we wschodniej części basenu Morza Śródziemnego.

Motorem napędowym rozwoju gospodarki angielskiej pozostał jednak zasadniczo rynek krajowy, podczas gdy gospodarka holenderska była w większym stopniu nastawiona na eksport i przeżywała trudności, gdy w XVII wieku nastąpił zastój na rynkach międzynarodowych. Mimo pewnych różnic angielskie i holenderskie rolnictwo i włókiennictwo łączyło wiele podobieństw systemowych, co sprawiało, że wyróżniały się one na tle innych krajów Europy Północnej i Zachodniej. Nie dotyczy to jednak innych gałęzi przemysłu i górnictwa. W wieku XVI nie nastąpił w Europie gwałtowny rozwój nowych technologii (oprócz, być może, szybkiego rozpowszechnienia się pras drukarskich z ruchomą czcionką), ale w tych gałęziach przemysłu wydobywczego i przetwórczego, w których zużywano duże ilości opału, po raz pierwszy zaczęto wykorzystywać złoża węgla kamiennego, rezygnując coraz częściej z węgla drzewnego i drewna do opalania pieców hutniczych i kuźni. W Niemczech pierwsze kopalnie węgla bitumicznego, traktowanego jako konkurencja dla łatwiej dostępnego, lecz gorszej jakości węgla brunatnego (lignitu), działały przed 1500 rokiem w rejonach, gdzie już wcześniej rozwinięte były górnictwo i metalurgia, na przykład w Zagłębiu Ruhry, Aachen i południowej Saksonii, ale zaspokajały one zaledwie drobny ułamek zapotrzebowania na opał. W kopalniach w Liège wydobyto w 1545 roku (od tego roku odnotowują to źródła) 48 tysięcy ton, ale w roku 1562 już 90 tysięcy ton węgla na potrzeby rozwijających się w Ardenach hutnictwa i metalurgii. Liczba działających pieców hutniczych i kuźni wzrosła z 90 w 1500 roku do 220 w roku 1565. Wprowadzenie po rewolucji holenderskiej katolicyzmu jako religii państwowej w południowych Niderlandach spowodowało jednak emigrację wielu rzemieślników i upadek przemysłu, który zaczął się podnosić dopiero na początku XVII wieku. Górnictwo angielskie nie przeżywało tego rodzaju wstrząsów. Kopalnie węgla w Northumberland i Durham leżały w pobliżu dużych skupisk ludności i pracowały na potrzeby miejscowych przedsiębiorstw, takich jak browary, wytwórnie szkła i warzelnie soli. Duże ilości węgla sprzedawano do południowej Anglii, gdzie używano go zarówno w przemyśle, jak i do opalania domów; sprzedaż ta wzrosła z około 45 tysięcy ton w roku 1510 do 500 tysięcy ton w połowie następnego stulecia.

Inaczej wyglądała sytuacja w górnictwie żelaza i przemyśle żelaznym. Mimo że produkcja żelaza w Anglii wzrosła gwałtownie z około 5 tysięcy ton w latach pięćdziesiątych XVI wieku do 24 tysięcy ton sto lat później, liczby te stanowią zaledwie ułamek całkowitej produkcji w Europie Północnej i Środkowej, wynoszącej na początku XVI wieku około 70 tysięcy ton rocznie, a dwa razy więcej w końcu tego stulecia. Główne ośrodki przemysłu żelaznego w Niemczech znajdowały się w Süderlandzie na wschód od Kolonii i w Górnym Palatynacie na północ od Norymbergi. Süderland słynny był jeszcze przed 1500 rokiem z wyrobu drutu, narzędzi i sztućców; w jego najważniejszych ośrodkach – Solingen, Altena, Iserholm i Lüdenscheid – produkcja była tak wyspecjalizowana, że nie wytapiano tam rudy żelaza, lecz sprowadzano surówkę z Południa, z Siegerlandu. W Górnym Palatynacie duże centra przemysłowe wyrosły wokół Ambergu i Sulzbach, gdzie w przemyśle żelaznym zatrudniano 20 procent mieszkańców. Dużym ośrodkiem handlu wyrobami metalowymi stała się Norymberga. W XV wieku wytwarzano tam drut i wyroby powlekane cyną, w XVI wieku – duży asortyment artykułów metalowych, od igieł i noży poczynając, przez kompasy, na różnego rodzaju broni kończąc. Początkowo w Górnym Palatynacie wytapiano więcej żelaza niż w całej Francji (gdzie w 1542 roku działało czterysta sześćdziesiąt pieców hutniczych, w większości nowo zbudowanych), ale w ciągu XVI wieku liczba pieców zmniejszała się, a w 1609 roku produkcja wyniosła zaledwie 5,5 tysiąca ton żelaza ze stu osiemdziesięciu dwóch pieców, z których w następnej dekadzie przestało pracować dwie trzecie. Górny Palatynat co prawda podupadał, produkując w 1600 roku zaledwie jedną trzecią niemieckiego żelaza, ale inne rejony kwitły – huty rozciągały się od Süderlandu do wschodniej części Sauerlandu, do północnej Hesji i południowej Westfalii, w końcu XVI wieku powstały nowe centra w Saksonii i górach Harzu, a ponadto cały czas działały liczne odkrywkowe kopalnie rudy żelaza w dolinie Saary.

Saksonia i Turyngia były także ważnymi ośrodkami produkcji srebra, przyciągając zarówno drobnych miejscowych inwestorów (należała do nich na przykład rodzina Marcina Lutra), jak i międzynarodowe domy kupieckie, takie jak Fuggerowie. Ci ostatni przewozili nawet rudy miedzi ze swoich kopalni na Słowacji, aby przerobić je wraz miedzią wydobytą na terenach wokół Mansfeld w hutach w Hohenkirchen w Turyngii. Gdy w połowie XVI wieku produkcja srebra podupadła, z miedzi nadal wyrabiano artykuły domowego użytku lub eksportowano ją do rozwijających się ośrodków przemysłowych w Nadrenii, koło Aachen, gdzie wraz z wydobywanymi na miejscu cynkiem i kalaminem służyła do wytopu mosiądzu, najważniejszego surowca do wyrobu uzbrojenia w XVI wieku. Upadek górnictwa miedzi nie oznaczał dla Saksonii katastrofy, ponieważ zastąpiło je wydobycie cynku. Wzrosło ono z poziomu zaledwie 10 ton w 1470 roku do 200 ton w roku 1600. Jedynym surowcem niezbędnym do rafinacji srebra z rud miedzi niewystępującym w Saksonii w dostatecznych ilościach był ołów, który sprowadzano z Harzu lub z Eifel czy z Wogezów, a także z zagranicy (angielski ołów z Derbyshire lub Devonu).

Położenie w analizie rozwoju gospodarczego Europy w początkach nowożytności nacisku na produkcję zostało ostatnio zakwestionowane przez badaczy, dla których zasadnicze znaczenie ma konsumpcja, zwłaszcza w krajach, gdzie najbardziej rozwinięte były stosunki kapitalistyczne. Nie ulega wątpliwości, że powstanie społeczeństwa konsumpcyjnego wyróżniało zarówno Anglię, jak i północne Niderlandy spośród innych regionów i stanowiło o ich wyjątkowości. Kwestią do dyskusji pozostaje jednak, czy społeczeństwo takie ukształtowało się wcześniej niż w połowie XVII wieku. W XVI wieku konsumpcja dóbr materialnych – a także kulturalnych – postrzeganych jako luksusowe i dostępne tylko dla bogatych pozostała domeną tych miast i ich elit, gdzie rozwinął się renesansowy mecenat (Wenecja, Mediolan, Florencja), albo stolic monarchii lub księstw, których władcy rozumieli, jakie znaczenie dla ich pozycji mają demonstrowanie bogactwa i kultura dworska (Madryt, Neapol, Lizbona, Bruksela, Wiedeń), albo wreszcie miast, gdzie krzyżowały się szlaki handlowe (Sewilla, Antwerpia). Gdy gospodarka południowych Niderlandów podupadła wskutek wojen i prześladowań religijnych, wyrób towarów luksusowych utrzymał się na niemal niezmienionym poziomie; w Antwerpii działały hafciarnie i szlifiernie diamentów, w Brukseli i Antwerpii wyrabiano majoliki, biżuterię, meble, tkaniny dekoracyjne, szkła i lustra. Z upływem czasu coraz więcej tego typu artykułów trafiało do domów północnoniderladzkiego mieszczaństwa, choć tam nie obnoszono się z bogactwem tak ostentacyjnie. Wyrabianą w Delft ceramikę, arrasy i kilimy z Lejdy pokazywali w swych obrazach mistrzowie holenderskiego malarstwa rodzajowego, podobnie jak zastawę stołową i szklane naczynia z cukrem, tytoniem, kawą i wybornymi winami. W pewnych sytuacjach wyrób towarów luksusowych zastąpił produkcję artykułów powszechnego użytku, na które zmniejszył się popyt. Gdy po 1600 roku zaczęła podupadać w Augsburgu produkcja barchanów, miasto postawiło na rzemiosło artystyczne; powstawały w nim warsztaty złotnicze, rytownicze, drukarskie, wyrabiano meble, przedmioty z kości słoniowej, instrumenty muzyczne, przybory naukowe, a także broń.

Podsumowanie

Zróżnicowanie rozwoju ekonomicznego Europy powinno stanowić punkt wyjścia dla szerszej refleksji nad leżącymi u jego podłoża kierunkami przemian gospodarczych w początkach epoki nowożytnej, a zwłaszcza nad domniemanym rozwojem kapitalizmu i znaczeniem tak zwanego długiego wieku XVI dla dziejów gospodarki europejskiej. Wątpliwości może budzić na przykład kwestia kapitalistycznych stosunków w rolnictwie. Czy można porównywać nastawioną na rynek i eksport gospodarkę północno-wschodnich regionów Europy, opartą na folwarku szlacheckim, z gospodarką angielską, której podstawę stanowiło coraz powszechniejsze dzierżawienie przez szlachtę ziemi – za czynsze ustalone przez rynek – chłopom zatrudniającym bezrolnych robotników najemnych? Wallerstein dowodzi, że pruskie folwarki szlacheckie, ze względu na swe znaczenie dla powstania kapitalistycznej gospodarki światowej, miały w istocie kapitalistyczny charakter. Inni badacze wskazują na oczywiste podobieństwa między majątkami na wschód od Łaby, na których pracowali pańszczyźniani chłopi, a plantacjami w koloniach, gdzie siłę roboczą stanowili niewolnicy. Gospodarki rolnej na wschód od Łaby nie można jednak uznać za kapitalistyczną w ścisłym znaczeniu tego słowa, ponieważ produkcja nie wymagała od właścicieli ziemskich dużych nakładów finansowych, co sprawiało, że słabo reagowali oni na wskazania rynku. Spadek cen nie musiał w tej sytuacji prowadzić do ograniczenia produkcji, ponieważ dzięki przymusowej sile roboczej można było zrekompensować sobie straty, zwiększając produkcję. System panujący w rolnictwie Europy Wschodniej najlepiej określić słowami Roberta DuPlessisa – „feudalizm zorientowany na rynek"; termin ten pasuje równie dobrze do tych majątków szlacheckich, w których nastawiono się na wiejskie rzemiosło, uprawy przemysłowe czy wyrób tkanin i gdzie przymus stosowano raczej w zakresie dystrybucji niż produkcji.

Jeśli chodzi o Anglię, w nowszych opracowaniach wskazuje się, że na drogę do kapitalizmu w rolnictwie chętnie wkroczyło zarówno tradycyjne chłopstwo, jak i dzierżawcy nowego typu, płacący czynsze ustalane przez rynek. Obraz sytuacji w północnych Niderlandach został poddany jeszcze gruntowniejszej rewizji – powiększanie gospodarstw i rozpowszechnianie się dzierżaw nowego typu było tylko jednym z kilku sposobów dochodzenia do kapitalizmu na wsi, a ponadto system ten ukształtował się na terenach położonych w pewnym oddaleniu od centrów kapitalistycznego handlu. Dla samej Holandii Peter Hoppenbrouwers ustalił cztery odrębne konfiguracje kapitalizmu w rolnictwie, przy czym tylko ostatnia z nich – trójwarstwowy system z właścicielami ziemskimi dostarczającymi gruntów i kapitału, chłopami jako dzierżawcami oraz najemnymi robotnikami rolnymi – odpowiada modelowi angielskiemu. Tak czy inaczej, dodaje Hoppenbrouwers, wciąż rozpowszechniona była drobna własność chłopska. Pogląd ten podjął Bas van Bavel w najnowszej pracy poświęconej rolnictwu na południu Holandii; ukazał on zarówno wyłonienie się warstwy dzierżawców-przedsiębiorców, jak i przetrwanie chłopów posiadających prawa własności do ziemi. Ci pierwsi prowadzili działalność na własną rękę, niesterowani przez kupców ani szlachtę, nie obawiali się też przenikania kapitału miejskiego. Drudzy, pomimo wzrostu liczby ludności i braku ziemi uprawnej, nie dzielili swojej własności i nie wrócili do gospodarki obliczonej na przetrwanie, co zaprzecza tezie Brennera o regresie gospodarki chłopskiej. Nie można więc uznać Anglii i północnych Niderlandów za pionierów kapitalizmu w rolnictwie i przeciwstawiać ich reszcie Europy – różnice między tymi krajami i w nich samych są zbyt duże, aby zbudować tego rodzaju dwubiegunowy model.

Podobne zastrzeżenia trzeba wziąć pod uwagę przy ocenie systemu nakładczego jako pomostu między średniowiecznym kapitalizmem kupieckim a nowożytnym kapitalizmem przemysłowym. Dominacja tego systemu w regionach, które wcześniej nie doświadczyły zwrotu w kierunku industrializacji – takich jak Hiszpania, Francja, zachodnie Niemcy – a także coraz powszechniejsze od XV wieku przenoszenie warsztatów na wieś i traktowanie wsi jako bazy dla włókiennictwa, co umacniało chłopską gospodarkę i społeczeństwo, powinny wzbudzić w nas sceptycyzm co do możliwości przyczynienia się systemu nakładczego do znaczących przemian w gospodarce. W systemie tym posiadacze kapitału i przedsiębiorcy rzadko angażowali się w pełni w proces produkcji, a ponadto dyskusyjne jest, czy rozproszenie produkcji na wsi zamiast skoncentrowania jej w miastach owocowało większą wydajnością poprzez zmniejszenie kosztów przewozu i transakcji. Można więc uznać system nakładczy za zjawisko charakterystyczne dla w c z e s n e g o kapitalizmu, nieoperującego jeszcze pojęciem wzrostu gospodarczego. Twierdzenie to jest prawdziwe nawet w sytuacji, gdy system funkcjonował we wczesnym przemyśle – w Norymberdze na przykład jeszcze przed 1500 rokiem firmy metalurgiczne zakładały pierwsze wytwórnie, ale przez całe wieki trwały one w niezmienionej postaci, nie przekształcając się w zakłady przemysłowe.

Pojedyncze przykłady integracji pionowej nie świadczą o zasadniczej zmianie. W manufakturze produkującej wełnę czesankową, założonej w końcu XVI wieku w Altenburgu (Siegerland) przez Heinricha Cramera, pracowali holenderscy tkacze, mający do dyspozycji najnowszego typu wrzeciona, a także spilśniarkę i barwniki roślinne; wełna pochodziła z pobliskiej dużej fermy owczej należącej do Cramera. Za tą manufakturą nie poszły jednak inne, okolica pozostała nieuprzemysłowiona. W Hiszpanii jedna z manufaktur włókienniczych w Segowii zatrudniała w latach siedemdziesiątych XVI wieku ponad stu robotników, w niej także realizowano wszystkie etapy procesu produkcji, choć wełnę przędli wiejscy chałupnicy, ale w 1600 roku zakład już nie istniał. Podobny los spotkał przedsiębiorstwo budowlane założone w latach czterdziestych w Antwerpii przez Gilberta van Schoonbeke. Firma miała własne piece ceglarskie i piece do wypalania wapna, a nawet noclegownię dla ponad stu kopaczy torfu, ale gdy ukończono budowę nowych fortyfikacji wokół miasta, straciła rację bytu i upadła. Nawet Fuggerowie, którzy wprowadzili w swoich słowackich kopalniach miedzi integrację pionową, wycofali się z produkcji i dystrybucji, aby zająć się handlem miedzią.

Z drugiej strony powstawanie w XVI wieku spółek akcyjnych zapowiadało nowoczesne metody gromadzenia kapitału wysokiego ryzyka. Poprzedniczkami spółek akcyjnych były średniowieczne włoskie spółki cywilne, o ile jednak w *commenda* ryzyko dzielili równo między siebie wszyscy wspólnicy działający na własny rachunek, o tyle w nowych spółkach o wiele więcej inwestorów, zarówno dużych, jak i drobnych, mogło mieć udziały jako cisi wspólnicy. Spółki takie, zwane *rederijen*, zaczęły powstawać w XV wieku w Holandii, gdy pojawiła się potrzeba gromadzenia kapitałów na budowę statków i prowadzenie działalności handlowej w kraju wciąż słabo rozwiniętym. Do końca XVI wieku spółki akcyjne opanowały angielski handel zagraniczny; za pierwszą firmę prowadzącą tego rodzaju działalność uważa się Kompanię Moskiewską, za nią poszły Kompanie Wschodnioindyjska i Zachodnioindyjska.

Cechą charakterystyczną gospodarki szesnastowiecznej Europy był gwałtowny rozwój kredytu i instrumentów kredytowych. Jako przykład często podaje się Antwerpię, która wyrosła na centrum zarówno finansowe, jak i handlowe (straciła swą pozycję w połowie XVI wieku); mniej wiadomo o Bazylei, która w tym okresie stała się finansową stolicą Konfederacji Szwajcarskiej, dostarczając ponad połowę całego kredytu publicznego i przyciągając inwestorów zagranicznych, między innymi południowoniemieckich książąt i duchownych. Ta rewolucja finansowa była możliwa dzięki zbywalności kredytu; początek dała Anglia, wprowadzając zbywalne instrumenty kredytowe już w 1437 roku. Pod koniec XV wieku w stolicy Hanzy, Lubece, zaczęto uznawać weksle na okaziciela, w Antwerpii nastąpiło to w roku 1507, a w całych Niderlandach przed rokiem 1541. W tym samym roku Habsburgowie zalegalizowali pobieranie odsetek od pożyczek w wysokości 12 procent (nie licząc się ze stanowiskiem Kościoła w sprawie lichwy), dzięki czemu usunięta została główna przeszkoda utrudniająca dyskontowanie zbywalnych weksli. Weksle na pożyczki krótkoterminowe również stały się w pełni zbywalne, podobnie jak obligacje państwowe – w ten sposób powstał ogromny rynek kredytowy, do którego rozwoju przyczyniło się znacznie założenie giełdy w Antwerpii w 1531 roku. Mimo że miasto – jak całe południowe Niderlandy – padło ofiarą represji habsburskich po rewolucji holenderskiej, wszystkie funkcjonujące tu instrumenty kredytowe znalazły zastosowanie w północnych Niderlandach; miejsce Antwerpii zajął Amsterdam, gdzie w 1602 roku otwarto giełdę papierów wartościowych. Szybki rozwój kredytu stał się oczywiście przyczyną rozmaitego typu problemów. W latach sześćdziesiątych nastąpiła pierwsza fala bankructw banków, ponieważ pożyczkodawcy korony hiszpańskiej i francuskiej zostali na lodzie, gdy królowie nie wywiązali się z płatności, zamieniając dług w obligacje państwowe; finansiści dostali wówczas zamiast pieniędzy praktycznie bezwartościowe papiery. Nawet rząd holenderski miał trudności z wypłatą odsetek od obligacji państwowych, co mocno uderzyło w drobnych inwestorów. Szukając przyczyn wyjątkowości Holandii i świetności jej gospodarki w latach 1580–1700, powinniśmy zapewne zacząć od korzyści, jakie przyniósł rozwój systemu kredytowego i powstanie finansjery, należy jednak pamiętać, że korzenie tego zjawiska leżą zarówno w Niderlandach północnych (spółki akcyjne), jak i południowych (weksle zbywalne).

Holenderskie Zjednoczone Prowincje skorzystały również na tym, co dziś nazwalibyśmy transferem technologii, ponieważ uchodźcy, którzy schronili się tu przed prześladowaniami ze strony katolików, byli często doświadczonymi fachowcami. Flamandowie na przykład, którzy uciekli do Holandii po wybuchu rewolucji w Niderlandach, przyczynili się do ożywienia zamierającego przemysłu włókienniczego w Lejdzie. Migracje z powodu prześladowań religijnych nie były wówczas niczym niezwykłym – wystarczy przypomnieć ucieczkę kalwinistów z Francji i Włoch do Genewy w połowie stulecia – a ich punkt kulminacyjny stanowiło wygnanie morysków (i tak już rozproszonych siłą po Kastylii w rezultacie powstania z lat 1568–1570) na początku XVII wieku. Największa grupa emigrantów z powodów ekonomicznych wyszła z południowych prowincji habsburskich Niderlandów. Emigrowali rzemieślnicy, przedsiębiorcy, finansiści, szukający lepszych warunków do życia nie tylko w Holandii, ale także w Anglii i Szkocji oraz w zachodnich Niemczech, gdzie specjalnie dla uchodźców założono kilka miast; na przykład tkacze osiedli we Frankenthalu, pończosznicy w Hanau, a meblarze w Neuwied.

O wyjątkowości Anglii i Holandii świadczy zdolność obu krajów do uporania się z trudnościami gospodarczymi nękającymi Europę od lat sześćdziesiątych XVI wieku. Trudności te przejawiały się w tak zwanym kryzysie maltuzjańskim, polegającym na tym, że ludność, której liczba gwałtownie wzrastała, nie potrafiła już wyżywić się z uprawy ziemi, cierpiała więc głód i choroby, a sytuację pogarszały jeszcze powtarzające się nieurodzaje w początkach lat siedemdziesiątych, połowie osiemdziesiątych i w końcu lat dziewięćdziesiątych. W ostatnich latach badacze nie upatrują już przyczyn kryzysu w niewydajnej, wyczerpującej swe możliwości gospodarce rolnej ani w konserwatyzmie chłopów, podkreślają natomiast znaczenie zmian klimatycznych. Mniej więcej od połowy lat sześćdziesiątych na większości terenów Europy panowała „mała epoka lodowa", trwająca do lat trzydziestych XVII wieku. Lata te charakteryzowały się ogólnym spadkiem temperatur rocznych, krótszymi okresami wegetacji i napływem mas powietrza polarnego. Pogorszenie klimatu było bardziej odczuwalne w głębi kontynentu niż w regionach nadmorskich (co dawało Anglii i Holandii pewną przewagę) i – jak się wydaje – mniej dotknęło Europę Północną, gdzie uprawa zboża na chleb i winorośli zawsze wiązała się z większym ryzykiem nieurodzaju niż na cieplejszym i bardziej słonecznym południu. Badacze posługujący się kategorią „długiego wieku XVI", trwającego do 1650 roku – między innymi Fernand Braudel – odnoszą się przede wszystkim do regionu śródziemnomorskiego i dowodzą, że kryzys nastąpił dopiero w XVII wieku. Jednak na północ od Alp już w latach sześćdziesiątych pojawiły się oznaki końca cyklu gospodarczego, który rozpoczął się w latach siedemdziesiątych XV wieku.

Braudel uważa również, że przyczyną zapaści gospodarczej z końca XVI wieku był upadek ducha przedsiębiorczości w Europie kontynentalnej. Kupcy i finansiści, parweniusze w świecie wartości feudalno-arystokratycznych, aspirowali do tytułów szlacheckich i posiadania ziemi. Typowym przykładem owej tendencji do „refeudalizacji" – Braudel nazywa ją „zdradą mieszczaństwa" – miały być ambicje Fuggerów z Augsburga, którzy zapragnęli zostać właścicielami ziemskimi i do 1600 roku kupili posiadłości warte dwa miliony florenów – tyle samo stracili w wyniku upadłości korony hiszpańskiej w 1607 roku! Fakt, że mieszczanie chcieli znaleźć się w szeregach szlachty, nie ulega wątpliwości, ale argument chybił celu. W dłuższej perspektywie czasowej znaczenie miało to, czy w danym kraju istniały warunki sprzyjające inwestowaniu i ponoszeniu ryzyka. Jeśli państwo – czy to monarchia, czy miasto-państwo, czy republika – gwarantowało prawa własności, chroniło rynek, wyeliminowało narzucane przez cechy i gildie ograniczenia, ryzyko inwestowania było mniejsze. W końcu XVI wieku w większości krajów europejskich dzierżawa ziemi za czynsze zaczęła być bardziej opłacalna niż inwestowanie w przedsiębiorstwa – i pod tym względem Anglia i Holandia były rzeczywiście wyjątkami potwierdzającymi regułę.

2

Polityka i wojna

Mark Greengrass

Siódmego maja 1511 roku w Sewilli zebrała się Consejo Réal (Rada Królewska) monarchii hiszpańskiej. Sędziowie wysłuchali odczytanej przez sekretarza prośby, skierowanej do „Wszechpotężnej Pani" królowej Joanny Kastylijskiej przez don Diego Colona, admirała Indii. Do prośby dołączono mnóstwo dokumentów, wnoszący domagał się bowiem wielkich przywilejów. Don Diego (syn Krzysztofa Kolumba) prosił o przyznanie mu prawa do znaczącego procentu od zysków z handlu z Indiami; prawa te miały zostać przyznane jego ojcu przez monarchię kastylijską w rozmaitych „kapitulacjach", w podzięce za jego wiekopomne odkrycia. Wielki odkrywca doszedł bowiem do wniosku, że lepiej rozbić się na wodach szesnastowiecznej polityki niż na Atlantyku. Po ostatniej podróży wrócił do Sewilli pogrążony w długach i zdecydowany domagać się odpowiedniej zapłaty za swoje trudy. Słał kolejne listy do królowej Izabeli (1474–1504) i króla Ferdynanda (1452–1516). „Jest rzeczą pewną, że służyłem Waszym Wysokościom z największym oddaniem i miłością, dążąc usilnie do otwarcia bram Raju. Jeśli w innych rzeczach pobłądziłem, stało się tak bez mojej wiedzy i woli" – pisał w listopadzie 1504 roku. Do wsparcia swojej sprawy wykorzystywał rodzinę, krewnych i przyjaciół, swego brata *adelantado**, syna Diego, sekretarza królewskiego Juana de Colonę oraz florenckiego kupca i żeglarza, któremu winien był pieniądze, Amerigo Vespucciego (1454–1512). Vespucci w lutym 1505 roku przybył na dwór w Segowii w sprawie Kolumba, przywożąc swój świeżo wy-

---

* W wieku XVI i XVII gubernator wojskowy i przedstawiciel króla w hiszpańskich koloniach (przyp. tłum.).

dany list do księcia Medici z opisem Nowego Świata, czyli wybrzeży Ameryki Południowej. List ten zyskał tak wielką popularność, że w 1507 roku wybitny kartograf Martin Waldseemüller nazwał nowy ląd na sporządzonej przez siebie mapie „Ameryką". Kolumb, nie mogąc doczekać się spodziewanej nagrody, w końcu udał się osobiście na dwór królewski mimo trapiącej go podagry, tak ciężkiej, że dowiadywał się nawet o możliwość pożyczenia katafalku na kołach, należącego do arcybiskupa Sewilli. Był jednak dostatecznie sprytny, by zorientować się, że sprawie nie przysłuży się przybycie na dwór w karawanie. Stawką były przecież jego cześć, reputacja i pozycja. Wyruszył więc na mule do Medina del Campo, a stamtąd do Valladolid, gdzie zmarł 6 maja 1506 roku, pozostawiając sprawę niezałatwioną. Sprawiedliwości zaczął dochodzić jego syn, a później dalsi potomkowie – rodzina Kolumba domagała się uznania swoich praw jeszcze w XVIII wieku. W 1511 roku sędziowie zajęli twarde stanowisko. W podpisanym 11 czerwca orzeczeniu odrzucili prośbę z uzasadnieniem, że narusza ona niezbywalne, suwerenne prawa monarchii hiszpańskiej – mimo że don Diego poślubił kuzynkę króla i był admirałem Indii, miał więc władzę i znaczącą pozycję na dworze hiszpańskim.

Przykład ten obrazuje istotę procesów politycznych zachodzących w szesnastowiecznej Europie. Z jednej strony istniały oficjalne struktury polityczne: rady królewskie, sądy, władze wykonawcze, izby przedstawicielskie, ustawy i rozporządzenia, z drugiej – ogromną rolę odgrywała sieć nieformalnych powiązań, przysługi i wpływy, obietnice i nagrody, honor własny i rodziny, przywileje i status. Oba systemy – oficjalny i nieoficjalny – rządziły się własnymi zasadami. W pierwszym znaczenie miały precedensy historyczne, dochodzenie praw przed sądem i ochrona interesu publicznego, w drugim – przyjaźnie i kontakty osobiste. W XVI wieku polityka sytuuje się na przecięciu obu tych systemów, ponieważ to właśnie wzajemna zależność między nimi sprawiała, że układ polityczny działał.

Państwa wielonarodowe

Od połowy średniowiecza w Europie współistniały nader zróżnicowane systemy polityczne. W XVI wieku były wśród nich republiki dążące do zostania potęgami morskimi (Wenecja, Genua), miasta-państwa pozbawione zaplecza na okolicznych terenach (Genewa, Dubrownik, Gdańsk) oraz pod koniec stulecia holenderska Rzeczpospolita Zjedno-czonych Prowincji. Istniały również Święte Cesarstwo Rzymskie, gdzie na ziemiach należących do Habsburgów zaczęła kształtować się monar-chia dziedziczna, a także próbująca do tego nie dopuścić Rzeczpospolita Obojga Narodów, powstała po połączeniu Polski i Litwy unią lubelską z 1569 roku. Samodzielnym wolnym związkiem gmin wiejskich była Gry-zonia (niemieckie Graubünden, francuskie Grisons), sprzymierzona ze Związkiem Szwajcarskim, stanowiącym luźną konfederację kantonów. Wiele małych księstw – więcej niż na ogół sobie wyobrażamy, tego ro-dzaju twory państwowe istniały bowiem we Włoszech, w Pirenejach, pół-nocnych Niemczech i Niderlandach – zachowało samodzielność, choć często formalnie zależne były od większych sąsiadów. Niektóre z nich, o ugruntowanej tradycji państwowości, chyliły się ku upadkowi, na przy-kład Burgundia i Nawarra. W Europie, zwłaszcza na jej obrzeżach, wciąż jeszcze dużo było wolnej przestrzeni, miejsc niepodlegających formal-nemu zwierzchnictwu politycznemu. Na kresach wschodnich praktycz-nie nie istniała władza króla polskiego, w Irlandii na terenach poza Eng-lish Pale* rządzili gaeliccy lordowie, na dalmatyńskim wybrzeżu Adriatyku władzę dzierżyli piraci. W Europie Środkowej i Północnej ist-niały monarchie elekcyjne (Czechy, Węgry, Polska, Dania i Szwecja), wy-bieralny był także władca potężnego Państwa Kościelnego. I wreszcie były w Europie państwa, o których wspomina się dziś najczęściej i które zwykło się traktować jako wzorzec dla pozostałych krajów – monarchie dziedziczne. Niektóre z nich miały długą tradycję, choć dynastie w nich rządzące były niekiedy stosunkowo świeżej daty (Walezjusze zasiadali na tronie francuskim od 1328 roku, królowie z linii Valois-Angoulême – od 1515 roku; Tudorowie panowali w Anglii od 1485 roku; Habsburgowie w Hiszpanii – od 1516 roku).

W Europie XVI wieku nie znajdziemy żadnego „państwa narodo-wego". Pojęcie to wymyślono w XIX wieku, a ówcześni historycy za-stosowali je do monarchii dziedzicznych. Niesłusznie, ponieważ władcy tych państw dbali przede wszystkim o interesy dynastyczne, nie zaś na-

---

* Terytorium we wschodniej Irlandii, gdzie od czasu najazdu Henryka II w 1172 roku obo-wiązywało prawo angielskie (przyp. tłum.).

rodowe. Śmierć przedstawiciela dynastii mogła zmienić mapę polityczną regionu, tak stało się na przykład w 1477 roku, gdy na polu bitwy padł Karol Zuchwały, ostatni książę Burgundii. Podobnie stało się na Półwyspie Iberyjskim w roku 1580, gdy młody król portugalski Sebastian zmarł bezżennie w wieku dwudziestu czterech lat (był jakoby impotentem). W 1603 roku na tronie angielskim zasiadł przedstawiciel szkockiej dynastii Stuartów – w ten sposób powstała monarchia brytyjska. Karol I Hiszpański zjednoczył Niderlandy, Kastylię, Aragonię i Neapol nie dzięki swym nadzwyczajnym talentom politycznym, ale dlatego, że w 1497 roku nieoczekiwanie zmarł w wieku dziewiętnastu lat dziedzic tronu kastylijskiego Don Juan (ponoć wskutek ekscesów seksualnych), następnie w roku 1506 zmarł ojciec Karola, Filip I Piękny, zostawiając synowi Niderlandy i Franche-Comté, a dziesięć lat później, po śmierci dziadka, Ferdynanda Aragońskiego, Karol wstąpił na tron hiszpański. Gdy w 1519 roku zmarł jego drugi dziadek, cesarz Maksymilian, Karol odziedziczył domeny habsburskie w Europie Środkowej i został obrany cesarzem Świętego Cesarstwa Rzymskiego (panował jako Karol V). W ten sposób powstało najpotężniejsze imperium dynastyczne szesnastowiecznej Europy – imperium Habsburgów. W XVI wieku w Europie Zachodniej granice państwowe nie były jasno określone, często w większym stopniu decydowały o nich rozgrywki dynastyczne niż język, kultura czy instytucje. Królestwo francuskie rozrosło się po wojnie stuletniej o jedną trzecią terytorium głównie dzięki sprytnym sojuszom dynastycznym zawieranym w Anglii, Burgundii i innych krajach. W Europie Wschodniej granice były jeszcze bardziej niepewne, zwłaszcza po rozbiorze Węgier przez Turków po bitwie pod Mohaczem (1526).

W czym tkwiła tajemnica sukcesów monarchii dziedzicznej? Wiedzieli to Habsburgowie. „Żadna rodzina nie doszła do takiej wielkości i potęgi dzięki więzom pokrewieństwa i małżeństwom politycznym jak dynastia austriacka" – pisał Giovanni Botero w rozprawie *Della ragion di stato* (Racja stanu, 1589). Pojawiały się spekulacje, że sukcesy Habsburgów wynikały po części z zasad niemieckiego prawa zwyczajowego, dopuszczającego dziedziczenie w linii żeńskiej. Inaczej było we Francji, gdzie prawo zwyczajowe, tak zwane prawo salickie, zakazywało dziedziczenia tronu przez kobiety i przenoszenia przez nie praw do tronu (w rzeczywistości zasadę tę wysnuli z prawa salickiego czternastowieczni juryści, aby wykluczyć angielskie pretensje do tronu francuskiego). Prawo zwyczajowe dotyczące dziedziczenia zawsze jednak było dogodne w pewnych okolicznościach, a niedogodne w innych i można je było dopasowywać do sytuacji. To samo niemieckie prawo umożliwiało dziedziczenie ziemi wszystkim potomkom, co prowadziło do rozdrobnienia księstw w północnych Niemczech. Znaczenie ma to, że dynastia była czymś więcej niż rodziną. Była wspólnotą odziedziczonych praw i tytułów, w której interesy jednostki nie miały większego znaczenia. Karol V i Franciszek I uzasadniali interwencje militarne w Mediolanie, Neapolu i Niderlandach pretensjami, których korzenie sięgały niekiedy XIII wieku. Polityka dynastyczna odwoływała się przede wszystkim do tradycji rodowej. Karol V zaczął słynną mowę potępiającą Lutra na synodzie w Wormacji od przypomnienia swych przodków, „chrześcijańskich cesarzy, arcyksiążąt austriackich i książąt burgundzkich", którzy bronili wiary i przekazywali przywiązanie do niej swoim następcom. Władza dynastyczna jest z natury rzeczy konserwatywna – było to trudne do przyjęcia dla dziewiętnastowiecznych zwolenników koncepcji państw narodowych, często na próżno szukających dowodów na czynne i świadome budowanie państwa przez władców. Prawomocny władca był kimś, kto nie tylko ma prawo do władzy, ale przestrzega też – dopełniających i zgodnych z prawami dynastii – „praw" i „przywilejów" swych poddanych. W XVI wieku o polityce nie decydowały więc względy natury państwowej, ale wydarzenia z życia dynastii: małżeństwa, narodziny i zgony.

Do realizacji celów politycznych najlepiej nadawały się małżeństwa. Jak zauważył Erazm z Rotterdamu w traktacie *O władzy chrześcijańskiej*, małżeństwa dynastyczne nazywano najważniejszą sprawą i uważano je za gwarancję pokoju. Obietnice małżeństwa, starannie rozważone przez ciała doradcze przy władcach, umacniały sojusze militarne i dyplomatyczne. Arcybiskup Kapui pisał do Karola V: „W czasie wojny Anglicy zrobili użytek ze swoich księżniczek, które niczym sowy wabiły mniejsze ptaszki". Karol z kolei zauważył, że „najlepszym sposobem utrzymania królestwa w całości jest wykorzystać własne dzieci". Karol nakłonił Franciszka I do zawarcia pokoju, zezwalając na ślub króla francuskiego ze swoją siostrą Eleonorą. Sławetny traktat w Cateau-Cambrésis (1559) przypieczętowano co najmniej trzema propozycjami królewskich małżeństw. Warunki tego rodzaju traktatów pozostawały jednak płynne, zakładały różny poziom zaangażowania, zależnie od tego, czy dojdzie do zaręczyn, czy do ślubu i do konsumpcji małżeństwa, zwłaszcza że kandydaci na małżonków często nie osiągnęli jeszcze pełnoletności wymaganej przez prawo kanoniczne (dwanaście lat). Ogólnie zgadzano się, że im bliższe były związki między jedną dynastią a drugą, tym bardziej wiążące stawały się umowy. Małżeństwa książąt były wydarzeniami politycznymi, stwarzały dynastiom sposobność do przedłużenia swego panowania i pojednania się z przeciwnikami. Katarzynie Medycejskiej tak bardzo zależało na tym ostatnim, że całe miesiące pieczołowicie negocjowała małżeństwo swej córki Małgorzaty (Margot) z wybijającym się przywódcą protestantów francuskich (hugenotów, jak zwano wyznawców nauki Kalwina) Henrykiem Nawarskim. Małżeństwo, zawarte w Paryżu w sierpniu 1572 roku, miało być świadectwem zwycięstwa miłości dworskiej i neoplatońskiej nad destruktywnymi siłami podsycającymi konflikty religijne. Nie minęło jednak dziesięć dni, gdy nastąpiła jedna z największych katastrof politycznych stulecia – rzeź hugenotów w noc świętego Bartłomieja (23/24 sierpnia 1572). W Anglii ostentacyjna niechęć Elżbiety I do małżeństwa stała się kością niezgody między królową a jej doradcami i parlamentem. Współcześni Elżbiety nie mieli wątpliwości, że z małżeństwem dynastycznym wiążą się honor, pozycja, bogactwo i sukcesja. Było ono środkiem ustanowienia zwierzchnictwa bez konieczności aneksji, choć (co mocno podkreślał Erazm z Rotterdamu) w małżeństwach w obrębie tej samej rodziny stawało się również źródłem konfliktów, wywoływało bowiem sprzeczne ze sobą roszczenia. W XVI wieku polityka dynastyczna stanowiła siłę napędową historii.

Dynastie funkcjonowały jak klany, miały strukturę zarazem korporacyjną i hierarchiczną. Stary cesarz Maksymilian miał na względzie interes własny, a jego córka Małgorzata Austriacka i wnuk oraz potencjalny dziedzic Karol podzielali „wszystkie jego myśli, pragnienia i uczucia". Później, w 1526 roku, Karol V zaoferował pomoc swemu bratu Ferdynandowi, którego kochał i szanował „jak siebie samego". Ostrzegał Ferdynanda, że nieprzyjaciele Habsburgów będą starali się ich skłócić i podzielić, aby tym łatwiej złamać ich siłę i doprowadzić rodzinę do upadku. Tego rodzaju obawy żywiły wszystkie dynastie, choć w rzeczywistości podziały na ogół dokonywały się wewnątrz rodziny i miały nader destrukcyjne skutki. Pierwszą osobą, która bezpośrednio zagroziła władzy Filipa II, był jego syn Carlos. W połowie lat sześćdziesiątych dążył on do utworzenia na dworze własnego stronnictwa, wysyłał też emisariuszy do buntowników w Niderlandach. Działania te doprowadziły do śmierci księcia w dramatycznych okolicznościach. Ledwie skrywana wrogość między ostatnim królem francuskim z dynastii Walezjuszów, Henrykiem III, a jego młodszym bratem Franciszkiem, księciem Alençon, a później księciem Andegaweńskim, ujawniła się w całej pełni w 1576 roku i trwała aż do śmierci Franciszka w roku 1584. Konflikty rodzinne wstrząsały największymi dynastiami Europy. Wszystkie europejskie dynastie panujące wytworzyły nieformalną hierarchię, obejmującą mężczyzn i kobiety z prawego i nieprawego łoża. Najczęściej członkowie niżej usytuowanych gałęzi rodu przyjmowali jako rzecz naturalną posłuszeństwo wobec głowy rodziny i rolę, jaką im wyznaczono w dążeniu do wspólnych korzyści, w zamian za rzeczywistą ochronę własnych interesów.

W państwach dynastycznych narodziny dzieci były wydarzeniami politycznymi, a noce poślubne – publicznymi. Prawo kastylijskie, wymagające obecności notariusza przy łożu członka rodziny królewskiej podczas nocy poślubnej, nie było wyjątkiem. Franciszek I i papież Klemens VII obserwowali czternastoletniego późniejszego Henryka II i Katarzynę Medycejską „ścierających się w łożu" w tę noc. O trudnościach i niespodziankach donoszono natychmiast, czasami stawały się one źródłem żartów. Brantôme utrzymywał, że widział, jak Franciszkowi II wielokrotnie nie udawało się w łóżku z Marią Stuart, ponieważ jądra młodego chłopca nie były jeszcze w pełni wykształcone. Cała Francja znała faworytów młodszego brata Franciszka, Henryka III, Joyeuse'a i Épernona, nazywanych „książętami Sodomy" i obarczanych winą za to, że król homoseksualista nie spłodził dziedzica. Połóg w rodzinie królewskiej był przedmiotem intensywnych spekulacji politycznych. „W tym kraju połóg królowej jest podstawą wszystkiego" – pisał w 1536 roku Simon Renard, ambasador na dworze Tudorów. To wydarzenie najwyższej wagi miało odpowiednią oprawę. Ściany królewskiej sypialni pokrywały gobeliny ukazujące wspaniałość dziejów dynastii Tudorów. Przyszłą matkę ubierano w stare szaty i otaczano ją pamiątkami rodzinnymi mającymi zapewnić szczęśliwe rozwiązanie. Jest to zupełnie zrozumiałe. W XVI wieku w rodzinie Habsburgów ponad połowa królowych zmarła przy porodzie. Żona króla portugalskiego Jana III rodziła dziewięć razy, ale tylko jedno z jej dzieci dożyło wieku dwudziestu lat. Pierwsze dwa małżeństwa Henryka VIII zaowocowały czternastoma poświadczonymi poczęciami, przeżyły jednak tylko dwie córki. W XVI wieku o losach dynastii decydowało nie to, czy doszło do poczęcia, ale czy udało się szczęśliwie donosić ciążę i odchować dziecko. Śmierć głowy dynastii oznaczała koniec jakiegoś etapu. Pogrzeby stwarzały okazję do wyrażenia osobistej i rodzinnej solidarności oraz przywiązania do odziedziczonych praw, tradycji, obyczajów; przygotowywano je i dokumentowano bardzo pieczołowicie. Jednocześnie doradcy panującego tracili swoją pozycję, ponieważ uprawnienia i uposażenie przyznane przez jednego władcę nie były automatycznie uznawane przez następnego. Według tradycji francuskiej, po śmierci króla marszałek dworu uroczyście zwalniał wszystkich swoich podwładnych na znak, że zarówno jego służba, jak i służba wszystkich dworzan dobiegła końca. We Francji i w Anglii przykładano wielką wagę do tego, aby pogrzeby królewskie dawały świadectwo ciągłości, potwierdzały prawdziwość powszechnie znanej frazy (przytacza ją filozof Jean Bodin): „Król nie umiera nigdy". We Francji wystawiano na widok publiczny wykonaną z wosku, realistyczną figurę zmarłego króla, w regularnych odstępach podawano jej posiłki i okazywano szacunek należny królowi do czasu zakończenia uroczystości pogrzebowych i wstąpienia na tron następcy. Figury te, a także portrety, rzeźby, trofea i pamiątki miały służyć kształceniu młodszych potomków rodu. Erazm z Rotterdamu, który podkreślał w swych pismach znaczenie edukacji książąt, wspominał, jak ważne były tego rodzaju pouczające exempla dla Rzymian. Na medalu upamiętniającym wstąpienie na tron króla szwedzkiego Eryka XIV znalazły się słowa rzymskiego poety Klaudiana: *Quantus in ore pater radiat* (Jakże odbija się w twojej twarzy szlachetność twego ojca). W kulturze politycznej XVI wieku dużą rolę odgrywała sztuka portretu, ponieważ portret służył jako narzędzie kształtowania poczucia ciągłości, stwarzał wrażenie obecności osoby nieobecnej, oddając nie tylko jej wygląd zewnętrzny, ale i przymioty ducha. W XVI wieku w całej Europie powstawały na dworach królewskich i książęcych galerie, w których wystawiano portrety i inne pamiątki po zmarłych przodkach. Wznoszono też mauzolea, takie jak na przykład kaplica Medyceuszów we Florencji. Stała się ona wzorem dla kaplicy Walezjuszów w opactwie Saint Denis, zamówionej przez

Katarzynę Medycejską. W Eskurialu natomiast, zaprojektowanym dla Habsburgów hiszpańskich przez Juana de Herrerę, znalazła się krypta z grobowcami królów hiszpańskich, których podobizny wyrzeźbił Pompeo Leoni.

Abdykacja cesarza Karola V w 1555 roku była wydarzeniem niezwykłej rangi. Tego rodzaju śmierć „polityczna" nie miała precedensów, dlatego należało wymyślić oprawę ceremonii. Uroczystość zaczęła się 22 października w Brukseli. Na początek cesarz formalnie zrzekł się godności wielkiego mistrza Zakonu Złotego Runa na rzecz swego syna Filipa. Zgromadzeni kawalerowie zakonu zostali pouczeni przez cesarza o konieczności złożenia przysięgi na wierność Filipowi, przy czym cesarz miał być obecny. Trzy dni później w pałacu w Brukseli odbyła się uroczystość abdykacji. Cesarz zasiadł na podium, z synem Filipem po prawej ręce i córką Marią Węgierską, regentką Niderlandów, po lewej, przed zgromadzeniem złożonym z ponad tysiąca dostojników. W czasie wygłaszania mowy abdykacyjnej opierał się na ramieniu księcia orańskiego, miał trudności z czytaniem swoich zapisków przez okulary, płakał. Na koniec zwrócił się po hiszpańsku do klęczącego przed nim syna. Uroczyście przekazał mu władzę, napominając Filipa, aby bronił praw i prawdziwej wiary, a poddanymi rządził sprawiedliwie i w pokoju. Następnego dnia Karol podpisał akt abdykacji, Filip zaś przyjął śluby posłuszeństwa od przedstawicieli stanów generalnych Niderlandów, po czym sam przysiągł przestrzegać praw i przywilejów. Wskutek tego aktu oficjalnie została zachowana ciągłość, nieoficjalnie natomiast elity polityczne przeniosły swą lojalność z jednego pokolenia Habsburgów na drugie.

Elity polityczne

O wiele łatwiej pisać o dynastiach szesnastowiecznej Europy niż o jej elitach. Od połowy średniowiecza w Europie postępował proces różnicowania się systemów politycznych – najlepiej widać to na przykładzie głównych ośrodków władzy. Składały się na nie rady i sądy – formalne i nieformalne struktury, zwykle ściśle ze sobą współpracujące. Rządzenie przy pomocy rady było przyjęte nawet w monarchiach, których władcy wykazywali silne skłonności absolutystyczne. W monarchiach elekcyjnych Europy Północnej i Środkowej w radach nadal dominowała magnateria, choć czasem wchodzili w ich skład przedstawiciele innych stanów lub parlamentu. W tworzącej się holenderskiej Rzeczypospolitej Zjednoczonych Prowincji złożona z dwunastu członków rada stanu, następczyni swej dawnej burgundzkiej imienniczki, stała się komitetem wykonawczym stanów generalnych. We wszystkich monarchiach, zwłaszcza stanowiących zlepek zróżnicowanych, na poły autonomicznych dzielnic, rady królewskie działały w każdej z jednostek terytorialnych. Habsburgowie hiszpańscy mieli rady dla Kastylii, Aragonii, Portugalii i Niderlandów, a także dla swych posiadłości włoskich i zamorskich. Tudorowie mieli oddzielne, niższe rangą rady dla północnej Anglii i Walii. Wszędzie rozrastająca się liczba doradców prowadziła do powstawania mniejszych, „sekretnych" rad o szerokim zakresie odpowiedzialności; zajmowały się one sprawami państwowymi najwyższej wagi, dla których zasadnicze znaczenie miała poufność. Członków tego rodzaju rad często powoływano z racji urodzenia i statusu. We Francji przedstawiciele rodziny królewskiej i książęta krwi uważali się za członków rady królewskiej z mocy prawa. W niektórych krajach katolickich podobną pozycję uzyskało wyższe duchowieństwo. W Polsce członkami rady królewskiej byli *ex officio* kanclerz, podkanclerzy, podskarbi, wojewodowie, kasztelanowie więksi, arcybiskupi i biskupi. Próba wykluczenia którejkolwiek z tych osobistości wiązała się z ryzykiem oskarżenia o zapędy absolutystyczne lub faworyzowanie jednych kosztem innych. Włączenie wszystkich oznaczało natomiast, że z pomocą takiej rady trudno będzie rządzić państwem. W XVI wieku problem „dobrej rady królewskiej" nabrał kluczowego znaczenia zarówno w monarchiach elekcyjnych, jak dziedzicznych.

Jedną z dróg wyjścia było przekazanie codziennych obowiązków administracyjnych zawodowym urzędnikom i działającym według ustalonych procedur urzędom. Sądownictwo, początkowo znajdujące się w gestii króla i rady królewskiej, coraz częściej przekazywano odrębnym radom lub wydziałom rad królewskich. W Kastylii i Aragonii już w 1500 roku działały rada do spraw sądownictwa i rada rządowa. We Francji w drugiej połowie XVI wieku *conseil d'état privé* (rozpatrująca sprawy sądowe kierowane do rady królewskiej) i *conseil d'état et des finances* (zajmująca się sprawami finansowymi króla) stopniowo stawały się niezależnymi od siebie instytucjami. W większości państw niemieckich rada przy królu lub księciu (*Hofrat*) w ciągu XVI wieku przekształciła się w sąd (*Hofgerichte*), często wzorowany na cesarskim *Reichskammergericht*, założonym w 1495 roku. Podobnego typu instytucje, często zwane „izbami" (ang. *chamber*, niem. *Kammer*), nadzorowały coraz bardziej złożone sprawy finansowe państw. W cesarstwie niemieckim *Hofkammer*, założona przez Habsburgów w 1527 roku, stała się wzorem dla innych państw, na przykład Bawarii. W Neapolu *Camera della Sommaria* funkcjonowała jako organ kontrolujący księgi rachunkowe i pobierający podatki. Ważnymi z punktu widzenia politycznego kwestiami związanymi z biciem monety zajmowały się wyodrębnione instytucje rozmaitego typu. Tendencja ta wcale nie była powszechna. W Mediolanie senat pozostał zarówno organem sądowniczym, jak zarządzającym, podobnie angielska Tajna Rada Królewska nadal łączyła obie kompetencje. Można jednak odnieść wrażenie, że zarządzanie dochodami i długami, zbieranie podatków bezpośrednich, bicie monety, opłacanie służby, nominacje na stanowiska duchowne, prowadzenie dyplomacji wszędzie stawało się coraz bardziej złożone i trudne. Nie dziwi więc, że do rad królewskich i książęcych zaczęto powoływać również osoby mające kompetencje zawodowe. Liczba zatrudnionych „fachowców" zależała od rodzaju zadań rady i reprezentowanej przez nią kultury politycznej. W Kastylii na przykład niemal wszyscy członkowie rady królewskiej byli absolwentami uniwersytetu. We Francji z kolei dyplomowani prawnicy przygotowywali dokumenty dla rady państwa, w której przewagę mieli arystokraci dworscy o różnym stopniu wykształcenia i poziomie umysłowym.

Powszechna była tendencja do kolektywnego podejmowania decyzji, jeśli tyko było to możliwe, aby zapobiec szkodliwym z punktu widzenia polityki konsekwencjom podziałów i walk między frakcjami. W Hiszpanii rada królewska szczegółowo opracowała zasady rządzenia; śladem Hiszpanii poszło Państwo Kościelne, gdzie w 1588 roku papież Sykstus V podzielił kolegium kardynałów na piętnaście kongregacji (czyli rad), z których każda miała inny zakres odpowiedzialności. Jednakże coraz większa złożoność procedur i praktyk związanych z rządzeniem oraz powiększająca się liczba rad sprawiały, że konieczne stawało się ustanowienie swego rodzaju koordynatora, zwłaszcza gdy władca ze względów natury osobistej lub instytucjonalnej nie mógł sam sprawować tej funkcji. Osoby takie funkcjonowały między formalnymi a nieformalnymi strukturami władzy; ich możliwości działania zależały od pozycji na dworze; władzę sprawowały przy tym bez współmiernego do swej roli urzędu. W Rzymie funkcja ta stała się w XVI wieku bardziej sformalizowana niż na innych dworach, piastował ją kardynał nepot, zaufany papieża i przeważnie członek jego rodziny, mający duży, choć ściśle określony zakres władzy. W innych krajach tego rodzaju koordynator wywodził się z powiązanych z koroną kręgów wojskowych czy sądowych. We Francji pierwszym z wielkich „faworytów" na dworze Walezjuszów był konetabl Anne de Montmorency, od 1529 roku cieszący się wielkimi łaskami Franciszka I. Podobną pozycję zajmował na dworze Habsburgów austriackich nadochmistrz (*Obersthofmeister*) lub marszałek dworu (*Obersthofmareschall*). Gdzie indziej funkcję tę sprawował kanclerz (lub strażnik Wielkiej Pieczęci), nominalnie szef sądownictwa, często odpowiedzialny także za rząd i administrację. W Anglii szeroki zakres władzy zdobyli kanclerze, kardynał Wolsey i Thomas More, ale w XVI wieku nie mieli oni następców. W Danii również istniał urząd kanclerza królewskiego. Faworyci Henryka III, ostatniego króla francuskiego z dynastii Walezjuszów, zawdzięczali swoją pozycję i wpływy wyłącznie łaskawości króla, który chciał otaczać się osobami niepowiązanymi z żadną koterią arystokratyczną, mogącą zagrozić jego panowaniu; ludzie ci mieli stanowić wzór nowej arystokracji, służącej majestatowi królewskiemu z całym oddaniem.

Najbardziej znaczące zmiany w systemie koordynowania władzy państwowej zaszły jednak, gdy w połowie XVI wieku ostatecznie wykształciła się funkcja sekretarza stanu. W państwach włoskich sekretarze stanu, początkowo notariusze towarzyszący księciu, już pod koniec XV wieku zaczęli odgrywać dużą rolę. W 1500 roku książę Mediolanu miał czterech sekretarzy, z których każdy zajmował się innego rodzaju sprawami (polityka, sądownictwo, Kościół i finanse), a książę Sabaudii – trzech (sprawy zagraniczne, sprawy wewnętrzne, wojna). W Anglii sekretarz stanu stał się postacią o największym znaczeniu po roku 1530, gdy urząd ten objął Thomas Cromwell. Za panowania Elżbiety I jego następcy – William Cecil, Francis Walsingham, a potem Robert Cecil, późniejszy earl of Salisbury – odgrywali główną rolę polityczną na dworze. W Hiszpanii i Portugalii sekretarze stanu, formalnie pełniący funkcję sekretarzy rady stanu, wykorzystywali swój urząd do uzyskania równie rozległych wpływów. We Francji dawni notariusze z królewskiej kancelarii stali się najpierw

sekretarzami do spraw finansów, a następnie, od 1547 roku, przejęli od-
powiedzialność za szybkie załatwianie „spraw państwowych". Po pewnym czasie (co najmniej od roku 1561) wchodzili już w skład rady stanu
i umacniali swoją pozycję dostojników koronnych poprzez małżeństwa,
dziedziczenie urzędu i kupowanie tytułów szlacheckich. Dziedziczny
urząd sekretarza stanu monarchii francuskiej zapewniła sobie rodzina de
l'Aubespine, dawniejsi kupcy i prawnicy z doliny Loary. Claude II de l'Aubespine (1510–1567) był głównym negocjatorem traktatu z Cateau-Cambrésis. Wraz z wujem swej żony, Jeanem de Morvillier, biskupem Orleanu
i strażnikiem pieczęci w latach 1568–1571, oraz szwagrami Jacques'em
Bourdinem, sekretarzem stanu od 1558 roku, i Bernardinem Bochetalem,
biskupem Rennes, należał do małej grupy doświadczonych negocjatorów
i administratorów na dworze Katarzyny Medycejskiej, pomagającej prze-
cierać najtrudniejsze szlaki do pokoju w pierwszej fazie wojen religijnych.
Zięć Claude'a, Nicolas III de Neufville, markiz de Villeroy, wywodzący się
z rodziny paryskich kupców rybnych, podtrzymywał tradycje rodziny te-
ścia, pełniąc urząd sekretarza stanu od 1567 roku do śmierci w roku 1619,
z krótką tylko przerwą w latach 1588–1594.

Znaczenie polityczne sekretarzy stanu w XVI wieku jest przejawem
ważnej ewolucji metod uprawiania polityki, polegającej między innymi
na tym, że decyzje coraz częściej zapisywano i przekazywano na odległość w formie pisanej i drukowanej. Dokumenty tyczące spraw wielkiej
wagi państwowej, edykty, traktaty pokojowe między państwami zawsze
były wydawane i zapisywane pod Wielką Pieczęcią lub jej odpowiedni-
kiem. W rządzonych absolutnie państwach europejskich zmiana polegała na coraz częstszym wydawaniu dokumentów opatrzonych osobistą
pieczęcią władcy. Były to dokumenty najróżniejszego rodzaju – pełnomocnictwa, certyfikaty, pozwolenia, nominacje, potwierdzenia, pasz-
porty i tak dalej – czasem zatytułowane dumnie słowem „rozporządze-
nie", co miało wskazywać, i często naprawdę wskazywało, że dokument
dotyczy nie tylko konkretnego przypadku lub określonego momentu.
Dokumenty odgrywały zasadniczą rolę w procesie wymiany informacji
i negocjacji między europejskimi elitami politycznymi i organami władzy. Akty nominacyjne określały prawa i dodatkowe korzyści związane
z pełnieniem urzędu przez członków tych elit. Akty nadania przywilejów stanowiły o zwolnieniu z podatków. Akty nadania szlachectwa przy-

znawały prawo do tytułów. Pełnomocnictwa obdarzały władzą, dzięki której można było narzucić innym wolę panującego. Zachowało się siedem tysięcy dokumentów wydanych przez Katarzynę Medycejską. Gdy królowa skarżyła się młodemu Henrykowi Nawarskiemu na uciążliwość papierkowej roboty, odpowiedział jej szczerze: „Ta praca świetnie ci służy". Filip II zwykł siedzieć nad dokumentami do późnej nocy, czytając doniesienia, pisząc lub dyktując odpowiedzi; często narzekał na zmęczenie, kłopoty z oczami i bóle głowy. Tylko w maju 1571 roku złożono na jego ręce tysiąc dwieście petycji. Sekretarz Filipa, Mateo Vázquez de Leca, opowiadał, że król utyskiwał na konieczność podpisania jednego dnia czterystu pism. W strukturach władzy szesnastowiecznej Europy sieć placówek stacji kurierskich i pocztowych była równie ważna jak sieć garnizonów wojskowych.

Warto się teraz zastanowić, czym były dla Europy dwory. Jak wynika z pamiętników ówczesnych mężów stanu i żołnierzy, nie mówiąc już o doniesieniach ambasadorów, dwór miał zasadnicze znaczenie dla sposobu funkcjonowania polityki europejskiej, stanowił nieformalne uzupełnienie sformalizowanych instytucji rządzących. Europejskie elity polityczne gromadnie ciągnęły na dwory niczym ćmy do światła, choć oznaczało to niemałą stratę czasu i pieniędzy. Jak powiedział Blaise de Montluc, prowincjonalny szlachcic, który wiele lat spędził na wojnie, co jakiś czas trzeba było pokazać się na dworze, aby „ogrzać się, tak jak człowiek ogrzewa się na słońcu lub przy ogniu". Dwór to nie tyle instytucja, ile styl życia. Początkowo był to zespół służby i osób towarzyszących, których zadaniem było strzec, eskortować, karmić, ubierać i chronić władcę i jego (lub jej) rodzinę. W XVI wieku na dworze niezbyt nawet potężnego księcia musiała już służyć mała armia ludzi do prowadzenia rachunków, utrzymywania budynków, czyszczenia stajni, prowadzenia biblioteki, zaopatrywania zbrojowni i spiżarni, zakwaterowania i zabawiania gości. Na dworze księcia Mantui zatrudniano na przykład w 1520 roku osiemset osób. W tym samym roku na dworze papieskim służyło blisko dwa tysiące osób, podczas gdy liczba dworzan cesarza Maksymiliana I wynosiła w chwili jego śmierci (1519) zaledwie trzysta pięćdziesiąt osób w Wiedniu i siedemdziesiąt w Innsbrucku. Wszystko wskazuje na to, że w XVI wieku dwory europejskie mocno się rozrastały, stawały się zatem mniej mobilne. Karol I bez przerwy był w podróży lub w marszu. Franciszek I również niestrudzenie przemieszczał się z miejsca na miejsce, choć do przewiezienia całego dworu potrzeba było około osiemnastu tysięcy koni. Elżbieta I często podróżowała po południu kraju, szukając poparcia miejscowej szlachty, która podejmowała królową na własny koszt. W drugiej połowie XVI wieku wyłoniły się już jednak ostatecznie stolice jako ośrodki władzy: Londyn, Paryż, Madryt, Praga, Sztokholm. Nawet podczas nieobecności Filipa II – król często wyjeżdżał na odpoczynek do pałaców w Valsaín, Prado i od lat osiemdziesiątych do Eskurialu – w pałacu Alkazar w Madrycie rządy sprawowali w jego imieniu sekretarze i wpływowi możni, załatwiając za króla ważne, a niemogące czekać sprawy państwowe.

Dwór odgrywał zasadniczą rolę w polityce, ponieważ tam właśnie krzyżowały się nieoficjalne powiązania i interesy, mające wpływ na oficjalne decyzje. Wszędzie, gdzie władca sprawował rządy osobiste, ośrodek władzy znajdował się w miejscu jego pobytu albo w miejscu wyznaczonym przezeń na czas nieobecności. Tam rozdawano zaszczyty, łaski, awanse i przywileje. Rozdawanie łask było podstawą rządzenia, ponieważ za wierność należała się nagroda. François de L'Alouette przedstawił w *Traité des nobles et des vertus dont ils sont formés* (Traktat o szlachcie i jej cnotach, 1577) wyidealizowany obraz dobrze rządzonego królestwa, w którym szlachta była tak bardzo kochana i faworyzowana przez królów i książąt, że miała swobodny wstęp na dwór i cieszyła się takim zaufaniem jak służba. Dobrym księciem jest ten – dodaje autor – kto godziwie wynagradza zasługi. Traktat L'Alouette'a należy do licznych w XVI wieku książek poświęconych zasadom zachowania się na dworze. Najsłynniejszą z nich był *Il cortegiano* (Dworzanin) Baldassarre Castiglionego, wydany po raz pierwszy w Wenecji w 1528 roku i mający do 1619 roku sześćdziesiąt dwa wydania włoskie oraz sześćdziesiąt w tłumaczeniach na inne języki. Szczyt popularności książki przypadł na lata 1528–1550 (pięćdziesiąt wydań włoskich i obcych), a jej sława zaczęła blednąć dopiero w latach dziewięćdziesiątych XVI wieku. Według Castiglionego dworzanin idealny powinien mieć bystry umysł, dobre pochodzenie (choć niekoniecznie szlacheckie), być urodziwy, znać się na sztuce wojennej i sztuce prowadzenia rozmowy, okazywać szacunek kobietom i umieć zawsze zachować spokój. Dworzanin taki powinien szczerze rozmawiać ze swoim księciem, a jego gładkie maniery i niezłomna wierność zawsze miały zostać nagrodzone. Problem polegał na tym, że każdy dworzanin uważał się za godnego nagrody, a zadowolenie wszystkich było po prostu niemożliwe. Gdy Morata, jeden z błaznów na dworze Filipa II, zapytał króla, dlaczego nie rozdaje łask wszystkim, którzy o to proszą, Filip odparł: „Gdybym spełniał wszystkie prośby, sam wkrótce poszedłbym na żebry". Naturalną konsekwencją tego rodzaju sytuacji była nieustanna rywalizacja o względy panującego, intrygi i kopanie pod sobą dołków. Należało zachować czujność, dlatego ogromnego znaczenia nabierało na przykład, jakie miejsce wyznaczono komuś przy stole obrad, czy czyjaś sprawa została rozpatrzona, czy regularnie otrzymuje się wynagrodzenie, czy książę spojrzał łaskawym okiem. Na szesnastowiecznym dworze polityka polegała na grze pozorów, a jej mistrzowie i mistrzynie potrafili świetnie grać przed publicznością; uśmiechy, prezenty, żarty i pochlebstwa świadczyły o tym, że ktoś jest w łaskach; obraźliwe słowa, milczenie i pomijanie – o czymś wręcz przeciwnym.

Nieodłączny element życia na dworze stanowiły koterie. Całkowicie odrębną i nader trudną do rozwiązania kwestią było natomiast, jak powstrzymać je od działań destrukcyjnych. W XVI wieku na politykę równie wielki wpływ miał potężny poddany jak potężny władca. Upadek tego pierwszego oznaczał triumf drugiego – tak było na przykład ze zdrajcą, konetablem Francji Charles'em de Bourbon (zginął w 1527 roku) lub hrabim Pepoli z Bolonii, straconym z rozkazu papieża (1585). Feudałowie częściej rezygnowali jednak z wcześniejszych ambicji do niezależności i wiązali swoje losy z władcą. To się opłacało. Jak długo wzrastały wpływy z podatków, a władcy mogli bez trudu uzyskać kredyt na sfinansowanie ekspedycji wojskowych, w których główną rolę odgrywali możni, tak długo nagród nie brakowało. Trudniej jednak było utrzymać podobną sytuację na dłuższą metę. Wydatki przekraczały dochody, co naruszało podstawy gospodarki. Kredyty stawały się dla władców zbyt wielkim obciążeniem – oznaki tego zjawiska pojawiły się w latach pięćdziesiątych. W 1557 roku Habsburgowie nie wywiązali się ze swoich zobowiązań wobec bankierów genueńskich i niemieckich, a dwa lata później Walezjusze nie spłacili kredytu zaciągniętego u konsorcjum banków (głównie włoskich) z siedzibą w Lyonie. W rezultacie po części naruszone zostało porozumienie między władcą a wyższą szlachtą i właśnie w tym czasie podziały religijne nabrały takiej ostrości, że podana została w wątpliwość podstawowa zasada lojalności i posłuszeństwa wobec panującego.

Znaleźli się ludzie, którzy wiedzieli, jak wykorzystać tę sytuację. Antoine Perrenot, kardynał Granvelle, główny doradca Małgorzaty Parmeńskiej, regentki Niderlandów, mianowanej po wyjeździe Filipa II do Hiszpanii w 1559 roku, dążył do ograniczenia kontroli królewskiej nad regentką, niemającą zbyt dużego doświadczenia w sprawach państwowych. Ustanowił tajny komitet doradczy, w którego skład weszły prócz niego jeszcze dwie osoby, aby omijać istniejącą radę stanu. Jednocześnie domagał się korzyści dla siebie: „Za nic w świecie nie chciałbym zostać uznany przez Waszą Wysokość za natręta, ale nie chciałbym również, aby moi krewni i przyjaciele zarzucali mi zbytnie niedbalstwo we własnych sprawach... ponieważ minęło już wiele lat, od kiedy wyświadczono mi jakąś przysługę". Granvelle został nagrodzony arcybiskupstwem Mechelen, co jak się okazało, nie wyszło mu na dobre, ponieważ stało się powszechnie wiadome, że był teraz człowiekiem bardziej wpływowym niż król. W Niderlandach najwybitniejszymi przedstawicielami starej szlachty byli Lamoral hrabia Egmont (1522–1568) i Wilhelm hrabia Nassau, książę Orański (1533–1584). Egmont był szanowanym wysokim dowódcą wojskowym w cesarstwie Habsburgów, Wilhelm Orański posiadał własne niezależne księstwo w Niemczech i enklawę w Oranii, w dolinie Rodanu. Obaj początkowo akceptowali nowe *status quo* – dopóki mogli rozszerzać swoje wpływy. Gdy to się skończyło, zaczęli narzekać na tyranię Granvelle'a, po czym przystąpili do tworzenia siatki podporządkowanych sobie lokalnych ośrodków władzy. Nie przebierali zbytnio w kandydatach na sprzymierzeńców. Książę Mansfeld na przykład, władca małego księstwa Luksemburg, znany był z tego, że sprzedawał stanowiska w radzie miejskiej stolicy swego księstwa po 10 złotych florenów, przyjmował łapówki, puścił wolno mordercę za 100 écu, przywłaszczał sobie grzywny nakładane przez sąd książęcy i zastraszał oskarżycieli. Do wiosny 1563 roku zarówno Granvelle, jak i jego arystokratyczni przeciwnicy działali za kulisami, budując swoje ugrupowania, zapraszając na uczty ewentualnych zwolenników i rozsiewając insynuacje o nieprzyjaciołach. Obie strony odnosiły umiarkowane sukcesy, przynajmniej na krótką metę; dla swojej sprawy pozyskiwały głównie lu-

POLITYKA I WOJNA

dzi niezamożnych, szukających zajęcia. Granvelle znalazł poparcie wśród
bankierów z Antwerpii, mogących dużo stracić na zmianie sytuacji politycznej. Mieszczanie i rada miasta przyjęli jednak pozycję wyczekującą,
nie chcieli wiązać się z obozem możnych, obawiali się też naruszenia
swoich stosunków z Brukselą, Granvelleem i Madrytem. Sprawa przy-
cichła na chwilę, gdy Filip II, aby uniknąć konfliktu z miejscowymi elitami, zdecydował się poświęcić nielubianego powszechnie człowieka
(przytrafiło się to również kolejnym wicekrólom Neapolu i innym wicekrólom). W 1564 roku Granvelle został pozbawiony urzędu i na własnej
skórze przekonał się, na czym polegał w XVI wieku największy problem
wszystkich przedstawicieli władzy „w terenie" – na niemożności utrzymania bazy swoich wpływów i władzy w centrum, gdy jednocześnie prze-
bywa się na peryferiach. W obliczu narastającej opozycji przeciwko Gran-
vellemu ze strony zwolenników księcia Eboli, Filip II, naciskany przez
swego sekretarza i spowiednika, rozważył układ sił na dworze i podjął
stosowną do okoliczności decyzję. Zdążył już jednak przysporzyć sobie
niechęci szlachty, co w odpowiednim czasie zaważyło na przebiegu rewolucji holenderskiej. Sytuacja w Niderlandach przypomina to, co wydarzyło się – choć w bardziej dramatycznej i skomplikowanej wersji – na
dworze Walezjuszów po nieoczekiwanej śmierci Henryka II, który został śmiertelnie ranny podczas turnieju rycerskiego w lipcu 1559 roku.
W obu krajach wypadki potoczyły się podobnie, ponieważ obaj królowie
byli zbyt silnie uzależnieni od powiązanych z nimi możnych.

Jeśli położy się za duży nacisk na problemy wynikające z istnienia koterii wśród szesnastowiecznych elit politycznych, łatwo można pominąć
fakt, że klientelizm miał także dobrą stronę. Dzięki niemu istniała nie-
formalna struktura władzy, uzupełniająca oficjalnie obowiązujący typ
relacji między centrum a peryferiami. Luźna sieć powiązań opartych na
lojalności, często wynikającej z pokrewieństwa, z natury rzeczy miała
charakter osobisty, płynny i potrafiła dostosować się do istniejących warunków i okoliczności. W klientelizmie zawierało się to, co dla szesnastowiecznych społeczeństw miało zasadnicze znaczenie: pokrewieństwo,
honor, nagroda, lojalność. Klientelizm przynosił potencjalne korzyści
obu stronom. Klient miał nadzieję na poprawę swej sytuacji, protekcję
w wyższych instancjach, ochronę ze strony osoby uprzywilejowanej.
Patron mógł liczyć na lojalność, służbę i regularny dopływ bezcennych

91

informacji. Spodziewana poprawa miała rozmaity charakter, podobnie różne formy przybierała służba. Władcy rozumieli i sami wykorzystywali relację patron–klient, była ona podstawą osobistego sprawowania władzy. Zapewnienie sobie bezwzględnej lojalności klientów wymagało nie lada zręczności i autorytetu, nie zawsze też się udawało. W XVI wieku często powtarzała się sytuacja, gdy dawny lojalny klient stawał się niebezpiecznym przeciwnikiem politycznym. Arystokracja z kolei wykorzystywała swą pozycję na dworze i na prowincji, by działać jako pośrednik między władcą a regionami, w których miała wpływy. To także wymagało zręczności i talentów politycznych, łatwo można było zostać wprowadzonym w błąd na dworze przez nieprzyjaciół i oczernionym przez niezadowolonych rywali. Mimo to klientelizm odegrał w sumie pozytywną rolę, łączył lokalne elity z państwem i pomagał pokonać największe przeszkody osłabiające systemy polityczne XVI wieku – odległość i czas.

Klientelizm występował nie tylko w monarchiach dziedzicznych, ale we wszelkiego typu systemach oligarchicznych, a zatem w większości krajów szesnastowiecznej Europy. W końcu XVI wieku w nader wyrafinowanej postaci kwitł na dworze papieskim w Rzymie. O polityce decydowały tam więzy przyjaźni, czego wymownym świadectwem jest między innymi autobiografia kardynała Domenico Cecchiniego (1588––1656). Cecchini, pochodzący z patrycjuszowskiej rodziny rzymskiej, studiował prawo w Perugii i podtrzymywał związki z papieżem Klemensem VIII z rodziny Aldobrandinich. Po śmierci papieża w 1605 roku uprzejmie poprosił nowego kardynała nepota, Scipione Caffarellego, o objęcie go swą protekcją. Na szczęście kardynał okazał się „wielce serdeczny" i w stosownym czasie Cecchini został jednym z „zaufanych" (*familiares*) papieża. W kolegium kardynałów krzyżowały się więc liczne siatki powiązań klienckich, mających wpływ na wybór papieża. Skład kolegium się zmieniał, ponieważ na miejsce zmarłych kardynałów przychodzili nowi, zasady działania pozostawały takie same, ponieważ jak większość systemów patronackich w oligarchiach, klientelizm był systemem samopodtrzymującym się. Podobnego typu zjawiska można zaobserwować także w republikach miejskich, gdzie funkcję patronów pełniły wielkie rody oraz skupieni wokół nich ubożsi krewni, prawnicy i bankierzy. Rody te, wspierane również przez bractwa religijne i cechy, dominowały w miejskich organach władzy. Próbowano temu zapobiec, wprowadzając wybory przez losowanie, ograniczając lub znosząc możliwość kilkakrotnego wyboru tej samej osoby na ten sam urząd oraz kultywując mit dobra publicznego jako nadrzędnego celu działań patrycjuszy. W rzeczywistości zmiany były marginalne, udział we władzy miały wciąż te same, mocno okopane na swych pozycjach elity – tak wielką siłę miały więzy pokrewieństwa w systemach klienckich.

Kto tworzył elity władzy w szesnastowiecznej Europie? Czy należeli do nich członkowie licznych i na ogół wciąż aktywnych organów przedstawicielskich, takich jak polski sejm, szwedzki *riksdag*, duński *rigsdag*, niemiecki *reichstag* i *landtag*, szwajcarski *tagsatzung*, hiszpańskie kortezy, holenderskie stany generalne czy angielski parlament (to tylko niektóre przykłady)? Nie ma prostej odpowiedzi na te pytania. Niektórzy mieli dostęp do władzy z racji urodzenia, na przykład członkowie angielskiej Izby Lordów lub polskiego sejmu. Inni zyskali władzę dzięki działaniu w instytucjach przedstawicielskich, jak choćby wybitni przedstawiciele amsterdamskiego mieszczaństwa w stanach generalnych tworzącej się Rzeczypospolitej Zjednoczonych Prowincji czy Thomas Cromwell w angielskim „parlamencie reformacyjnym" lat 1529–1536. Jeszcze innym władza została niejako narzucona – na przykład licznym przedstawicielom stanu trzeciego w nieczęsto zwoływanych francuskich stanach generalnych czy przedstawicielom chłopstwa w parlamentach norweskim i szwedzkim. Organa przedstawicielskie dysponowały zwykle dość ograniczonymi możliwościami wpływania na politykę. Tylko w kilku sytuacjach (na przykład w Austrii) miały prawo zbierać się lub rozwiązywać z własnej inicjatywy. Najczęściej ich znaczenie polegało na wyrażaniu zgody na nowe podatki, ale w XVI wieku nawet to z różnych powodów okazywało się trudne. Za panowania Karola V stany Katalonii i Aragonii zdołały obronić swą pozycję, ale stany kastylijskie poderwały się w 1520 roku do walki i straciły znaczenie na długi czas. Możliwości stanowienia prawa przez te organy były również bardzo różne – albo miały one takie kompetencje, albo mogły zaledwie przedstawiać kwestie wymagające rozwiązania, decyzje zaś podejmowali panujący. Zazwyczaj polegało to na przedstawianiu skarg (*gravamina, doléances*). Często rada królewska lub książęca oraz organ przedstawicielski ustanawiały zasady, które zapisywano w „kapitulacjach" lub „artykułach", uważanych później za źródła prawa krajowego. W Związku Szwajcarskim *tagsatzung*, czyli zgromadzenie przedstawicieli wszystkich kantonów, miał bardzo ograniczone kompetencje, ponieważ kantony zachowały suwerenność i nie można im było niczego narzucić. W Polsce (a także w Walencji i Aragonii) posłowie na sejm mieli prawo weta, co wymuszało jednomyślność przy podejmowaniu wszystkich decyzji. Ponadto krótko po zawarciu unii lubelskiej powstał w Rzeczypospolitej niezależny od króla sąd dla szlachty, Trybunał Koronny, w którym sądzili reprezentanci szlachty wybierani co rok na tak zwanych sejmikach deputackich. Należy zachować sceptycyzm wobec ustaleń dawniejszej historiografii, traktującej organy przedstawicielskie w krajach Europy jako z natury opozycyjne wobec panujących i elit będących u władzy. O wiele częściej ich członkowie byli zamieszani w poczynania tych ostatnich, oczywiście jako wykonawcy podrzędnych zadań, mający jednak udział w rządzeniu i czynnie realizujący koncepcję „wspólnoty", w myśl której rządzący i rządzeni mają wobec siebie zobowiązania.

Wojna i pieniądze

Dwudziestego czwartego kwietnia 1547 roku pod Mühlbergiem Karol V odniósł jedno z największych zwycięstw militarnych XVI wieku – wygrał bitwę z wojskami książąt protestanckich zjednoczonych w Związku Szmalkaldzkim. Elektor saski Jan Fryderyk dostał się do niewoli, a Filip Heski, jego prawa ręka, poddał się dwa miesiące później. W następnym roku cesarz napisał do swego syna Filipa II: „Zawsze dąż do pokoju. Przystępuj do wojny tylko wtedy, gdy jesteś do tego zmuszony. Wojna opróżnia skarbiec i powoduje wielkie nieszczęścia". Przekonanie cesarza o niszczącym wpływie wojny na państwo było wynikiem tego, że przez całe życie doświadczał on jej niebezpieczeństw. Zaledwie cztery lata później uwikłał się w kolejną wojnę z luterańskimi książętami niemieckimi, tym razem jednak zwróciła się przeciwko niemu większość niegdysiejszych stronników i opuściło go szczęście. Każda wojna w Europie wywołana dla umocnienia tworzących się organizmów politycznych niezmiennie wiązała się z ryzykiem dla samego przetrwania oraz pomyślności tych państw.

Dziewięć lat przed napisaniem wspomnianego listu do Filipa, w lipcu 1538 roku, Karol V i jego wielki rywal Franciszek I Walezjusz spotkali się w Aigues-Mortes u wybrzeży Langwedocji. Spotkanie zostało zaaranżowane w sekrecie przez zauszników obu władców, aby wykluczyć wszelką ingerencję ze strony papiestwa. Król francuski zerwał z tradycją, wyruszył na nie bez świty i przybył na cesarski okręt wcześniej, niż oczekiwano. Monarchowie ostentacyjnie, wobec publiczności, wymienili pocałunek pokoju; było to pierwsze z kilku spotkań, oficjalnych i prywatnych, podczas których obaj władcy dążyli do prześcignięcia się nawzajem w cnocie. Należy pamiętać, że dla monarchów europejskich pokój był rezultatem wzajemnej „dobrej wiary", ambicją ich było zapewnienie całemu chrześcijaństwu pokoju, a działania na jego rzecz traktowano jako wywodzące się z boskiej inspiracji. O pokoju decydowała wola panujących, nie zaś traktaty podpisywane przez dyplomatów.

W XVI wieku pokój taki należał do rzadkości, narastało natomiast ryzyko konfliktów między państwami. Punktem zapalnym stały się Włochy, gdzie w XV wieku trwała zażarta rywalizacja między zróżnicowanymi pod względem terytorium państwami i państewkami. W rezultacie stopniowo tworzyły się sojusze, z których każdy związał się siecią interesów z krajami poza Półwyspem Apenińskim. Południe (przede wszystkim Neapol) powiązane było z monarchią hiszpańską i miało w basenie Morza Śródziemnego interesy sprzeczne z interesami Wenecji i Genui. Regiony graniczące z Alpami (zwłaszcza Mediolan) zabiegały o wsparcie Francji. Mediolan i Neapol stały się głównymi przyczółkami wojen włoskich, trwających od 1494 roku przez całą pierwszą połowę XVI wieku. W latach czterdziestych i pięćdziesiątych podobny splot konfliktów zagroził stanowiącym zlepek różnej wielkości państw Niemcom. Po 1516 roku niepokoje w Niemczech i we Włoszech przerodziły się w zaciętą walkę między dynastiami Habsburgów i Walezjuszów, Francja obawiała się bowiem otoczenia przez Hiszpanię, z którą graniczyła od zachodu i wschodu. Obawy te zwiększyły się jeszcze, gdy w 1567 roku Hiszpanie zaczęli wysyłać do Niderlandów wielkie ilości wojska, aby stłumić bunt prowincji północnych. Trwające czterdzieści dwa lata wrzenie w Niderlandach zakończył dopiero rozejm z 1609 roku. Toczyły się także walki między krajami chrześcijańskimi a Turcją, postrzegane częstokroć przez Europejczyków jako krucjata. „Monarszy" pokój z Turkami wydawał się niemożliwy. W XVI wieku chrześcijanie przegrywali. W sierpniu 1521 roku poddał się Belgrad, w czerwcu następnego roku – Rodos, co utorowało tureckim okrętom wojennym drogę do wschodniej części basenu Morza Śródziemnego. Fatalna w skutkach przegrana Węgrów pod Mohaczem 29 sierpnia 1526 roku wydała na łup turecki niziny naddunajskie, a miesiąc później padły Buda i Peszt. Zagrożenie tureckie destabilizowało sytuację we wszystkich krajach południowo-wschodnich obrzeży Europy. Cała Europa świętowała zwycięstwo joannitów w walce o Maltę w 1565 roku i klęskę floty tureckiej pod Lepanto w roku 1571 roku, te odosobnione zwycięstwa nie zmniejszyły jednak zagrożenia tureckiego. W 1574 roku Turcy zajęli Tunis, co zapewniło im kilkusetletnią hegemonię na wybrzeżu północnoafrykańskim, a w latach 1593–1606 toczyli kolejną wojnę z Habsburgami o Węgry. Należy jeszcze wspomnieć wojny o panowanie nad Bałtykiem, przede wszystkim pierwszą wojnę północną z lat 1563–1570, oraz domowe wojny religijne między katolikami a protestantami. Konflikty zbrojne stanowiły nieodłączny element życia politycznego XVI wieku.

W stuleciu tym zaczęły się również pojawiać pierwsze oznaki zmian w sztuce wojennej. Wojskowi architekci opracowywali projekty wymyślnych budowli obronnych, mających chronić przed ostrzałem artyleryjskim. W Europie powstała sieć wielkich fortec, które przetrwały do dziś, jak choćby w Turynie, Mediolanie, Sienie, Palmanova (dla Republiki Weneckiej), Navarrenx (w należącej do Nawarry prowincji Béarn), Sabiote (Hiszpania), Bredzie, Antwerpii, a także pas fortec na granicy między Flandrią Habsburgów a Flandrią Walezjuszów. Moskwa również rozpoczęła przebudowę fortyfikacji, zastępując drewno kamieniem i cegłą; na przykład budowa twierdzy w Smoleńsku zajęła siedem lat i pochłonęła 150 milionów cegieł. Jednocześnie, co może ważniejsze, w pierwszej połowie XVI wieku w Europie Zachodniej zaczęto rozbudowywać armie. Karol VIII najechał na Włochy w 1494 roku, prowadząc osiemnaście tysięcy żołnierzy; Franciszek I poszedł w jego ślady w 1532 roku na czele trzydziestu dwóch tysięcy ludzi, a jego syn Henryk II zajął Metz w 1552 roku przy pomocy czterdziestotysięcznej armii. W 1532 roku na Turków pomaszerowało pod sztandarami cesarza Karola V około stu tysięcy żołnierzy. W czasie oblężenia Metzu w 1552 roku jego siły szacowano na sto pięćdziesiąt tysięcy ludzi – liczby tej nie przekroczyła armia żadnego państwa europejskiego do końca XVII wieku. Kampanie wojenne trwały dłużej, wyprawiano się coraz dalej. Duże znaczenie miało doświadczenie w walce, dlatego w skład formacji piechoty, arkebuzjerów i pikinierów, wchodziły liczne oddziały weteranów. W bitwach pod Bicoccą (1522) i Pawią (1525) przewagę wykazała piechota hiszpańska, wzorująca się na uformowanych w czworobok i walczących w zwartym szyku oddziałach szwajcarskich pikinierów; hiszpańskie *tercios*, składające się z pikinierów i arkebuzjerów, okazały się niezwyciężone na szesnastowiecznych polach bitew. W państwie moskiewskim zaczęto tworzyć w latach pięćdziesiątych oddziały strzelców, piechoty uzbrojonej w broń palną, rekrutowane początkowo ze szlachty; w 1600 roku liczyły one około dwudziestu tysięcy żołnierzy.

Wszystkie te zmiany miały znaczące skutki polityczne. Budowa fortyfikacji wiązała się z ogromnymi kosztami, wymagała długoterminowego planowania i wielkiego wysiłku organizacyjnego, a później nakładów na remonty i utrzymanie załogi. Utrzymywanie większych armii oznaczało konieczność naboru, wyszkolenia, wyżywienia, wyekwipowania i wypłacania żołdu. Tego rodzaju wysiłek administracyjny i finansowy stanowił dla państwa wielkie wyzwanie. I zawsze okazywało się, że bardzo trudno jest podejmować decyzje, których skutki ujawnią się dopiero po długim czasie. A ponieważ polityka europejska zależała zarówno od oficjalnych, jak nieoficjalnych struktur władzy, zarządzanie było jej najsłabszym ogniwem. Dlatego właśnie, ilekroć było to możliwe, podpisywano kontrakty z najemnikami. Kapitanowie oddziałów najemnych rekrutowali żołnierzy do armii francuskiej i hiszpańskiej z uboższych regionów rolniczych, niemogących wyżywić swoich mieszkańców – ze Szwajcarii, Szwabii, Albanii, Dalmacji, Szkocji i Irlandii. Najemnicy nie zawsze dochowywali jednak wierności suzerenowi, czyli państwu, które im płaciło. Gdy nie płaciło, odmawiali walki albo brali zakładników, albo, co gorsza, napadali na ludność cywilną. W 1527 roku niemieccy najemnicy Karola V splądrowali Rzym, ponieważ spóźniono się z wypłatą żołdu. Nie można było liczyć nawet na wierność wojsk, które formalnie nie składały się z najemników. Nabór był często przypadkowy, straty w ludziach – duże, a bunty bardzo częste. W latach 1572–1609 w armii hiszpańskiej we Flandrii doszło do 42 buntów. W końcu XVI wieku dezercje i rewolty zdarzały się również w oddziałach Elżbiety I w Irlandii i Niderlandach oraz w wojskach walczących we Francji po stronie Henryka IV podczas konfliktu o sukcesję na tronie francuskim.

Zmiany w sposobie prowadzenia wojen wiązały się więc z narastającymi problemami natury politycznej oraz ryzykiem. Nie mogło już pomóc odwoływanie się do dawnych wzorów. Zwykle zmiany prowadziły także do wyczerpywania się zasobów finansowych państw europejskich. Zasoby te pochodziły z różnych źródeł – z dochodów z rozmaitych domen, z podatków pośrednich i bezpośrednich oraz różnego typu przygodnych wpływów. Finansami państwa zarządzano w sposób odziedziczony po przodkach. Dochody z podatków pozostawały na niezmienionym poziomie, w niewielkim stopniu odzwierciedlały się w nich przemiany w gospodarce europejskiej, a w znikomym – narastająca inflacja, która współczesnym jawiła się jako zjawisko trudne do wytłumaczenia i przezwyciężenia. Nie sposób było szybko zebrać znaczących dochodów bez narażania się na konsekwencje polityczne. Rozwiązanie mogła stanowić sprzedaż lub przeniesienie prawa własności domen królewskich czy książęcych tam, gdzie jeszcze nie zostały one rozdysponowane. W krajach, w których wskutek reformacji nastąpiło zerwanie z Kościołem katolickim, można było również przejąć posiadłości i dochody kościelne – tak właśnie stało się w latach trzydziestych w Anglii. Były to jednak rozwiązania ostateczne, naruszające prawo własności i mające nieuchronne konsekwencje polityczne, takie jak na przykład powstanie antykrólewskie w północnej Anglii (tak zwana Pielgrzymka łaski, Pilgrimage of Grace, 1536) czy bunty chłopskie w Norwegii w latach pięćdziesiątych i sześćdziesiątych.

Pobieranie podatków pośrednich od towarów i usług powierzano niekiedy poborcom wynagradzanym częścią wpływów (jak stało się w XVI wieku z *gabelle*, francuskim podatkiem od soli), ale wywoływało to niezadowolenie, szybko przeradzające się w nienawiść do poborców. Czasem umowy z poborcami zawierały społeczności lokalne; tak było na przykład w Kastylii, gdzie *alcabala*, czyli podatek od soli, pobierali *encabazamientos*, choć i tu poczynania poborców stały się główną przyczyną buntu gmin miejskich (*comuneros*) w 1520 roku. W XVI wieku zwiększanie wpływów fiskalnych dzięki poborowi podatków pośrednich bez wywoływania buntów udało się republikom takim jak Wenecja, Genua i Rzeczpospolita Zjednoczonych Prowincji, ale tam z kolei wzrost obciążeń doprowadził do rozpowszechnienia się przemytu. Wszędzie indziej podejmowane w tym kierunku próby prędzej czy później kończyły się rewoltami w rodzaju zamieszek w południowo-zachodniej Francji w 1548 roku.

Zwiększenie podatków bezpośrednich często wymagało trudnych negocjacji z reprezentacją stanów. Te ostatnie zwykle doskonale radziły sobie z odpieraniem argumentów za podatkami, powołując się na precedensy historyczne, tradycje i przywileje, odrzucając pochlebstwa i podając w wątpliwość naglącą potrzebę proponowanych zmian. W Kastylii na przykład wkrótce po klęsce Armady w 1588 roku Filip II zwołał posłuszne zwykle kortezy, aby uchwaliły nadzwyczajny podatek bezpośredni *servicio*. Wyjawił zgromadzonym posłom, że wydatki na armię i flotę, walczące we Flandrii i na kanale La Manche, wyniosły ponad 100 milionów dukatów i że król potrzebuje teraz dodatkowych 8–10 milionów na utrzymanie armii flandryjskiej w polu i odbudowę floty. Posłów zastraszano, przekupywano, grożono im więzieniem. Arystokratów proszono o nakłanianie posłów z ich regionu do głosowania za podatkiem bez stawiania warunków. Mimo to w Madrycie trwały uliczne protesty, publikowano broszury otwarcie krytykujące króla, a kilku szlachciców oskarżono o podburzanie do buntu. Ostatecznie, po miesiącach targów, wszystkie prócz trzech z osiemnastu miast mających przedstawicielstwo w kortezach zgodziły się uchwalić podatek w wysokości 8 milionów dukatów, ale tylko na okres sześciu lat i pod określonymi warunkami co do jego poboru. Tymczasem we Francji Walezjuszów podstawowy podatek bezpośredni, tak zwany *taille*, czyli podatek gruntowy lub od dochodów osobistych, pobierano bez odwoływania się do stanów generalnych, ale wpływy z niego były ograniczone, gdyż z mocy tradycji i przywilejów zwolnionych było z niego wiele rejonów, podobnie jak szlachta, kler i wybrane miasta.

W rzeczywistości w większości krajów europejskich dochody państwa ledwie nadążały za inflacją, a tym bardziej za narastającymi potrzebami związanymi z prowadzeniem wojen. Wyjątek stanowiło państwo moskiewskie, które pod koniec XV wieku wyzwoliło się z dwustuletniej niewoli tatarskiej i przystąpiło do zbierania ziem ruskich pod hegemonią książąt moskiewskich. Zajęte ziemie nadawane były później przez cara szlachcie w zamian za obowiązek służby wojskowej; w ten sposób powstały tak zwane *pomiestia* i wykształciła się grupa szlachty uzależnionej od cara (*dworian*). W połowie XVI wieku powstała nowa forma własności ziemi – *opricznina*, czyli ziemia będąca pod bezpośrednim zarządem cara. Pierwotne pojęcie *opriczniny* uległo zmianie, dziś nazywamy tak system rządów wprowadzony przez Iwana Groźnego, trwający w latach 1565–1572. Carowie rosyjscy sprawowali władzę absolutną, w zasadzie nieskrępowani przez prawo i tradycję, dlatego mogli narzucać dowolne podatki i powoływać instytucje do ich zbierania (*prikazy*) na skalę tak wielką, jak niemal nigdzie w szesnastowiecznej Europie.

Powiększający się rozziew między dochodami a wydatkami łatano najczęściej za pomocą pożyczek, załatwianych zarówno drogą oficjalną, jak i nieoficjalną. Widać to doskonale na przykładzie imperium hiszpańskich Habsburgów, którego skarbonką była Kastylia. Sekret pozornych sukcesów finansowych Karola V polegał na tym, że dochody Kastylii przekształcone zostały w fundusz. Cesarz płacił z niego swoim wierzycielom dzięki nieoficjalnym krótkoterminowym pożyczkom (*asientos*) od cesarskich bankierów z Augsburga, Genewy i innych miast, spłacanym zwykle w określonym terminie, lub dzięki kredytom zabezpieczonym na dochodach Kastylii (*juros*), atrakcyjnym zarówno dla inwestorów hiszpańskich, jak i zagranicznych. Oznakami krachu tego systemu kredytowo-pożyczkowego były bankructwa ogłoszone w latach 1557, 1560 i 1575. W 1584 roku dochody Kastylii wynosiły 1636,6 miliona *maravedis*, podczas gdy roczna spłata samych *juros* sięgała 1227,4 miliona – 75 procent dochodów. Nawet nieoczekiwany dopływ pieniędzy z hiszpańskich kolonii w Ameryce w latach osiemdziesiątych i dziewięćdziesiątych nie zdołał zapobiec czwartemu bankructwu, ogłoszonemu w 1596 roku. Ze sprawozdania przygotowanego dla syna Filipa II w 1598 roku, gdy wstępował on na tron, wynikało, że wszystkie dochody Kastylii obciążone są długami. Oznaczało to, że jedynym źródłem zasobów władcy cesarstwa, w którym słońce nigdy nie zachodzi, były bogactwa z kolonii, subsydia kościelne zależne od aprobaty papieża oraz podatki bezpośrednie, co trzy lata w mękach negocjowane z kortezami. Pożyczki oficjalne i nieoficjalne rozpowszechniły się w całej Europie. W 1600 roku ponad połowa dochodów Państwa Kościelnego pochodziła ze sprzedaży urzędów i obligacji gwarantowanych na dochodach. Szacuje się, że w roku 1596, pod koniec francuskiej wojny domowej, długi monarchii francuskiej wynosiły co najmniej 105 milionów liwrów, a przy uwzględnieniu wyłączonych domen królewskich i klejnotów sięgały 135 milionów. Pod koniec XVI wieku najpotężniejsi władcy Europy byli też najbardziej zadłużeni.

Znaczyło to również, że mocno wzbogacili się na nich ci, którzy zainwestowali w polityczne przedsięwzięcia władców, oni sami zaś byli największymi przedsiębiorcami swoich czasów. Ciągły deficyt finansowy europejskich władców niezwykle ograniczał jednak ich siłę perswazji i ujawniał kruchość struktur władzy, których skuteczność zależała od działań nieformalnych.

Wizerunki władzy

W XVI wieku panującym nieobce były zabiegi propagandowe. Doceniano znaczenie wszelkiego rodzaju emblematów, rycin, pomników, drukowania edyktów, oficjalnych wersji historii, przemówień. Zręcznie wykorzystywano do celów politycznych wielkie możliwości, jakie otworzyło wynalezienie prasy drukarskiej. Nie należy także zapominać o roli parad, procesji i rytuałów związanych z obejmowaniem rządów, któremu towarzyszyły uroczyste „radosne" wjazdy do miast stanowiących ośrodki władzy. Celem tych ceremonii było łagodzenie napięć i ukazanie harmonii ustalonego porządku poprzez odwołanie się do porządku wyższego, w którym nie ma znaczenia to, co partykularne i lokalne. Gdy w latach 1564–1566 młody król Karol IX został zabrany przez swą matkę, Katarzynę Medycejską, w długi objazd po Francji, wszędzie urządzano paradne wjazdy, zgodnie z tradycją sięgającą XIV wieku. Inskrypcje, sztandary, łuki triumfalne, parady i przemowy, inspirowane w przeważającej części przez dwór, niosły przesłanie, że podziały między protestantami a katolikami, prawnikami a kupcami, miastem a wsią zostały usunięte w cień przez ogólną, naturalną miłość Francuzów do swego monarchy. Henryk II głosił, że król podczas koronacji poślubia swoje królestwo, biorąc Francję jako oblubienicę. W tekstach starożytnych, klasycznych i chrześcijańskich wyszukiwano fragmenty mówiące o powszechnej harmonii. Jednym z najbardziej popularnych w XVI wieku motywów był mit o bogini sprawiedliwości i porządku, Astrei, która pod koniec złotego wieku uczyła ludzi żyć w pokoju. Państwa szesnastowiecznej Europy zyskały miano „państw-teatrów" nie dlatego, że ich władcy byli mistrzami iluzji, ale ponieważ władza wyrażała się poprzez swego rodzaju spektakle. „Radosne" wjazdy, koronacje, intronizacje, oficjalne wydarzenia, takie jak *lit de justice** we Francji lub apele królów angielskich do parlamentu, gorąco odwoływały się do wierności, przypominały proste prawdy o naturze polityki i utrwalały je w pamięci słuchaczy. Ówcześni rządzący dążyli do panowania nad umysłami swoich poddanych znacznie skuteczniej niż ich poprzednicy.

Uważa się zwykle, że myśl polityczna XVI wieku skupiała się na pogoni za władzą i jej nieograniczonym wykorzystywaniem. Dzieje się tak za sprawą słynnego *Księcia* (1513) Niccola Machiavellego (1469–1527), rozprawy, w której moralność została oddzielona od polityki (zob. podrozdział *Myśl polityczna* w rozdziale 4). Książka została źle odczytana, co spowodowało wypaczenie głównego kierunku myślenia politycznego tamtego stulecia. O polityce pisali wówczas przede wszystkim humaniści, w których pismach odbijały się szeroko pojęte nurty intelektualne epoki. W większości najbardziej nowatorskich dzieł pojawiała się koncepcja, że władzę polityczną i jej sprawowanie należy rozpatrywać w powiązaniu ze społeczeństwem, które tę władzę utrzymuje. Na republiki, królestwa, cesarstwa trzeba patrzeć przez pryzmat ich dziejów, tkanki społecznej i specyficznych uwarunkowań. Metodologia humanistyczna zakładała, że można zrozumieć tę problematykę przez empiryczne i porównawcze studia przykładów z przeszłości i teraźniejszości. Dominowało przekonanie, że mądrość polityczna jest pochodną praktycznego stosowania zasad filozofii moralnej i dlatego cnota i władza nie muszą stać ze sobą w sprzeczności. Pojęcie cnoty było w XVI wieku głównym tematem rozważań, traktatów i dyskusji.

Zastanawiano się, czy mądrość powinna prowadzić do wycofania się ze świata polityki i czy postępek taki nie oznacza ucieczki od podstawowego obowiązku moralnego, jakim jest dążenie do cnoty poprzez działanie na rzecz dobra publicznego. Humaniści renesansowej Florencji i Wenecji przejęli pojęcie dobra publicznego od Platona i Cycerona i uważali czynny udział w życiu politycznym za pożyteczny, bo ułatwiający wyrobienie cnót obywatelskich i moralności, albowiem praca na rzecz dobra wspólnego kształtuje siłę wewnętrzną i charakter jednostki. Niewiele czasu minęło, by dyskurs o obywatelstwie rozpoczęty w re-

---

* Specjalny rodzaj sesji parlamentu paryskiego pod przewodnictwem króla, na której obowiązkowo zatwierdzano edykty królewskie; ostatnia odbyła się w 1787 roku (przyp. tłum.).

publikańskiej Florencji i republikańskiej Wenecji przeniósł się na dwory królewskie, co znalazło odbicie choćby w osobistych zapiskach sekretarza stanu za panowania Elżbiety I, Williama Cecila, czy w łacińskich heksametrach układanych dla własnej przyjemności przez kanclerza Katarzyny Medycejskiej, Michela de l'Hôpital. Na sposób myślenia o polityce coraz większy wpływ wywierała reformacja. Marcin Luter (1483–1546) patrzył na politykę przez pryzmat teologii. Zakładał, że rodzaj ludzki jest z natury grzeszny i może dostąpić zbawienia tylko poprzez wiarę i dzięki łasce boskiej, a obowiązkiem wszystkich dobrych chrześcijan jest podporządkować się władzy, ponieważ pochodzi ona od Boga. Luter, a jeszcze dobitniej inni protestanccy reformatorzy, dowodził jednak, że jedynymi prawowitymi władcami są ci, którzy okazują Bogu należną cześć. Nie ma więc obowiązku posłuszeństwa wobec władcy, który dowodzi swej bezbożności, utrzymując bałwochwalstwo i prześladując prawych chrześcijan. Tego rodzaju pogląd musiał wywoływać napięcia, przyczynił się też do zmiany kierunku myślenia politycznego, które odeszło od rozważań nad cnotami obywatelskimi, skupiło się natomiast na problemie posłuszeństwa. Myśliciele protestanccy, najczęściej teologowie, uważali, że zadaniem polityki jest odgadywać cele Boże i realizować je na świecie. W swej najbardziej radykalnej wersji protestancka myśl polityczna mogła posłużyć do usprawiedliwienia tyranobójstwa, choć – jak się okazało – to katolik (Jacques Clément) wprowadził ten pogląd w czyn, zabijając 1 sierpnia 1589 roku króla francuskiego Henryka III. W wersji najbardziej wyrafinowanej myśl protestancka zaadaptowała niektóre elementy programu, metodologii i problematyki humanistycznej myśli politycznej. Przejawiło się to szczególnie dobitnie w pismach francuskiego znawcy prawa i protestanta, François Hotmana (1524–1590), zwłaszcza w utworze *Francogallia* (1573) (zob. podrozdział *Myśl polityczna* w rozdziale 4).

W ostatniej ćwierci XVI wieku dał się już zauważyć wyraźny wpływ podziałów i niepokojów religijnych nie tylko na sytuację polityczną, ale i na sposób myślenia o polityce. Skoro podane zostało w wątpliwość, zwłaszcza wśród elit politycznych, podzielane wcześniej powszechnie przekonanie o prawowitości wszelkiej władzy, „państwo-teatr" straciło swój naturalny punkt odniesienia, czyli publiczność. Co więcej, pod wpływem teologii protestanckiej coraz mocniej podkreślano bezwarunkową i niekwestionowaną władzę rządzących jako wyraz woli Bożej oraz obowiązek bezwzględnego posłuszeństwa wobec władcy. Filip II zaniechał więc podróży wokół swojego królestwa, utrzymując, że poniża to jego majestat, i coraz bardziej wycofywał się w prywatność. Ostatni jego portret, który namalował Pantoja de la Cruz, przeznaczony dla biblioteki Eskurialu, ukazuje śmiertelnie bladą postać w czerni i szarości na nieokreślonym tle, jakby pozbawioną kontekstu. Współczesny Filipowi król francuski Henryk III nie wykorzystał większości okazji do królewskich wjazdów, choć krytykowano go za przesadne przywiązanie do ceremoniału dworskiego, mającego podkreślić królewski majestat. On również stopniowo wycofywał się z życia publicznego, regularnie wybierając się na coraz dłuższe pielgrzymki lub do ustronnych miejsc, gdzie oddawał się praktykom religijnym. Cesarz Rudolf II najczęściej nie uczestniczył aktywnie w sprawach państwowych, wyjeżdżał z dworem z Wiednia do Pragi, a później do Grazu, zadowalając się towarzystwem swoich alchemików i zegarów.

W literaturze politycznej również zaczął pojawiać się obraz świata, w którym władza była wyrwana z kontekstu społecznego i instytucjonalnego. W 1589 roku Piemontczyk Giovanni Botero wydał głośną książkę *Della ragion di stato* (Racja stanu), w której zdefiniował państwo jako władzę zwierzchnią nad ludem, „rację stanu" zaś jako umiejętność rządzenia i stosowania roztropnych zasad w celu utrzymania tej zwierzchności. Od tego czasu termin „racja stanu" wszedł w powszechne użycie wśród dyplomatów i pisarzy politycznych z północnych Włoch. Dopiero po pewnym czasie zadomowił się, zyskując odmienny kontekst, w innych krajach. Królowa Elżbieta I nienawidziła ponoć tego określenia. Pod koniec XVI wieku zarówno teoretycy polityki, jak i ludzie ją uprawiający zaczęli definiować *res publica* (niezależnie od formy, w jakiej występowała w danym miejscu) jako państwo oraz identyfikować państwo z rządem. Ostatecznie odpowiedzią na pretensje grup wyznaniowych, domagających się prawa do sprzeciwu wobec władzy, stało się twierdzenie przeciwne, o potrzebie absolutnej władzy państwa nad poddanymi. Wyrażała się ona w nakładaniu podatków i stanowieniu prawa bez konieczności zgody ze strony rządzonych czy przywiązywania wagi do obowiązujących w danym społeczeństwie norm zwyczajowych. To właśnie podejście zdecydowało o rozwoju sytuacji politycznej w Europie następnego stulecia.

3

Społeczeństwo

Christopher F. Black

Brytyjska premier stała się obiektem szyderczej krytyki, zaprzeczyła bowiem jakoby istnieniu „społeczeństwa". To nieporozumienie. Premier próbowała podkreślać konieczność wzięcia przez jednostki odpowiedzialności za własne życie i nieobarczania winą „innych", czyli społeczeństwa. Panuje zgoda co do tego, że ludzie nawiązują ze sobą kontakty, wchodzą więc w relacje społeczne, ale opisanie powstałego w ich wyniku społeczeństwa i panujących w nim stosunków jest równie trudne dla XVI, jak i XX wieku, czasów Margaret Thatcher. Przez większość XX wieku historycy spierali się, czy społeczeństwo europejskie XVI wieku należy opisywać w kategoriach „klas", czy „stanów". Pogląd pierwszy, inspirowany przez marksizm, ale wyznawany nie tylko przez marksistów, przyznawał czynnikom ekonomicznym decydujący wpływ na kształtowanie się stosunków społecznych, przy czym największe znaczenie miała kwestia własności środków produkcji. Kładziono nacisk na konflikty społeczne i walki o podłożu ekonomicznym. Obóz przeciwny dowodził, że społeczeństwa XVI i XVII wieku miały strukturę znacznie bardziej zhierarchizowaną, a podziały stanowe były jakoby wyraźniejsze niż w średniowieczu. Istniał podział na stan duchowny, szlachecki i stan trzeci, w niektórych krajach – tam, gdzie istniał system przedstawicielski, na przykład w Tyrolu czy Szwecji – podzielony na stan mieszczański i stan chłopski. W myśl tych założeń urodzenie, prestiżowe stanowisko, stopień niezależności od suwerena, honor, męstwo na polu walki mogły mieć większe znaczenie od stosunków gospodarczych i pieniędzy czy posiadania środków produkcji. W tej wersji społeczeństwo jawi się jako bardziej stabilne i harmonijne, a między poszczególnymi jego warstwami występują wzajemne zależności. W ostatnich latach badacze skłaniają się do podkreślania, że Europejczycy początków nowożytności postrzegali i opisywali społeczeństwa, w których przyszło im żyć, jako organizmy nad wyraz złożone. Uwzględniają także o wiele więcej czynników wpływających na więzi międzyludzkie niż tylko władza, prawo, urodzenie czy stosunki ekonomiczne; korzystają ponadto z dorobku socjologii i antropologii.

W badaniach społeczeństwa można wziąć pod uwagę wszelkie uwarunkowania mające wpływ na współżycie jednostki i jej najbliższej rodziny z innymi ludźmi – otoczenie i miejsce, rodzaj zajęcia, ramy instytucjonalne, poczucie wspólnoty lub wyobcowania, stosunek do innych (od szacunku do strachu), sposoby porozumiewania się (gesty, bliskość fizyczna lub dystans, a także język). Należy wyjaśnić wiele kwestii, które nadal są przedmiotem ożywionych dyskusji. Jedną z nich jest sprawa podziału Europy na Zachodnią (do której zwykle zalicza się również reion Morza Śródziemnego – Półwysep Apeniński i Iberyjski) i Wschodnią (na wschód od Łaby) oraz podziału północ–południe (regiony nad Atlantykiem i Bałtykiem z jednej strony, nad Morzem Śródziemnym i południowe Niemcy – z drugiej). Czy podziały między społeczeństwem miejskim a wiejskim były sztywne, czy płynne? Czy zmieniały się w zależności od regionu? Jak duża była mobilność fizyczna i społeczna? Czy sytuacja kobiet i stosunek do nich poprawiały się, czy pogarszały? Czy w ciągu XVI wieku nasiliły się podziały między bogatymi a biednymi i czy położenie tych ostatnich uległo pogorszeniu? Jaki wpływ na społeczeństwo miały doniosłe procesy zachodzące w owych czasach, takie jak reformacja i kryzys religii, coraz większy kontakt ze światem pozaeuropejskim czy rozpowszechnienie się słowa drukowanego? Wiele podobnych kwestii poruszono także w innych rozdziałach tej książki, ale jeśli chce się potraktować zagadnienie całościowo, jest to nieuniknione.

Jako punkt wyjścia do rozważań nad społeczeństwem posłużyć nam mogą losy jednostki, Domenica Scandellego, zwanego Menocchio, młynarza z Montereale we Friuli (północno-wschodnie Włochy), straconego w Rzymie z wyroku inkwizycji w 1599 roku. Menocchio stał się znany dzięki książce włoskiego historyka Carlo Ginzburga *Il fromagio e i vermi* (Ser i robaki). Tytuł pochodzi od słów Menocchia wypowie-

dzianych przed trybunałem inkwizycyjnym. Twierdził on, że ziemia była
z początku jak fermentujący ser, z którego anioły i ludzie wychodzili niczym robaki. Był ponadto bardzo krytyczny wobec ortodoksyjnego katolicyzmu. Ginzburg określa go jako „wieśniaka", łączącego w sobie
konserwatyzm z niezależnością myślenia. Menocchio sprawował w swojej społeczności rozmaite funkcje; był kamieniarzem, cieślą, nauczycielem rachunków, muzykował na festynach, ale jako młynarz był jednak
w pewnym sensie człowiekiem z zewnątrz. Młynarzy często się oba-
wiano i nie ufano im, ponieważ stanowili elitę społeczności wiejskich
i mieli silniejsze niż inni powiązania z dworem. Menocchio, człowiek
piśmienny, czytywał książki tłumaczone na włoski i Biblię w języku włoskim, mimo że Kościół katolicki coraz usilniej z tym walczył, zakazując
świeckim tego rodzaju praktyk. Montereale leżało u stóp Dolomitów,
w regionie odległym od centrów, ale z zachowaną siecią starożytnych
szlaków komunikacyjnych. Ludzie mówili tu *friulano*, dialektem różnym
od weneckiego, a jeszcze bardziej od literackiego włoskiego. Mogli jednak, korzystając z liczących setki lat dróg i tuneli, podróżować na północ, do Alp i przez Alpy (z wyjątkiem zimy), a podróż do Wenecji także
nie nastręczała szczególnych trudności. Od lat czterdziestych XVI wieku we Friuli zaczęły pojawiać się rozmaite oznaki zainteresowania protestantyzmem, łącznie z radykalnym anabaptyzmem. Podczas pierwszego procesu w latach 1583–1584 Menocchio wyrzekł się swoich
przekonań, otrzymał dość lekką karę i pozwolono mu wrócić na wieś.
Po raz drugi stał się obiektem śledztwa i stanął przed sądem w 1598 roku, ponieważ popadł w konflikt z nowym proboszczem i niektórymi sąsiadami z powodu głośnego wyrażania dziwacznych i heretyckich poglądów. Najwyższe władze kościelne upierały się przy wyroku śmierci na
Menocchia jako niebezpiecznego propagatora herezji, natomiast miejs-
cowi przedstawiciele inkwizycji znów próbowali go oszczędzić.

Losy Menocchia, choć wyjątkowe, każą nam spojrzeć na społeczeństwo wiejskie innymi oczyma – jak widać, nie było ono aż tak odcięte
od świata i jednorodne, pozbawione dostępu do wyższej kultury i wiedzy. Pokazują również sposób funkcjonowania, siłę i słabość kontroli
społecznej i religijnej.

Więzi społeczne

W XVI wieku jednostkę łączyły ze społeczeństwem liczne więzy różnego rodzaju: z rodziną, krewnymi i powinowatymi, sąsiadami, parafią, cechem lub gildią kupiecką, bractwem religijnym, a także z panem ziemi lub mistrzem cechowym. Prawdopodobnie mniej powszechne było silne poczucie przynależności do państwa, monarchii czy większego regionu geograficznego. Niektóre z tych więzi społecznych podlegały zmianom w ciągu omawianego okresu, ale większość przetrwała w niezmienionej formie. W Europie Zachodniej gdzieniegdzie zaczęły przeważać rodziny dwupokoleniowe, złożone z rodziców i dzieci (w północnej Francji, Niderlandach i Anglii), ale istniało wiele rozmaitych konfiguracji rodzinnych. Decydowały o tym zarówno umieralność i potrzeby ekonomiczne (większej wydajności lub przeżycia), jak i normy kultury. Wiele rodzin składało się z trzech pokoleń, prowadzących wspólny dom razem z nieżonatymi wujami, niezamężnymi ciotkami, braćmi i siostrami średniego pokolenia. Od 10 do 15 procent mieszkańców Europy Zachodniej nie wstąpiło w związki małżeńskie po osiągnięciu dorosłości, najczęściej z przyczyn finansowych. W Europie Zachodniej było normą, że po zawarciu małżeństwa dzieci opuszczają dom rodziców (czyli zawierają małżeństwo, gdy mogą opuścić dom i założyć własne gospodarstwo), ale istniało mnóstwo wyjątków od tej zasady. Żonaci bracia mogli mieszkać razem w tym samym domu lub w połączonych domach w mieście albo w połączonych gospodarstwach wiejskich, co często występowało w południowej Francji i Lombardii. Prawdopodobnie łatwiej było dzięki temu prowadzić warsztat rzemieślniczy lub uprawiać ziemię, istniała bowiem możliwość stałej współpracy. Rodziny włoskich patrycjuszy składały się z wielu osób, mieszkających wspólnie w wielkich domostwach. W końcu XVI wieku w Wenecji zwyczajowo aranżowano małżeństwo jednego brata, aby utrzymać majątek w całości, ale pozostali bracia (i prawdopodobnie ich kochanki) oraz niezamężne siostry mieszkali razem w tym samym pałacu. W Europie Wschodniej i Rosji europejskiej rodziny często żyły w gospodarstwach wielorodzinnych, wspólnie pracując. W biedniejszych rodzinach chłopskich w części Włoch, Niemczech oraz południowej i środkowej Francji żonate dzieci pozostawały z rodzicami, ponieważ nie miały środków na kupno własnego gospodarstwa.

Jak wskazują źródła, w końcu XVI wieku wzrosła znacząco liczba gospodarstw miejskich prowadzonych przez pojedyncze osoby, często wdowy, choć mogły one mieć lokatorów lub mieszkać ze służbą i czeladnikami. W Europie Zachodniej wielu młodych ludzi opuszczało dom w wieku kilkunastu lat, przy czym w rodzinach wyżej usytuowanych w hierarchii społecznej miało to służyć umocnieniu kontaktów towarzyskich i powiązań klienckich, natomiast w niżej postawionych dom opuszczano, aby pójść na służbę lub na praktykę w warsztacie rzemieślniczym albo nająć się do pracy w gospodarstwie rolnym. W północnych i środkowych Włoszech dziewczęta z małych miasteczek i wsi pracowały w dużych miastach jako służące, aby zarobić na posag. Jednego służącego lub służącą zatrudniano nawet w domach ludzi dość niskiego stanu, a w aktach parafialnych Rzymu i Bolonii znajdują się adnotacje o prostytutkach, którym towarzyszą służące (i nie są to ich córki). Mobilność i podtrzymywanie więzi między rodzinami uważano za ważne z przyczyn ekonomicznych i ze względu na pozycję społeczną; poszerzały one horyzonty, sprzyjały zbliżeniu miast i wsi, rozpowszechniając miejski styl życia, postawy i kulturę materialną. W innych regionach Europy sytuacja przedstawiała się inaczej. W południowych Włoszech niewiele dzieci opuszczało rodzinne strony. W Europie Środkowej i Wschodniej, gdzie chłopstwo było przywiązane do ziemi, nie istniała też migracja młodych ludzi do miast w celu podjęcia służby czy pracy w rzemiośle. W dworach i pałacach służącymi byli pańszczyźniani chłopi.

Wiele dyskusji wywołuje kwestia znaczenia pokrewieństwa i rodu jako zbioru ludzi powiązanych ze sobą oraz zmian zachodzących w jego obrębie w omawianym okresie. Więzy pokrewieństwa odgrywały dużą rolę w życiu społecznym, miały wpływ nie tylko na wybór papieża i kardynałów czy obsadę stanowisk na dworach angielskim i francuskim, ale również na aranżowanie małżeństw nawet w grupach niżej usytuowanych w hierarchii, ponieważ nieodpowiedni związek mógłby zagrozić całości rodzinnego stanu posiadania. Duże, rozgałęzione rody istniały nadal w XVI wieku na większości terenów Francji, Szkocji, Hiszpanii, na Korsyce, w Piemoncie, Królestwie Neapolu i Friuli. Rody pomagały utrzymać ścisłą kontrolę polityczną nad miastami, takimi jak Genua, Brescia, Valladolid, ale rządzący uważali je za zagrożenie dla swojej władzy na terenach wiejskich, a od połowy stulecia także dla prowadzonej przez siebie polityki tworzenia nowoczesnego aparatu państwowego. Więzi rodowe mogły być niekiedy przyczyną krwawych porachunków lub stanowić zaplecze poważnych konfliktów społecznych, takich jak na przykład rozruchy we Friuli na początku XVI wieku czy wojny religijne we Francji trwające od lat sześćdziesiątych do dziewięćdziesiątych.

O przebiegu tych ostatnich w dużym stopniu decydowały władające dużymi terytoriami rody Gwizjuszów, Kondeuszów i Montmorencych, wspierane przez swą klientelę. Gwizjusze, mając oparcie w należących do niższej szlachty rodzinach Rohan i Rochefoucauld, kontrolowali większość Normandii, Pikardii i Szampanii w interesie Ligi Katolickiej, walcząc przeciwko protestantom, a potem także przeciw koronie, gdy król zaczął dążyć do kompromisu i tolerancji.

O rodzaju zależności społecznych mogło decydować miejsce zamieszkania. Około 90 procent ludności Europy Zachodniej, Południowej i Środkowej mieszkało na wsi i w małych miastach. W południowej Anglii i Niderlandach wsie stanowiły samodzielne wspólnoty, których członkowie różnili się zarówno pod względem rodzaju zajęcia, jak i statusu. W południowych Włoszech istniały duże, liczące tysiące osób wspólnoty parające się jednego rodzaju zajęciem, niezróżnicowane wewnętrznie; ich członkowie mieli prawdopodobnie niskie poczucie przynależności do grupy. Większość wsi i małych miast korzystała z ochrony praw i przywilejów nadanych przez monarchę, sąsiednie większe miasto lub pana feudalnego. W Europie Zachodniej i Południowej nawet wsie i miasta należące do feudałów miały swoje zgromadzenia, urzędy i sądy zawiadujące codziennymi sprawami mieszkańców i reprezentujące ich w rozmowach z panem. W Hiszpanii feudałowie i królowie walczyli o lenna i prawo własności, ale (jak twierdzi James Casey) w ciągu XVI wieku wspólnoty zwiększyły zakres swoich uprawnień. Na większości terenów Niemiec wspólnoty wiejskie podlegały władzy książęcej, ale w Wirtembergii zachowały dużą niezależność. Niekiedy mówi się, że w Europie Środkowej i Wschodniej panował bardziej opresyjny system feudalny, ale i tam przedstawiciele wspólnot mogli w pewnym zakresie podejmować decyzje dotyczące gospodarki, życia społeczności, a nawet prawa czy przywództwa (na przykład we wspólnotach naddunajskich), nie byli bowiem całkowicie podporządkowani panu. Wiejski system zależności mógł prowadzić zarówno do lokalnych antagonizmów, jak i zdrowej rywalizacji. Często wywierano presję, mającą nie dopuścić do zawierania małżeństw z osobami spoza wspólnoty, co powodowało, że biskupi byli zasypywani prośbami o dyspensę, czyli zwolnienie z zakazu małżeństw między krewnymi, jak działo się na przykład w Piemoncie w okresie potrydenckim.

W większych społecznościach, zwłaszcza w dużych miastach, więzy między członkami niestanowiącymi rodziny były bardziej złożone i płynne. W mniejszych życie społeczne skupiało się wokół kościoła parafialnego i jego najbliższego sąsiedztwa; nie tylko schodzono się tam na nabożeństwa, ale też handlowano, dawano do napisania lub odczytania listy, zawierano umowy, umawiano na schadzki z ukochaną czy ukochanym. Do czasów reformacji konkurencję dla parafii stanowiły kościoły przyklasztorne, również starające się przyciągnąć jak najwięcej wiernych. Od chwili wybuchu niepokojów religijnych wszystkie Kościoły instytucjonalne zaczęły dążyć do zacieśnienia więzów wiernych z parafią i wzmocnienia kontroli. Parafian zachęcano, niekiedy wręcz zmuszano do spędzania jak najwięcej czasu w kościele – albo na długich kazaniach protestanckich, albo na bardziej rozbudowanych pod względem obrzędowości katolickich mszach. Po soborze trydenckim Kościół katolicki ogłosił, że skoro małżeństwo jest sakramentem, Kościół przejmuje pełną kontrolę nad sposobem zawierania małżeństw. Aby małżeństwo było ważne, musiało zostać zawarte w kościele w obecności proboszcza lub wyznaczonego przezeń kapłana i dwóch świadków oraz wpisane do akt parafialnych. Kościół parafialny stał się i dla katolików, i dla protestantów bardziej miejscem pobierania nauk (protestanckie szkółki niedzielne) niż ośrodkiem życia społecznego. Władze świeckie chętnie wykorzystywały proboszczów do przekazywania swoich zarządzeń i zawiadomień.

Ważnymi instytucjami życia społecznego były świeckie stowarzyszenia religijne, zwane bractwami (konfraterniami) lub sodalicjami. W przededniu reformacji odgrywały one dużą rolę we Włoszech, Hiszpanii, Francji, Anglii, południowej Szkocji, Niderlandach i w Niemczech. Bractwa miały rozmaite cele, niektóre zawiązały się po to, aby zapewniać zmarłym godne pogrzeby i odmawiać za nich modlitwy, inne prowadziły przytułki i szpitale, zbierały posagi dla ubogich dziewcząt, organizowały pielgrzymki. W Anglii, południowej Francji, Piemoncie i Niemczech bractwa zajmowały się przede wszystkim urządzaniem obchodów dorocznych świąt, stanowiących najważniejsze wydarzenia w życiu wsi; biedota wiejska uczestniczyła w nich w niewielkim stopniu. Luter potępił niemieckie bractwa za zachęcanie do pijaństwa i zaniedbywanie pomocy dla ubogich. Kościoły protestanckie zakazały bractwom działalności, w krajach katolickich natomiast władze ją wspierały, choć próbowały narzucić konfraterniom silniejszą kontrolę ze strony kleru. Bractwa coraz częściej rozwijały działalność dobroczynną na rzecz biednych i potrzebujących; niektóre pomagały nauczać religii, inne powróciły do praktykowania biczownictwa (bardzo rozpowszechnionego w średniowieczu) lub innego rodzaju umartwień. Jeśli spojrzeć z szerszej perspektywy, bractwa miały swój udział w zmniejszeniu rozmiarów ubóstwa, podniesieniu poziomu moralności i zwiększeniu kontroli społecznej. Ich członkowie uważali się czasem za wybrańców bożych (i aktywnie działali na rzecz katolicyzmu, jak działo się we Francji w końcu XVI wieku). Kobiety, które wstąpiły do bractw, a niekiedy nimi kierowały, zyskiwały możliwość działania i modlitwy poza domem i rodziną. Niektóre bractwa miały charakter zamknięty, zrzeszały tylko szlachtę czy rzemieślników, ale większość przyjmowała osoby różnych stanów i statusu. W końcu stulecia do bractw należała przez dłuższy lub krótszy czas jedna trzecia rodzin mieszczańskich we Włoszech i w Hiszpanii. Na wsi poziom uczestnictwa był bardziej zróżnicowany.

W społecznościach miejskich ważną funkcję pełniły stowarzyszenia o charakterze zawodowym (w miastach włoskich, hiszpańskich i niderlandzkich miały one jednocześnie charakter religijny). Cechy rzemieślnicze i gildie kupieckie w dużych miastach Europy Zachodniej dbały przede wszystkim o ochronę interesów gospodarczych i praw członków, nauczanie zawodu i organizację samopomocy. Często odgrywały kluczową rolę w polityce na szczeblu lokalnym, na przykład w miastach takich jak Mediolan czy Perugia lub Londyn czy York. Prowadziły działalność religijną i dobroczynną, w czym celowały cechy w Wenecji. Cechy weneckie były wewnętrznie spójne, zrzeszały mistrzów i czeladników, biednych i bogatych; wszędzie indziej, jak choćby we Florencji, Mediolanie czy Londynie, dbając o interes grupowy, zachowywano jednak podziały wewnętrzne. W XVI wieku organizacje najbardziej szanowane i wpływowe – gildie kupieckie, cechy tkaczy, zrzeszenia bankierów i notariuszy – w coraz mniejszym stopniu zajmowały się kwestiami gospodarczymi i przybierały coraz bardziej elitarny charakter, dążąc do zachowania i utrwalenia w społeczeństwie podziałów klasowych i stanowych.

Społeczeństwo zhierarchizowane: chłopi, pracownicy fizyczni, grupy pośrednie, elity

W rozprawie *Descriptions of England* (Opisanie Anglii, 1577) William Harrison pisze: „W Anglii powszechnie dzielimy ludzi na cztery grupy", a mianowicie: (1) *gentlemen* [panowie], do których należą *nobles* [szlachta dziedziczna], *knights* [tytuł szlachecki niedziedziczny], *esquires* [tytuł używany przez dobrze urodzonych nieposiadających innych tytułów] i „wreszcie wszyscy ci, których po prostu nazywa się panami"; (2) mieszczanie, czyli wolni obywatele miast; (3) *yeomen* [drobni właściciele], „nazywani przez nasze prawo *legales homines*, ludzie wolni urodzeni jako Anglicy; właściciele ziemscy o dochodach 40 szylingów rocznie; farmerzy, „posiadający wysoką pozycję i szacunek wśród zwykłego ludu", i (4) robotnicy dniówkowi, małorolni farmerzy, rzemieślnicy „tacy jak krawcy, szewcy, cieśle, ceglarze, murarze itd.", służący oraz ludzie, którzy „nie mają nic do powiedzenia i są po to, aby nimi rządzono".

Wszyscy mieszkańcy Anglii cieszyli się więc wolnością osobistą, nie było tu poddanych, jak w Europie Wschodniej i Rosji, ani niewolników, jak w niektórych miastach włoskich i hiszpańskich (w Sewilli w 1565 ich liczba wynosiła 6327), ani galerników. Niewolników niechrześcijańskich traktowano rozmaicie, czasem jak „wolnych" służących, i nagradzano za nawrócenie się. Pewien hiszpański szlachcic poślubił w 1599 roku swą arabską niewolnicę, która została matką jego dzieci. W Rosji istniała wśród poddanych hierarchia, najwyższą pozycję zajmowała w niej służba domowa.

Społeczeństwo XVI wieku było zhierarchizowane, ale granice między poszczególnymi warstwami nie były ani tak sztywne, ani tak jasno

113

określone, jak podaje Harrison. Najczytelniejsze podziały występowały na terenach takich jak Polska, Prusy, Węgry, południowe Włochy i środkowa Hiszpania, gdzie społeczeństwo tworzyli chłopi niezróżnicowani wewnętrznie pod względem statusu, szlachta, nieliczna grupa wykształconych urzędników państwowych oraz mieszkańcy podupadających miast.

Pod słowami „chłop", „wieśniak" (w języku angielskim *peasant* ma pejoratywne znaczenie, inaczej niż francuski *paysan* czy włoski *contadino*) kryć się mogą różne rodzaje zajęć i różny status, co dobrze ilustruje historia Menocchia. „Wieśniak" mógł być bezrolnym pracownikiem innego wieśniaka, poddanym będącym całkowicie we władzy pana, dzierżawcą użytkującym pańską ziemię w zamian za część plonów lub czynsz, drobnym lub dużym właścicielem ziemskim, hodowcą owiec lub bydła. Wieśniak mógł być kowalem, szewcem, krawcem albo młynarzem; w południowych Włoszech na ziemi pracowali także księża, którzy parali się ponadto drobnym handlem na wsiach. Zdarzało się, że jedna rodzina w tym samym czasie lub w okresie kilku lat jednocześnie uprawiała kawałek własnej ziemi, drugi dzierżawiła w zamian za część plonów, jeszcze inny za czynsz, a do tego jej członkowie najmowali się do pracy za dniówkę u większego właściciela ziemskiego.

W rozważaniach o sytuacji chłopów zwykle podkreśla się, że w Europie Środkowej i Wschodniej znacznie się ona pogorszyła, ponieważ zwiększył się stopień podległości chłopa wobec pana, podczas gdy na Zachodzie i Południu zmiany poszły w różnych kierunkach. W Anglii przyrost populacji ludzi wolnych na wsi przyczynił się w pewnym stopniu do wzrostu liczebności proletariatu pochodzenia wiejskiego, czyli nowej biedoty w miastach takich jak Londyn czy Norwich; wzrastała też liczba średnich i drobnych właścicieli ziemskich oraz *gentry*. W Europie Środkowej i Wschodniej szlachta doprowadziła do prawnego przypisania chłopa do ziemi (na Węgrzech w 1514 roku, na Śląsku, w Brandenburgii i Prusach w latach 1526–1528, w Polsce w latach 1496–1532, w części Rosji w latach osiemdziesiątych XVI wieku). W tym regionie Europy właściciele ziemscy (w zasadzie wyłącznie szlachta) ograniczali prawa i swobody chłopstwa, aby rozwijać gospodarkę rolną i wykorzystać rosnące zapotrzebowanie na zboże w Europie Zachodniej i (od lat dziewięćdziesiątych) w krajach śródziemnomorskich; w ten sposób pogłębiały się różnice społeczne i ekonomiczne między wschodem a zachodem kontynentu. Prawo dawało panom możliwość rugowania chłopów z ziemi, tak że stawali się oni bezrolną lub niemal bezrolną siłą roboczą, zobowiązaną do służby w majątku pana – tak działo się choćby w Brandenburgii i Prusach w latach 1540–1572. Podczas gdy w Anglii i większości Włoch zmniejszał się wymiar przymusowego odrobku na ziemi należącej do szlachty lub Kościoła, w Europie Środkowej i Wschodniej pańszczyzna znacząco wzrosła – wsie należące do katedry w Hawelbergu (Brandenburgia) musiały w końcu stulecia świadczyć właścicielowi dziewięćdziesiąt dni pracy rocznie. Szlachta uzyskała prawo dowolnego ustalania wymiaru pańszczyzny na swoich ziemiach, na przykład w Polsce w 1542 roku, w Brunszwiku w 1597 roku. Uzyskała także decydujący głos w sprawie zawierania przez chłopów małżeństw czy przenoszenia własności – jeśli jeszcze takową posiadali. Gdzieniegdzie przetrwały jednak enklawy zamieszkane przez wolne chłopstwo, na przykład w Polsce na Podhalu czy Kurpiach. Chłopi duńscy i szwedzcy mieli zagwarantowane prawa dzierżawy ziemi i wolność osobistą, ale nękały ich wzrastające w ciągu XVI wieku podatki i czynsze, podobnie jak wolnych chłopów z innych regionów Europy. W Saksonii elektorowie powiększali obszar ziemi należącej do państwa oraz bronili chłopów przed uciskiem ze strony szlachty, ale celem tych działań było, przynajmniej po części, zabezpieczenie dochodów państwa.

Niezależnie od panującego systemu prawnego w społeczności wiejskiej nie brakowało napięć, i to nie tylko na linii chłopi–panowie. W Hiszpanii, Królestwie Neapolu i Państwie Kościelnym dochodziło do ostrych starć między hodowcami przeprowadzającymi wielkie stada owiec z równin na wzgórza a chłopami żyjącymi z uprawy roli. Wielkie niepokoje społeczne wywoływała sprawa grodzenia ziem gminnych (często stanowiących jedyne źródło utrzymania najbiedniejszej ludności), jak działo się w niektórych rejonach Anglii, w Hiszpanii, Brandenburgii czy środkowych Włoszech. Grodzenie spowodowało wychodźstwo chłopów do miast, do Londynu, Sewilli, Rzymu czy Neapolu, a także powstanie na wsi rzesz ludzi zbędnych, często parających się bandytyzmem. W większości krajów Europy istniały w społecznościach wiejskich silne podziały między bogatymi a biednymi, to znaczy tymi, którzy mogli w jakimś zakresie decydować o sobie i mieli choćby własny inwentarz, a ludźmi całkowicie zależnymi od innych. Względny spokój społeczny zależał w głównej mierze od tego, czy ci ostatni mogli szukać szansy lepszego życia w miastach (jak na Zachodzie i Południu), czy też nie (jak działo się na Wschodzie).

Wiek XVI był świadkiem poważnych zamieszek i buntów na wsi – około 1511 roku miały miejsce rozruchy we Friuli, w 1514 roku na Węgrzech, w latach dwudziestych w Niemczech, Tyrolu i na Węgrzech (tak zwane wojny chłopskie), w końcu lat osiemdziesiątych w niektórych rejonach Francji, w Niderlandach i wokół Neapolu, w latach dziewięćdziesiątych wybuchły powstania *les croquants* we Francji, wywołano niepokoje w Górnej Austrii i na Węgrzech. Żaden z tych zrywów nie przybrał charakteru wyłącznie walki klasowej, czyli walki chłopów z panami lub z monarchią, choć protest przeciwko poddaństwu i uciskowi bywał główną przyczyną wybuchu. Do zbuntowanych często przyłączali się rzemieślnicy z miast, a także miejscowe duchowieństwo i szlachta, która wspierała dla własnych celów wystąpienia swoich dzierżawców i pracowników najemnych przeciw narzucanym przez państwo podatkom lub ograniczeniom wolności religijnej. Wspólnota interesów okazywała się czasem silniejsza niż obowiązująca hierarchia społeczna.

Miasta

Jak pokazano w rozdziale 1, w XVI wieku nastąpił szybki rozwój miast, przy czym najwięcej dużych ośrodków powstało na północnym zachodzie Europy. Odsetek ludności Europy zamieszkałej w miastach powyżej 40 tysięcy mieszkańców wzrósł z 2 do 3,5 procent, w miastach o 10 tysiącach mieszkańców lub więcej z 6 do 10 procent. Warto przy tym zaznaczyć, że wiele angielskich miasteczek liczących 600–800 mieszkańców wykazywało większe zróżnicowanie pod względem gospodarczym, społecznym i kulturalnym niż dwudziestotysięczne miasta hiszpańskie. Niektóre miasta włoskie, niemieckie czy hiszpańskie nie rozwijały się lub podupadały; w Anglii stało się to udziałem na przykład Salisbury. Ponieważ śmiertelność wśród mieszkańców była wysoka, duże miasta, aby przetrwać, potrzebowały ciągłego dopływu przybyszów z małych miasteczek lub ze wsi. Społeczność miejską można podzielić na trzy podstawowe grupy: patrycjat (najbogatsi kupcy, mający udział we władzach miasta), pospólstwo (samodzielni rzemieślnicy, drobni kupcy) i plebs (czeladnicy, służba, robotnicy najemni, środowiska marginesu społecznego). Podziały według kryteriów ekonomicznych i społecznych mogły być jednak o wiele bardziej złożone. Tomaso Garzoni opisał w dziele *La piazza universale di tutte le professioni del mondo* (Uniwersalny plac wszystkich zawodów na świecie, Wenecja 1585 i wiele późniejszych wydań) wyimaginowany plac miejski, na którym zgromadzili się przedstawiciele wszystkich warstw ludności miejskiej – od najszacowniejszych obywateli po czyścicieli latryn – reprezentujący około 400 rodzajów zajęć, od rzeźników, piekarzy, prawników po nierządnice, szpiegów, nałogowych pijaków, inkwizytorów i heretyków. Rzeczywiście, w dużych miastach większość tych ludzi mogła wstąpić do jednego z rozlicznych cechów czy bractw, dających poczucie tożsamości i solidarności oraz realne wsparcie.

W miastach większych i mniejszych występowały podziały wszelkiego rodzaju. W niektórych separowano od siebie biednych i bogatych, pewne ulice i dzielnice zarezerwowane były tylko dla tych drugich, jak na przykład Strada Nuova w Genui. Często skupiano w wydzielonych rejonach rzeźnie, garbarnie czy pralnie, z których wyziewy uprzykrzały życie okolicznym mieszkańcom, ale gdzie indziej warsztaty i sklepy działały na parterach domów i pałaców, tak jak w Wenecji, Florencji i Paryżu. Ważną rolę odgrywały w miastach więzi sąsiedzkie, a także system klienteli, łączący ludzi stojących na różnych szczeblach hierarchii społecznej.

W ciągu XVI wieku poprawił się poziom wykształcenia fachowego i zmniejszył się analfabetyzm wśród mieszkańców miast, wzrosła również konsumpcja, ale zmiany te w większym stopniu dotyczyły Europy Zachodniej i Południowej niż Wschodniej. Większa liczba osób wykształconych i umiejących pisać była rezultatem rozpowszechnienia się druku oraz zabiegów humanistów o szerszy dostęp do wiedzy, a także dążenia Kościołów do zapewnienia wiernym odpowiedniej edukacji religijnej, prowadzonej przez lepiej wykształcone – czy to na uniwersytetach, czy w seminariach – duchowieństwo. Konsolidacja państwa i konieczność zbierania większych podatków na potrzeby wojny wymuszała rozwój biurokracji, czyli warstwy urzędniczej (mniej lub bardziej skutecznej i w różnym stopniu skorumpowanej). Wzrosła pozycja społeczna prawników i lekarzy, którzy zaczęli rywalizować o miejsce w hierarchii z dawnymi elitami miejskimi. W elżbietańskiej Anglii prawnicy i kupcy, inwestujący w majątki ziemskie, zagrozili pozycji prowincjonalnej szlachty i ziemiaństwa. Wzrastała konsumpcja wszelkiego rodzaju dóbr, wydawano więcej pieniędzy na cele reprezentacyjne i propagandowe natury politycznej bądź religijnej. W końcu XVI wieku w krajach katolickich przejawem tej tendencji było budowanie wystawnych rezydencji władców i fundowanie kościołów, w krajach protestanckich – budowa gmachów użyteczności publicznej, okazałych kamienic miejskich i grobowców. W północnych i środkowych Włoszech, Niderlandach, północnej Francji i głównych miastach niemieckich domy mieszczańskie zaczęto wyposażać w sposób zapewniający rodzinie większą prywatność i bardziej komfortowo, pojawiły się w nich wymyślne meble, tkaniny dekoracyjne, ceramika i szkła weneckie. Źródła weneckie wskazują, że w końcu XVI wieku tego rodzaju dobra konsumpcyjne stały się dostępne także dla rodzin średniozamożnych rzemieślników. W następnym stuleciu przodownictwo pod względem konsumpcji obejmą Niderlandy.

Elity i status

Wśród historyków zajmujących się elitami europejskimi początku nowożytności żywą dyskusję wywołuje kwestia granicy między miejskim pospólstwem a elitami. Nie ulegają wątpliwości zróżnicowanie elit, ich wzajemne powiązania oraz napięcia między bogatszymi a biedniejszymi w ramach tej grupy. Ludzie tworzący miejskie elity społeczne i polityczne nie posiadali tytułów szlacheckich, ale w Europie Zachodniej tytułowano ich coraz częściej *gentleman, gentiluomo, gentilhomme*. Do elit miejskich należeli kupcy, urzędnicy, prawnicy; czasem rywalizowali oni ze szlachtą (choć już mniej gwałtownie niż we wczesnorenesansowych Włoszech). Wyznacznikami przynależności do szlachty i jej górnej warstwy, arystokracji (gr. władza najlepszych), były urodzenie, cnoty (przede wszystkim męstwo na polu walki) i wykształcenie. Pozycja i władza szlachty wywodziła się z posiadania ziemi i dochodów z ziemi – przede wszystkim w Europie Środkowej i Wschodniej, a także na wyspach brytyjskich, we Francji, Hiszpanii i części Włoch. Niekiedy elity miejskie, na przykład w miastach północnych i środkowych Włoch, w Nadrenii, Francji, Niderlandach, zawdzięczały władzę pieniądzom zarobionym na handlu, stanowiskom w urzędach państwowych i w sądownictwie oraz coraz częstszemu kupowaniu ziemi, co stanowiło bezpieczną inwestycję i podnosiło status społeczny nabywcy. Zdarzało się też, że szlachta sama parała się handlem, odsuwając kupców, jak stało się w Kordobie czy na ziemiach polskich, gdzie szlachta zagwarantowała sobie prawo handlu zbożem. Od końca XVI wieku coraz częściej przenosiła rezydencje do miast, aby znaleźć się w kręgu dworu i dworskiej polityki; na przykład rodzina Sessa osiadła w Kordobie, Chinon w Segowii, rodziny Carraciolo, Carafa i Pignatelli – w Neapolu.

W Toskanii pod rządami Medicich od połowy stulecia na elity florenckie składała się już mieszanka starych rodów patrycjuszowskich, kupieckich lub bankierskich, nowych rodzin urzędniczych, nowych i starych rodzin nabywających ziemię i tytuły szlacheckie oraz ludzi pióra i nauki skupionych wokół dworu Medicich. Pomniejszych członków starych rodzin szlacheckich (takich jak Capponi, Giucciardini i Corsini) przygotowywano do cieszących się prestiżem rzemiosł w rodzaju złotnictwa lub do prowadzenia działalności handlowej. Handlująca z Lyonem rodzina Gondi otrzymała tytuł francuskich baronów.

Władanie ziemią nadal stanowiło w XVI wieku wyznacznik statusu, dotyczyło to zarówno starych rodów szlacheckich, jak i nowych rodzin kupujących posiadłości ziemskie, czasem wraz z tytułami. Wielkie hiszpańskie rody książęce – Alba, Medinacelli czy Medina Sidonia – władały ogromnymi terenami i wielką liczbą poddanych. Filip II, planując powierzenie księciu Medina Sidonia dowództwo Armady podczas najazdu na Anglię, liczył na to, że książę własnym sumptem wystawi i wyekwipuje oddziały złożone ze swoich poddanych. Chodziło o to, że niezależnie od powodzenia czy niepowodzenia najazdu i planowanej okupacji ziem angielskich zasoby księcia i tak zostałyby znacznie uszczuplone, on sam zaś nie mógłby już dorównywać swą potęgą królowi. W Polsce od około 1589 roku rodzina Zamoyskich skupiała w swoich rękach wielkie włości, posiadała dziesięć miast, dwieście dwadzieścia wsi i sto tysięcy poddanych, nad którymi sprawowała władzę do XVIII wieku. To wielkopańskie zadęcie przynosiło też rzeczywiste korzyści gospodarcze, społeczne i kulturalne – magnaci budowali miasta, fundowali kościoły, zakładali szkoły, promowali rozwój wiejskiego handlu.

Dla szesnastowiecznych elit coraz większe znaczenie miała pogoń za tytułami, lennami i zaszczytami, choć i tak najważniejsza była przynależność do stanu szlacheckiego, z tytułem czy bez tytułu. We Włoszech, a potem we Francji i Anglii, powstawały liczne książki podające wzory zachowań, jakie przystoją szlachcicowi, człowiekowi honoru, dobrze wychowanemu, kulturalnemu i potrafiącemu znaleźć się na dworze. Spośród literatury tego rodzaju największą popularnością cieszył się *Dworzanin* Baldassare Castiglionego, wydany po raz pierwszy w 1528 roku. Ten traktat w formie dialogu łączy ogładzoną wersję cynicznego makiawelizmu w partiach poświęconych poradom dla księcia z rozważaniami o miłości idealnej i pięknie, o potrzebie poskromienia wojowniczości szlachty oraz o roli kobiet w kulturze i ucywilizowaniu dworu. W środowiskach dworskich niektóre zalecenia traktatu zostały zrealizowane w praktyce – na przykład ludzie, chcący, by uważano ich za szlachtę lub dżentelmenów z powodu cnót i zasług, nie tylko z urodzenia, zaczęli wspierać literaturę i sztukę. Jednocześnie wzmocnił się w odczuciu społecznym związek między szlachectwem a tytułem i posiadaniem ziemi, stanowiącej nie tylko źródło władzy na poziomie lokalnym, ale i dochodów. Czasem wystarczyło, że zwracano się do kogoś „jaśnie panie" czy „wielmożny panie". W Hiszpanii tytuł *don* oznaczał nie tylko przynależność osoby tak tytułowanej do stanu szlacheckiego, ale też, że szlachcic, *hidalgo*, jest dobrym chrześcijaninem, nieskażonym krwią żydowską czy muzułmańską ani zarzutami o herezję. Pojęcie „honoru" dotyczyło nie tylko elit; pozycja szanowanego członka społeczności miała ogromne znaczenie, podobnie jak po rozłamie religijnym opinia „prawego chrześcijanina". Angielscy mieszczanie należący do warstwy średniej chcieli być uznawani za dżentelmenów. Włosi stawali przed sądami świeckimi i kościelnymi, przedstawiając świadków, którzy mogliby potwierdzić, że są oni ludźmi dobrej reputacji – *un'uomo da ben*.

Władcy coraz chętniej szafowali tytułami (diuka, hrabiego, markiza), nadając przy tym ziemię lub nie, ponieważ chcieli w ten sposób kupić sobie poparcie. Nadanie ziemi mogło łączyć się z przekazaniem władzy nad ważnym miastem i jego okolicami, wraz z wyłączeniem spod jurysdykcji królewskiej. Działo się tak na przykład w części Hiszpanii i Królestwa Neapolu, Polsce i Brandenburgii. Niekiedy, jak choćby w Piemoncie i innych rejonach Królestwa Neapolu, uprawnienia władającego ziemią były ograniczone na rzecz lokalnych społeczności, taki szlachcic musiał zadowolić się tytułem.

Dla elit zasadnicze znaczenie miały przywileje oznaczające albo prawo robienia czegoś, albo specjalne zwolnienie od czegoś. Na poziomie politycznym mógł być to przywilej zasiadania w ważniejszych rangą ciałach przedstawicielskich, takich jak angielska Izba Lordów czy druga izba francuskich stanów generalnych (w pierwszej zasiadali duchowni), wyższa izba szwedzkiego riksdagu czy Wielka Rada Republiki Weneckiej. Przywilej mógł oznaczać prawo do specjalnego sądu, egzekucji za pomocą miecza, nie zaś hańbiącego sznura, do posiadania tarczy herbowej jako symbolu szlachectwa, do noszenia broni, a wreszcie do zwolnienia z niektórych podatków. Najwięcej przywilejów przysługiwało tym, którzy posiadali lenna z prawem do jurysdykcji. Niektóre przywileje, przede wszystkim prawo noszenia broni, otrzymywały również osoby stojące stosunkowo nisko na drabinie społecznej. Miasta wykupywały sobie zwolnienia od podatków, podobnie jak bogatsi mieszczanie; sprzedaż tych przywilejów zasilała doraźnie kasę królewską, choć później miało to opłakane skutki dla finansów państwa. Sytuacja poddanych królewskich lenników wcale nie musiała być zła; być może lepiej było znaleźć się pod władzą hiszpańskiego czy neapolitańskiego diuka lub markiza – często nieobecnego albo pragnącego utrzymać sieć miejscowej klienteli – ponieważ nakładane przezeń świadczenia w pieniądzu czy robociźnie mogły być mniejsze niż obciążenia poddanych królewskich. Zdarzało się, że poddani występowali przeciwko narzucającym zbyt wielkie ciężary panom, jak na przykład w Neapolu w latach 1511–1512. Mądrze było ostrożnie korzystać z przywilejów.

Claude de Seyssel (zm. 1520), dyplomata i doradca Ludwika XII, dowodził w dziele *La monarchie de France* (Monarchia francuska), że przywileje szlacheckie stanowią podstawę harmonii społecznej i politycznej, jeśli szlachta wykorzystuje swą uprzywilejowaną pozycję i wykształcenie humanistyczne do ograniczenia władzy królewskiej poprzez dobre prawa i rady oraz pomaga umocnić zgodę między stanami, szanując prawa i rolę innych stanów, a przy tym służąc państwu i społeczeństwu. Hołdowano temu ideałowi, choć nie zawsze w praktyce – wielkie rody francuskie przyczyniły się w decydującym stopniu do fali wojen religijnych, która przetoczyła się przez Francję.

Przywiązanie elit do pojęć takich jak honor, cnota, męstwo na polu walki oraz czerpanie dochodów z ziemi sprawiło, że szlachtę i magnatów oskarżano o hamowanie przemian gospodarczych i społecznych. Nie jest to całkowicie słuszne. Co prawda od połowy XVI wieku najbogatsze rody weneckie wycofywały się z ryzykownych interesów w handlu międzynarodowym, inwestując w ziemię i budując przy okazji palladiańskie pałace (takie jak wspaniała Villa Maser rodziny Barbaro), ale uprawa ziemi przez Barbaro czy Michielów miała charakter przedsięwzięcia dochodowego, któremu towarzyszyły nakłady na meliorację. W rezultacie na okolicznych ziemiach poprawił się poziom życia. Rodzina Foscarini robiła interesy na oliwie i drewnie. W Austrii, na Węgrzech i w Czechach wielkie rody magnackie dorobiły się jeszcze większego bogactwa na górnictwie (na przykład Auerspergowie byli właścicielami wszystkich kopalni miedzi w Idrii w Krainie), hodowli ryb w sztucznych stawach (rodzina Hradec), a zwłaszcza (węgierskie rodziny Zaysów, Doboszów i Zrinskich) na handlu bydłem, które dostarczano między innymi do Wenecji. Niekiedy tego rodzaju działalność wiązała się z wywłaszczaniem drobnej szlachty lub przejmowaniem praw własności do zbywanych ziem królewskich.

Mobilność społeczna

Społeczeństwo XVI wieku było mobilne zarówno pod względem geograficznym, jak społecznym. Miasta potrzebowały ciągłego dopływu nowych mieszkańców, inaczej groziłoby im wyludnienie; wielu młodych ludzi opuszczało rodzinne okolice, aby pójść na służbę, do terminu albo nająć się do pracy na roli. Odwrót od rolnictwa na rzecz hodowli i grodzenie ziem gminnych spowodowały masową migrację chłopów do elżbietańskiego Londynu, podobne zjawiska występowały w tym czasie w Rzymie i Neapolu. Mężczyźni wędrowali w odległe okolice w czasie, gdy największe było zapotrzebowanie na robotników sezonowych, na przykład w porze żniw, pędzenia stad na pastwiska, a potem do kwater zimowych lub na rzeź. Wędrowano ze stadami z równin węgierskich w pobliże Wenecji, z granicy angielsko-szkockiej w okolice Londynu. Mieszkańcy Alp szukali zajęcia we francuskich winnicach, a Piemontu –

na sycylijskich statkach rybackich. Najczęściej opuszczano rodzinne strony na długo lub na stałe, zwłaszcza gdy zapadła decyzja o wyjeździe do kolonii – w XVI wieku wielu Europejczyków, przede wszystkim Hiszpanów i Portugalczyków, pociągały obie Ameryki, nieliczni dotarli na wybrzeże Afryki i na Daleki Wschód. Przemieszczaniu się sprzyjały także wojny; w wielkich armiach walczących w wojnach włoskich jako piechurzy brali udział synowie francuskich i hiszpańskich rodzin szlacheckich oraz niemieccy i szwajcarscy najemnicy. Późniejsze francuskie wojny religijne i walki o Niderlandy przyciągnęły wielu żołnierzy z Włoch i z państw niemieckich, także wielu miejscowych zaciągało się do szeregów. Konsekwencje tej sytuacji doskonale ilustrują losy słynnego oszusta, francuskiego chłopa Martina Guerre'a, przypomniane w filmie *La retour de Martin Guerre* (Powrót Martina Guerre'a, z 1982 roku); konsultantką scenariusza była Natalie Zemon Davis, autorka biografii Guerre'a. Podział Niderlandów sprawił, że wiele rodzin i jednostek, które nie chciały żyć pod władzą hiszpańską, przeniosło się z południa na północ, zabierając ze sobą pokaźny często dobytek, co powiększyło zarówno poziom zamożności, jak i zróżnicowanie społeczne w północnych Niderlandach.

Mobilność mężczyzn miała niekorzystne skutki dla rodziny i życia rodzinnego, a przy tym nierzadko sprzyjała lub wręcz wymuszała mobilność kobiet, które albo ruszały na poszukiwania zaginionych na wojnie mężów, albo zarabiały na życie jako markietanki. Rechrystianizacja Półwyspu Iberyjskiego w końcu XV wieku wyrzuciła żydów, a później muzułmanów, którzy nie chcieli zmienić wiary, do Afryki Północnej, Niderlandów, Wenecji, na Bałkany i Bliski Wschód, gdzie osiedli w miastach takich jak Saloniki, Aleksandria czy Aleppo (w imperium ottomańskim panowała większa tolerancja dla żydów). Narastający w ciągu XVI wieku antysemityzm, do którego nawoływali niektórzy papieże, doprowadził do zakładania gett (pierwsze powstało w Wenecji w 1516 roku, gdy część weneckich żydów przesiedlono na wyspę Ghetto Nuovo – stąd nazwa przyjęta później w całej Europie), gdzie żyli oni odseparowani od miejscowej społeczności katolickiej.

Wymiana między wsią a miastem nie była tak jednokierunkowa, jak mogłoby się wydawać. Na wielkie doroczne targi i jarmarki w całej Europie ściągali z odległych nawet regionów chłopi, drobni handlarze i wielcy kupcy. Ci, którzy wracali na wieś, przywozili ze sobą nowinki, plotki, nowe wyroby, a także nowe mody i gusta, co nie pozostawało bez wpływu na kulturę materialną i umysłową wsi. Wydaje się możliwe, że na wzrost popytu na towary zarówno w mieście, jak i na wsi wpływ miał handel obwoźny. Po całej Europie krążyli wędrowni handlarze, oferujący świecidełka, naczynia, medykamenty, a także broszury, tanie wizerunki Matki Boskiej i świętych lub obelżywe pamflety na papieża czy zakonników – zależnie od potrzeb miejscowego rynku. Chcąc nie chcąc, wieś musiała być nieustannie przygotowana na wizyty ludzi z miasta, poborców podatkowych, prawników i pełnomocników właściciela ziemi, przedstawicieli wyższej hierarchii duchownej, sprawdzających, jak księża czy pastorzy radzą sobie z parafianami, lub ścigających domniemane czarownice, czyli wiejskie znachorki. Niektóre rejony położone niezbyt daleko od wielkich miast odnosiły korzyści gospodarcze i kulturalne z coraz częstszej wśród ludzi zamożnych mody na budowanie domów wiejskich, służących albo wypoczynkowi, albo jako ośrodki zarządzania gospodarstwem wiejskim. Tego rodzaju domy – nowe pałacyki, pawilony myśliwskie i wille lub przebudowane stare zamki – powstawały w elżbietańskiej Anglii, na wzgórzach wokół Florencji, Rzymu czy Madrytu.

Przemieszczanie się z miejsca na miejsce charakterystyczne było dla takich grup, jak studenci, dysydenci religijni, a także malarze, rzeźbiarze i muzycy. Do Włoch ściągali licznie ludzie sztuki, ale włoskich wychodźców religijnych spotkać można było w Genewie – gdzie okazywali się, jak narzekał Kalwin, bardziej nieprzewidywalni i niezdyscyplinowani pod względem wierności doktrynie niż Francuzi – a także w Polsce i Anglii. Szkoci chętnie wyjeżdżali po nauki do Genewy lub Francji albo do Rzymu, jeśli pozostali przy wierze katolickiej. Włoskie uniwersytety wciąż przyciągały rzesze studentów z zagranicy, a wysiłki Filipa II, aby zatrzymać hiszpańskich uczonych w kraju, zakończyły się niepowodzeniem. Cudzoziemcy mieszkający w miastach takich jak Bolonia, Perugia czy Wenecja – studenci, duchowni, kupcy, rzemieślnicy – łączyli się w grupy jednej „nacji", dające swoim członkom wszelkiego rodzaju wsparcie i możliwość porozumiewania się w rodzimym języku. Nacje pojmowano wąsko – na przykład w Rzymie mieszkały nacje z Bergamo i Nursji, lub szerzej – w skład nacji niemieckiej na uniwersytecie w Perugii wchodzili też Czesi, Węgrzy i część Niderlandczyków (Flamandowie byli związani z nacją francuskojęzyczną). Na uniwersytecie w Glasgow, gdzie silnie oddziaływały wpływy Bolonii, rozmaite studenckie „nacje" działały do XX wieku. Hiszpańskie bractwo narodowe w Rzymie (po 1580 roku przyjmujące Portugalczyków, Katalończyków i Kastylijczyków) skupiało ambasadorów, kardynałów, prawników i rzemieślników. Dziś uważa się, że działalność tej grupy odegrała kluczową rolę w imperialnej polityce Filipa II i dała początek bardziej nowoczesnemu pojęciu nacjonalizmu.

Kobiety i mężczyźni

Wiek XVI był okresem żywych dyskusji na temat natury kobiet i ich roli w społeczeństwie, toczonych przede wszystkim w północnych Włoszech, Francji i Anglii. Historycy nie są zgodni, czy nastawienie do kobiet stało się wówczas mniej, czy bardziej mizoginiczne i czy ich sytuacja społeczna i ekonomiczna poprawiła się, czy pogorszyła. Trudno doszukać się jakichś obowiązujących powszechnie trendów. Dzięki rozpowszechnieniu się w XVI wieku druku możemy poznać ówczesne poglądy i postawy, ale wśród wydawanych wtedy pism znajdują się i niechętne kobietom diatryby, i teksty w ich obronie autorstwa zarówno kobiet, jak mężczyzn, od końca wieku częste zwłaszcza w Wenecji. Pod względem prawnym sytuacja kobiet była bez wątpienia gorsza niż mężczyzn, mniejszy był również ich wpływ na politykę, chyba że przyszło im rządzić, jak Marii i Elżbiecie Tudor, królowym angielskim, Marii Stuart, królowej szkockiej, czy wreszcie Katarzynie Medycejskiej, francuskiej regentce i królowej matce. Kobiety nie wchodziły w skład organów przedstawicielskich ani rad miejskich, a jeśli pozwalano im wstąpić do cechu, nigdy nie zajmowały wyższych stanowisk, choć na początku XVI wieku w Kolonii i Norymberdze istniało kilka cechów wyłącznie kobiecych. Prawo kobiet do podpisywania umów i kontraktów było nader ograniczone, zwykle potrzebowały one pozwolenia męża na kupno lub sprzedaż detaliczną. Z tego powodu często nie pojawiają się w źródłach historycznych, choć współcześni badacze życia społecznego potrafią odtworzyć rolę i zakres wpływów kobiet, badając na przykład testamenty.

Rodziny stanowiły najczęściej zintegrowaną wspólnotę jedno- lub wielopokoleniową. Kobiety i dziewczęta – żony, córki, wdowy – pomagały w uprawianiu rzemiosła lub prowadzeniu gospodarstw rolnych, zajmując się jednocześnie opieką nad dziećmi. Młode dziewczęta i kobiety niezamężne szły na służbę lub pracowały poza domem rodzinnym jako tkaczki, ale stawały się wówczas członkiniami nowej wspólnoty. Prawdopodobnie coraz więcej kobiet zamężnych i niezamężnych zyskiwało niezależność ekonomiczną, zwłaszcza w Niderlandach, północnej Francji i północnych Włoszech, pracując jako tkaczki lub koronczarki, rzadziej jako aptekarki, oberżystki (w Londynie od 1514 roku na równych prawach jak „bracia" cechowi), a nawet kowale w weneckiej zbrojowni. Rodzinne wspólnoty rzemieślnicze i rolnicze trzymały się jednak mocno. Praca kobiet bywała na ogół bardziej niewdzięczna i wymagała mniejszych kwalifikacji, ale ponieważ uczono je czytać, pisać i rachować, mogły także prowadzić księgi rachunkowe. Wiadomo również, że we Włoszech, gdzie silnie rozwijało się drukarstwo, kobiety zamężne i wdowy stały się cenionymi zecerami i korektorkami; w Niderlandach i Włoszech prowadziły drukarnie, a zdarzało się, że i obsługiwały prasy drukarskie. Do wyższej pozycji społecznej i ekonomicznej dochodziły zwykle wdowy, ale w tej kwestii istniało silne zróżnicowanie, jeśli chodzi o rodzaj uprawianego zajęcia i rejon geograficzny, ponieważ cechy zajmowały zupełnie różne stanowiska. Drukarze i piekarze prawdopodobnie patrzyli na kobiety przychylniejszym okiem niż na przykład tkacze. W miastach niemieckich pozycja kobiet znacznie się pogorszyła, po części z powodu negatywnego nastawienia do nich działaczy reformacyjnych, ale w Anglii i w północnych Włoszech wdowy zyskały więcej możliwości i wpływów. W Toskanii żony i wdowy podlegały niezmiennie silnej kontroli ze strony męskich krewnych, podczas gdy w Wenecji i Rzymie w coraz większym zakresie mogły zarządzać swoimi posagami i decydować o sprawach rodzinnych, takich jak małżeństwa, a nawet posiadać ziemię, jeśli została im zapisana w testamencie przez męża. Choć w Anglii z kolei sytuacja wdów po rzemieślnikach, często pozbawionych wsparcia ze strony cechu, co było zwyczajem w miastach włoskich, bywała bardzo trudna.

Kwestia wpływu dysput i walk religijnych na sytuację kobiet nadal pozostaje przedmiotem kontrowersji. Zgodnie z protestancką interpretacją Biblii, upatrującą w kobiecie źródła grzechu pierworodnego, kobieta była zarówno istotą niższego rzędu, jak i niebezpieczną, bo mogącą omamić mężczyznę. W środowisku zwolenników Lutra dominowały postawy mizoginiczne. Wizje zawarte w obrazach i rysunkach Hansa Baldunga Griena oraz drukowanych według nich rycinach traktowano je jako wyobrażenia niebezpiecznych, niosących zgubę czarownic, uczestniczek orgiastycznych sabatów, kuszących swą nagością. Wyobrażenia te przyczyniły się ponoć do polowań na czarownice, podobnie jak zawarty w Starym Testamencie nakaz karania czarownic śmiercią. W Niemczech i Anglii dowodzono, że kobiety są zbyt dominujące, że panują nad mężczyznami, uzurpując sobie męskie role, i że teraz nowe nauczanie religii powinno zmusić kobiety do pozostania w domu w roli posłusznych żon i oddanych dzieciom matek. Kwestią do dyskusji jest, czy tego rodzaju poglądy, a także prześladowania rzekomych czarownic, czyli kobiet rozpasanych seksualnie, powinno się traktować jako świadectwa męskiej tyranii i mizoginizmu, czy raczej przejawy coraz skuteczniejszego zdobywania przez kobiety należnej pozycji w społeczeństwie. Protestancka żarliwość doprowadziła do zamknięcia domów publicznych i zlikwidowania dzielnic czerwonych latarni w niektórych miastach niemieckich, natomiast władze katolickie skłaniały się do tolerowania koncesjonowanej prostytucji, którą traktowano jako mniejsze zło, miała ona bowiem chronić uczciwe kobiety przed męską pożądliwością. Wszystkie wyznania gorąco nawoływały do zawierania małżeństw i podnosiły zalety stanu małżeńskiego, choć dla protestantów małżeństwo przestało już być sakramentem. Zmalała tolerancja dla nieprawego pochodzenia, pogorszyła się więc sytuacja nieślubnych dzieci, częściej też wypędzano ciężarne służące, które dawniej mieszkały bez przeszkód przy dużych rodzinach.

O ile nasilenie się pobożności okazało się pod pewnymi względami niekorzystne dla kobiet, o tyle pod koniec XVI wieku w miastach wystąpiły również pozytywne zjawiska. Dążenie do pobudzenia w rodzinach większej pobożności i praktykowania cnót chrześcijańskich sprawiało, że zachęcano do odmawiania modlitw w domach i czytania literatury religijnej. W domach protestanckich sięgano najczęściej do Biblii (choć zdarzało się czasem, że otwierano ją przede wszystkim po to, aby wpisać narodziny lub zgony w rodzinie), podczas gdy katolików, którzy nie powinni trzymać w domach przekładów Pisma Świętego na język ojczysty, zachęcano do lektury innego typu tekstów dewocyjnych. Ojciec, jako głowa rodziny, miał obowiązek czuwać nad pobożnością jej członków, ale matce przypadała rola nauczycielki, wpajającej młodemu pokoleniu nawyk czytania pism religijnych. W połowie stulecia w drukarniach weneckich zaczęto drukować książki dla rodziców, mające ułatwić im nauczenie dzieci czytania. W krajach katolickich dziewczęta z zamożnych rodzin wysyłano na naukę do klasztorów; później wychodziły one zwykle za mąż i mogły uczyć swoje dzieci. Wśród tych, które nie opuściły klasztornych murów i zostały zakonnicami, zdarzały się kompozytorki, malarki i pisarki tworzące dzieła o tematyce religijnej, a niektóre zakonnice, takie jak choćby Magdalena de'Pazzi, zdołały skłonić władze zarówno duchowne, jak świeckie do reform religijnych i zmierzających do naprawy moralności.

W środowiskach artystycznych sławę zyskały, nieliczne co prawda, kobiety uprawiające poezję, malarstwo czy muzykę. Większość – na przykład malarki Marietta Robusti Tintoretto, Lavinia Fontana czy kompozytorka Francesca Caccini – została zachęcona do twórczości artystycznej i wprowadzona w jej tajniki przez ojców lub mężów, ale Sofonisba Anguissola, nie mając tego rodzaju wsparcia, zdołała wyjechać z Włoch na dwór hiszpański, gdzie przez pewien czas działała jako nadworna portrecistka; powróciła do kraju, aby uczyć młodszą siostrę i wspomóc finansowo ojca i brata. Niektóre uznane artystki były jednocześnie kurtyzanami (takie jak poetka Tullia d'Aragona w Rzymie i Florencji), choć niekiedy otaczała je zła sława, oskarżano je bowiem o kupczenie wdziękami dla własnych celów; przykładem mogą być tu siostry Basile, w końcu XVI wieku śpiewające na dworach w Mantui i Rzymie. Henryk III, wracając w 1573 roku z Polski po krótkim okresie panowania, aby objąć tron francuski po śmierci brata, specjalnie nadrobił drogi, ponieważ chciał spotkać się z wielce utalentowaną wenecką poetką Veroniką Franco. Później wymieniali się wierszami. Franco walczyła o miłosierne traktowanie prostytutek, które popadły w tarapaty, a także ich dzieci, sprzeciwiając się umieszczaniu ich w instytucjach przypominających więzienia. Opowiadanie się po stronie kobiet przysporzyło Henrykowi niechęci ze strony osób, które uważały, że na jego dworze ton nadaje włoska zniewieściałość zamiast ducha bojowego i prawdziwej pobożności.

Włochy uchodziły za kraj swobody seksualnej mężczyzn i kobiet, mimo że wybitni włoscy reformatorzy, podobnie jak protestanci z Europy Północnej, nawoływali do wstrzemięźliwości, dotrzymywania wierności małżeńskiej lub zachowania czystości. Cudzołożników ścigano zarówno w niektórych rejonach Włoch, jak i w Szkocji, Genewie czy Katalonii, ale zwykle były to działania dość chaotyczne. Po soborze trydenckim, mimo zakazów i prowadzonych przez biskupów dochodzeń, parafianie nadal uważali za rzecz zwykłą, że gospodynią na plebanii jest urodziwa niewiasta (a nawet matka dzieciom), nie zaś leciwa krewna proboszcza, o ile kobieta była dyskretna i nie miała zwyczaju się panoszyć. Wydaje się, że w północnych Włoszech i we Francji powstawało najwięcej tekstów w obronie równości kobiet, ich prawa do uczestnictwa w kulturze oraz do zadowolenia z życia seksualnego – tego rodzaju postawy dostrzec można w poezji miłosnej Gaspary Stampy, Louise Labé, a także Veroniki Franco. Mimo drakońskich ustaw miejskich zakazujących nienaturalnych, niezwiązanych z prokreacją stosunków seksualnych, zwłaszcza między mężczyznami – czyli szeroko pojętej „sodomii" – w przesyconej humanizmem aurze początków XVI wieku akceptowano lub tolerowano miłość i przyjaźń między mężczyznami, duchową, a czasem fizyczną, oraz biseksualizm. Bez ogródek pisze o tym w *Żywocie własnym* znany z awanturniczego usposobienia florencki złotnik i rzeźbiarz Benvenuto Cellini. W tego rodzaju sprawach rzadko orzekano surowe wyroki, wyjątek stanowiły kary dla księży pedofilów. Florencję i Wenecję równie mocno krytykowano za tolerowanie homoseksualistów, jak i kurtyzan. Choć w połowie stulecia sytuacja zaczęła się zmieniać, rozpoczęto walkę z prostytucją i „sodomią" (jej skutków doświadczył również Cellini), Wenecja utrzymała reputację miasta przyzwalającego na swobodę seksualną przynajmniej mężczyzn, co sprawiało ponoć, że ściągali do niej dżentelmeni z elżbietańskiej Anglii.

Ubóstwo i kontrola społeczna

Ubóstwo, podobnie jak uroda, to rzecz względna, zależy od osobistych upodobań i obowiązujących w danym czasie kanonów. Kwestia ta stanowiła w XVI wieku przedmiot gorących dyskusji, żywych wśród badaczy także i dziś. Od początku XVI wieku sprawa ubóstwa zaprzątała umysły ludzi Kościoła, polityków i myślicieli humanistów, dla których punktem odniesienia stało się dzieło hiszpańskiego pedagoga osiadłego w Niderlandach, Juana Luisa de Vivesa, *De subventione pauperum* (O wspomaganiu ubogich). Vives pisał, że liczba nędzarzy wzrasta i że stanowić oni będą zagrożenie, przede wszystkim w miastach, gdzie ściągają ludzie z okolic spustoszonych przez wojny oraz pozbawieni środków do życia wskutek grodzenia. Dobroczynność dawnego typu (zbytnio jakoby pobłażająca) zachęcała do nieróbstwa i nie wspomagała naprawdę potrzebujących oraz tych, którzy na pomoc zasłużyli. W latach dwudziestych władze miejskie, idąc za przykładem Norymbergi, Ypres, Mons, Brugii i Wenecji, wprowadzały różnego rodzaju rozwiązania prawne i szukały sposobów rozwikłania problemu. Miasta, takie jak Wittenberga, Lille czy Wenecja, próbowały zorganizować bardziej systematyczną pomoc dla ubogich, na przykład zaopatrzenie w żywność w razie jej niedostatku, choć w zasadzie prowadziły politykę wymierzoną przeciwko nędzarzom. Uciekano się do karania lub wypędzenia z miasta włóczęgów (w Paryżu tego rodzaju próby podjęto już w 1516 roku) i żebraków (zwłaszcza świeżo przybyłych), a czasami prostytutek. Żebractwo było zakazywane lub poddawane ścisłej kontroli. Najbardziej potrzebującym udzielano pozwolenia na żebranie, jak działo się w Londynie od lat dwudziestych. Wprowadzenie ścisłego nadzoru było bardzo trudne, coraz powszechniej zdawano sobie jednak sprawę, że władze mogą i powinny objąć kontrolą potencjalnie niebezpieczną populację nędzarzy i bezpośrednio lub pośrednio udzielać jakiegoś wsparcia ludziom naprawdę potrzebującym. Do tych ostatnich zaliczano dzieci, stare kobiety i (czasami) osoby dotknięte ciężkim kalectwem. Wywierano presję na miejscowe społeczności, parafie i rodziny, aby pomagały swoim ubogim.

W ciągu XVI wieku w Europie Zachodniej postawy wobec nędzarzy i stosowana względem nich polityka podlegały złożonym, wielorakim zmianom. Wpływ na to miały między innymi konflikty religijne. Zamknięcie przez protestantów klasztorów i likwidacja bractw religijnych oznaczały utratę jednego ze źródeł pomocy dla ubogich. W krajach protestanckich teoria zbawienia wyłącznie przez wiarę początkowo sprawiła ponoć, że ograniczano działania filantropijne; niejako w odpowiedzi na to zaczęto rozwijać dobroczynność w krajach katolickich – w północnych i środkowych Włoszech, Hiszpanii, niektórych rejonach Francji. Do końca wieku różnice między katolikami a protestantami stały się jednak mniej wyraźne. Protestanci nie uznawali znaczenia dobrych uczynków dla zbawienia, ale wybitni działacze kalwińscy w Anglii, Szkocji czy Genewie zachęcali do dobroczynności, widząc w tego rodzaju poczynaniach znak, że jest się przeznaczonym do zbawienia, choć większy nacisk kładziono na nauczanie niż wsparcie materialne. Przytułki dla ubogich starców zakładano zarówno w katolickich Münster czy Wenecji, jak w protestanckich Londynie, Salisbury czy Yorku. Władze protestanckie i katolickie próbowały usprawnić system szpitalnictwa, łącząc mniejsze hospicja w duże instytucje (co Mediolan i inne lombardzkie miasta zrobiły już w XV wieku). Szpitale służyły ubogim, nie zaś bogatym, których lekarze odwiedzali w domach. Syfilis, przywleczony ponoć z Ameryki w latach dziewięćdziesiątych poprzedniego stulecia, po raz pierwszy dał o sobie znać podczas francuskiego najazdu na Neapol, dlatego nazywano go chorobą francuską lub neapolitańską. Dla ofiar tej nieuleczalnej przypadłości zakładano szpitale w Rzymie i Neapolu, a później w całej Europie. Od połowy XVI wieku coraz liczniej zaczęły powstawać domy dla sierot i dzieci porzuconych, a także dla skruszonych prostytutek, a nawet maltretowanych żon („szpitalem" dla bezdomnych dzieci stała się w 1553 roku dawna rezydencja królewska w Londynie, Bridewell). W latach sześćdziesiątych w Ipswich i Norwich założono domy poprawy dla żebraków, gdzie mogli oni znaleźć schronienie, a jednocześnie poddawani byli ścisłemu nadzorowi, uczeni religii, moralności i pracy na rzecz instytucji i gdzie mieli zapewnioną opiekę medyczną. Tego rodzaju instytucje kontroli społecznej rozpowszechniły się na większą skalę w następnym stuleciu, przede wszystkim we Francji. W Anglii próbowano wprowadzić uregulowania prawne dotyczące ubogich (okazały się nie całkiem konsekwentne), w myśl których każda parafia miała opiekować się swoimi ubogimi; włóczędzy (zwłaszcza przybywający do Londynu czy Norwich) mieli być odsyłani do parafii, w których się urodzili. Władze włoskie i hiszpańskie także zachęcały parafie do pomocy ubogim, nie domagano się jednak odsyłania ich do miejsca pochodzenia.

W końcu XVI wieku w miastach Europy Zachodniej funkcjonował już dość sprawny system opieki (składały się na niego instytucje dobroczynne prowadzone przez państwo, Kościoły oraz osoby prywatne) oraz bardziej rygorystyczna kontrola moralna i społeczna. Na ulicach jednak nadal widać było mnóstwo nędzarzy i włóczęgów, nie zlikwidowano band ulicznych (doskonale ponoć zorganizowanych, choćby w Sewilli czy Rzymie), a sytuację pogorszyła jeszcze klęska głodu, która w latach dziewięćdziesiątych dotknęła całą Europę.

Obawy i napięcia

Często podkreśla się, że w XVI wieku nastąpił wyraźny wzrost poziomu niepokojów i napięć społecznych. Przyczyniły się do tego zmiany systemu własności ziemi i powstanie rzeszy bezrolnego chłopstwa oraz wojny prowadzone na niespotykaną dotąd skalę, przy użyciu wielkich liczebnie armii. Największe żniwo zbierały choroby i głód. Reformacja i wojny religijne sprzyjały powstawaniu rozterek natury duchowej, a ostateczny podział chrześcijaństwa i umocnienie się Kościołów sprawiło prawdopodobnie, że więcej wiernych obawiało się, że ich wiara i praktyki zostaną zakwestionowane czy to przez protestanckie konsystorze, czy katolicką inkwizycję. Niektórzy historycy kultury kładą nacisk na pozorny odwrót od optymizmu typowego dla renesansowej myśli humanistycznej na rzecz sprzecznego z jej założeniami sceptycyzmu, wątpliwości, irracjonalizmu, pokładania wiary w astrologię i wiedzę tajemną.

Za jeden z głównych symptomów panujących w tym okresie napięć uważa się polowania na czarownice, wywołane strachem przed zaburzeniami społecznymi i niechęcią wobec obcych, a także bezkrytyczną wiarą, nawet w środowiskach wykształconych, w fantastyczne opowieści o poczynaniach diabła i jego wspólniczek. Obawa przed „innymi" – czy byli to Żydzi, czy Cyganie, anabaptyści czy kobiety pozostające poza władzą (i ochroną) mężczyzn – owocowała prześladowaniami. Należy podkreślić, że polowania na czarownice przybierały rozmaity charakter w zależności od czasu i miejsca. Nasilone, lecz bardzo ograniczone geograficznie prześladowania miały miejsce w Lotaryngii, w okolicach Ge-

SPOŁECZEŃSTWO

newy i w Szkocji. Wiele zależało od miejscowego systemu prawnego i sądowniczego, od wykształcenia sędziów, dopuszczalnego zakresu stosowania tortur i od tego, czy oskarżyciele mogli liczyć na korzyści finansowe. Na Półwyspie Iberyjskim i we Włoszech sprawy o czary, praktyki magiczne i konszachty z diabłem leżały w kompetencjach inkwizycji. Nie urządzano tam wielkich polowań na czarownice, rzadko wymierzano surowe kary, a podsądnymi bywali częściej duchowni i ludzie profanujący sakramenty niż stare wiejskie kobiety. Funkcjonariusze inkwizycji, dobrze wykształceni i z umiarem stosujący tortury, otrzymywali odgórne polecenia zachowania sceptycyzmu wobec złośliwych pomówień ze strony sąsiadów, którym zaklęcia nie pomogły wyzdrowieć lub zdobyć wzajemności w uczuciach albo którym niespodziewanie umarło dziecko. W społecznościach europejskich nie brakowało ludzi – częściej były to kobiety niż mężczyźni, ponieważ ci ostatni mogli zostać duchownymi i lekarzami – próbujących uzdrawiać, praktykować nieuznane zabiegi medyczne, zaklęcia miłosne czy wróżby. Ich poczynania czasem przynosiły dobre rezultaty, a czasem okazywały się próżne; szanowano te kobiety, ale równie często budziły one strach. Liczba straconych czarownic jest zwykle wyolbrzymiana i nie porównuje się jej z trudniejszą do oszacowania liczbą równie okrutnie karanych „zwykłych" przestępców. Za czary karano jednak znacznie więcej kobiet niż mężczyzn (stosunek wynosi 70:30), co nie ma odpowiednika przy przestępstwach innych kategorii.

W XVI wieku na życie mieszkańców Europy coraz większy wpływ wywierało rozpowszechnianie się druku, a co za tym idzie, informacji – i dezinformacji. Coraz większe rzesze mogły dowiadywać się o wydarzeniach rozgrywających się gdzieś daleko, czy to o morderstwie Henryka IV, czy o zarazie, czy wreszcie o zwiastujących katastrofę narodzinach potwora. Sprzyjało to narastaniu obaw i napięć. Z kolei innego rodzaju nowinki i wieści o zwycięstwie w wojnie religijnej lub lekarstwie na ospę mogły budzić nadzieje. Dzięki wędrownym handlarzom i wiadomościom przekazywanym z ust do ust dostęp do informacji miała większość niepiśmiennych mieszkańców przynajmniej Europy Zachodniej.

Pisząc o społeczeństwie XVI wieku, współcześni historycy o nastawieniu pesymistycznym kładą nacisk na konflikty społeczne, polityczne

133

i religijne. Optymiści podkreślają znaczenie więzi społecznych oraz mobilności społeczeństw Europy Zachodniej, próby rozwiązania najbardziej palących problemów (nawet jeśli rozwiązania te wiązały się z karami), poprawę stanu zdrowotności, rozwój konsumpcji, a więc i wzrost poziomu życia – przynajmniej przed ciężkim kryzysem trwającym od lat dziewięćdziesiątych do 1610 roku.

4

Życie umysłowe

Charles G. Nauert

Na początku XVI wieku kultura renesansowych Włoch zaczęła wywierać przemożny wpływ na kulturę Europy Północnej, która wiele zawdzięcza włoskiemu humanizmowi. Przede wszystkim – powrót do klasycznej łaciny oraz znajomość dwóch języków, greki i hebrajskiego, niemal zupełnie nieznanych średniowiecznemu zachodniemu chrześcijaństwu. Wraz z językami przyszło większe zainteresowanie literaturą klasyczną. Do roku 1500 ukazały się drukiem utwory najwybitniejszych pisarzy rzymskich; sto lat później w obiegu znajdowała się większość dzieł starożytnej literatury greckiej i patrystycznej, a ponadto wiele z nich opublikowano w przekładach na języki narodowe. Ważniejsze było jednak to, że przedstawiciele renesansu (odrodzenia kulturalnego) od czasów Petrarki (1304–1374) wypracowywali własną wizję dziejów Europy i swojego w niej miejsca. W myśl tej koncepcji „barbarzyństwo" wieków średnich mogło zostać przezwyciężone dzięki wysiłkom humanistów, dążących do powrotu do cywilizacji antycznej poprzez ponowne odkrycie dziedzictwa starożytności. Wiara w to, że można stworzyć lepszy świat, odwołując się do spuścizny piśmienniczej Grecji i Rzymu, ukształtowała umysłowość warstw wykształconych po obu stronach Alp. Pojawiły się głosy żądające reformy szkół i uniwersytetów – ograniczenia zakresu przedmiotów dominujących dotychczas w nauczaniu (przede wszystkim dialektyki) i przykładania większej wagi do języków i literatury klasycznej. Średniowieczne programy nauczania przetrwały długo po 1600 roku, ale mimo to w XVI wieku wpływ idei humanizmu na edukację stawał się coraz większy.

135

Europa Północna i humanizm chrześcijański

Humanizm narodził się we Włoszech, a uczeni i myśliciele każdego kraju czerpali z niego tylko to, co wydawało im się znaczące. Wielu włoskich humanistów było ludźmi głęboko religijnymi, sam nurt jednak miał w zasadzie charakter świecki, zmierzał do reformy nauczania, piśmiennictwa, a nawet życia politycznego, ale nie stawiał sobie wyraźnie określonych celów religijnych. Kultura Europy Północnej miała charakter zupełnie inny. Aby humanizm mógł się rozpowszechnić, przemówić nie tylko do garstki ludzi zafascynowanych Włochami, musiał stać się czymś więcej niż samym tylko umiłowaniem antyku. Musiał stać się chrześcijański. W Europie Północnej późnego średniowiecza rozwijało się wiele ruchów, których celem była reforma Kościoła i dążenie do odnowy duchowej jednostek, humanizm więc, aby przyciągnąć ludzi, musiał wpisać się w ten nurt. Pierwsi humaniści północnoeuropejscy nie przywiązywali większej wagi do duchowości. Prekursorzy humanizmu w Niemczech, „wędrujący poeta" Peter Luder (1415–1472) oraz Conrad Celtis (1459–1505), znany głównie jako propagator nowej nauki i organizator towarzystw humanistycznych w miastach niemieckich, słynni byli z awanturniczego i rozwiązłego życia. W swoich wierszach pisali więcej o pijaństwie i kobietach niż o świętości. Najwybitniejsza postać wśród wczesnych humanistów francuskich, Robert Gauguin (1423–1501), choć był szanowanym zakonnikiem, pisał na tematy świeckie, takie jak najdawniejsza historia Franków. Nie miał programu odnowy religii poprzez naukę.

Około roku 1500 niektórzy humaniści zaczęli jednak łączyć pragnienie powrotu do cywilizacji antycznej z dążeniem do odnowy życia duchowego i do instytucjonalnej reformy Kościoła. Przedstawicielami tej nowej tendencji byli alzacki humanista Jakob Wimpfeling (1450–1528) oraz dziekan katedry Świętego Pawła, John Colet (1467–1519). Obaj traktowali lepszą edukację elit świeckich i duchownych jako skuteczne narzędzie stopniowej poprawy kondycji chrześcijaństwa. Obaj ulegli wpływom włoskiego humanizmu, choć zarazem obawiali się, że studiowanie literatury klasycznej wystawi uczniów na wpływ pogaństwa, co może podkopać ich wiarę i moralność. Niebezpieczeństwa tego pozwalały uniknąć studia nad dziełami pisarzy chrześcijańskich końca starożytności. Wimpfeling i Colet uwzględnili w programach nauczania tylko kilku pogańskich autorów o nienagannej reputacji, takich jak Cycero i Wergiliusz, ponieważ uznawano ich za mistrzów łacińskiego stylu i obrońców najwyższych wartości moralnych możliwych do osiągnięcia w świecie przedchrześcijańskim. Dla poetów znanych z rozwiązłego życia, takich jak Horacy, Owidiusz czy Marcjalis, nie przewidziano miejsca w chrześcijańskich szkołach.

Przed rokiem 1500 żaden z humanistów północnoeuropejskich nie znalazł jednak odpowiedzi na pytanie, jak połączyć uwielbienie dla cywilizacji antycznej z wysiłkami na rzecz przywrócenia wewnętrznego ducha Kościoła z początków chrześcijaństwa. Twórcami chrześcijańskiego humanizmu byli Francuz Jacques Lefèvre d'Etaples (ok. 1453––1536) i Holender Erazm z Rotterdamu (ok. 1467–1536). Podobnie jak Wimpfeling i Colet wierzyli oni, że najlepszym sposobem naprawy rozkładającego się chrześcijaństwa jest lepsze kształcenie przyszłych przywódców. Obaj uważali za konieczne odwoływanie się do Biblii oraz pism Ojców Kościoła, a także do najwybitniejszych dzieł myśli klasycznej. Erazm chętniej wypowiadał się na temat wad współczesnego Kościoła utrudniających odnowę duchową i dawał upust swemu zacięciu satyrycznemu w takich rozprawach, jak *Pochwała głupoty* czy *Rozmowy*. W dziełach tych wyszydzał duchownych, którzy wykorzystują prostych ludzi poprzez narzucanie im praktyk mających niewiele wspólnego z religijnością, ale służących pomnażaniu bogactwa i wpływów kleru. Erazm był również wrażliwy na niesprawiedliwość społeczną i opowiadał się za pokojem w epoce nieustannych wojen.

Lefèvre d'Etaples wiele lat wykładał na uniwersytecie paryskim, głównym ośrodku średniowiecznego scholastycyzmu. Zafascynowany współczesną kulturą włoską trzykrotnie wyjeżdżał do Włoch (1491–1507), aby pogłębić znajomość nowych prądów w nauce. Utrzymywał kontakty z głównymi przedstawicielami florenckiego neoplatonizmu, Marsiliem Ficino (1433–1499) i Giovannim Pico della Mirandola (1463–1494), a przede wszystkim próbował odkrywać na nowo Arystotelesa, największy autorytet w filozofii, wprowadzając tłumaczenia bezpośrednio z greki na miejsce trzynastowiecznych wersji łacińskich. Wydawał również dzieła starożytnych i średniowiecznych mistyków oraz greckich przedstawicieli patrystyki. W 1508 roku zakończył karierę akademicką i poświęcił się studiom nad Pismem Świętym. Jego *Psalterium Quincuplex*

(1509) i komentarze do Listów świętego Pawła (1512), choć mniej odkrywcze od biblistycznych dzieł Erazma z Rotterdamu, zostały wydane pierwsze.

Program religijny Erazma z Rotterdamu

Dzieła Erazma z Rotterdamu wywarły ogromny wpływ na pokolenie młodych, idealistycznie nastawionych humanistów dążących do przekształcenia otaczającego ich świata. Studia Erazma nad literaturą klasyczną, pismami Ojców Kościoła i Biblią oraz wypracowana przezeń koncepcja pobożności jednostki i reformy Kościoła zdobyły szeroki rozgłos wśród elit umysłowych Europy Zachodniej. W młodości i w początkach pobytu w zakonie interesował się on głównie literaturą i lingwistyką; podczas studiów teologicznych w Paryżu doszedł do wniosku, że zajmowanie się scholastyką jest jałowe pod względem intelektualnym i szybko zwrócił się w stronę poezji, stając się jednym z wielu poetów humanistów, jacy gromadzili się w stolicy Francji.

Między rokiem 1498 a 1505 Erazm zarzucił poezję – nie odniósł zresztą na tym polu większych sukcesów – i został przywódcą skupiającego humanistów ruchu reformatorskiego, dążącego nie tylko do przybliżenia współczesnym literackiej spuścizny starożytnej Grecji i Rzymu, ale też do przywrócenia siły duchowej wczesnochrześcijańskiego Kościoła, przejawiającej się w Nowym Testamencie i pismach Ojców Kościoła. Erazm nazywał swoje koncepcje „filozofią Chrystusową" – to ona stanowiła fundament jego działalności jako chrześcijańskiego uczonego. W myśl tej „filozofii" zasadniczą sprawą dla chrześcijanina jest osobista pobożność i miłość do Boga, nie zaś rzeczy zewnętrzne, takie jak dogmaty czy obrzędy. Wyrazem tej osobistej pobożności powinno być życie poświęcone działaniom na rzecz religii i społeczeństwa. Koncepcje swoje przedstawił Erazm w *Podręczniku rycerza Chrystusowego* (1503), który stał się popularną książką dewocyjną. Erazm uważał także, że poważne studia nad Biblią i pismami Ojców Kościoła wymagają doskonałej znajomości greki, języka Nowego Testamentu. Sformułował program chrześcijańskiej nauki, której podstawę miały stanowić greckie teksty Nowego Testamentu i patrystyka, dążył bowiem do przywrócenia ducha wczesnego chrześcijaństwa. Uważał również, że studia powinno się zaczynać od największego erudyty spośród piszących po łacinie Ojców Kościoła – świętego Hieronima, autora Wulgaty, łacińskiego przekładu Biblii. W latach 1504–1505 wydał odkryte przez siebie, niepublikowane komentarze do Nowego Testamentu autorstwa włoskiego humanisty Lorenza Valli, który dzięki znajomości greki objaśnił niezrozumiałe fragmenty Biblii łacińskiej. Umocniło to Erazma w przekonaniu o konieczności przebadania greckiego tekstu Nowego Testamentu i włączenia płynących z tego spostrzeżeń do programu odnowy. Realizacja ambitnego programu studiów biblijnych, patrystycznych i klasycznych kosztowała go ponad dziesięć lat ciężkiej pracy, z których trzy spędził we Włoszech. W 1516 roku, najbardziej płodnym okresie twórczości uczonego, ukazały się pierwsze wydanie greckiej wersji Nowego Testamentu, czterotomowa edycja listów świętego Hieronima oraz (jako świadectwo nieprzemijającego zainteresowania literaturą klasyczną) pisma rzymskiego filozofa etyki, Seneki. Dzięki tym publikacjom Erazm z Rotterdamu stał się najbardziej znanym uczonym europejskim i niedościgłym wzorem dla młodych humanistów, podzielających jego dążenie do gruntownej (lecz stopniowej i pokojowej) reformy zarówno życia duchowego, jak i kościelnych struktur chrześcijaństwa. Wcześniej ukazało się drukiem kilka cieszących się popularnością rozpraw krytycznych wobec współczesnego Kościoła i społeczeństwa; największy rozgłos zdobyła *Pochwała głupoty*, która wyszła w 1511 roku, a w kolejnych wydaniach została znacznie rozszerzona. Erazm wypracował chrześcijańską odmianę humanistycznej nauki i własną, specyficzną wizję odnowy religijnej.

Dzieła Lefèvre'a d'Etaples i Erazma z Rotterdamu wywoływały krytyczne opinie ze strony zachowawczych teologów, którzy postrzegali kwestionowanie uznanego łacińskiego tekstu Biblii i piętnowanie nadużyć kleru jako zamach na autorytet Kościoła. Obaj uczeni stali się obiektami podejrzeń i gwałtownych ataków, tym silniejszych, im bardziej rozpowszechniała się herezja Lutra. Dokonany przez Lefèvre'a d'Etaples przekład Nowego Testamentu na język francuski uznano za dowód luterańskich sympatii tłumacza. Atakowany tego rodzaju pomówieniami sędziwy humanista wycofał się z życia publicznego i osiadł na dworze swej patronki Małgorzaty Nawarskiej; w ostatnich dziesięciu latach życia zarzucił wysiłki na rzecz reformy Kościoła, choć podobnie jak Erazm nigdy z nim nie zerwał.

Erazm z Rotterdamu stał się osobistością bardziej wpływową niż Lefèvre d'Etaples, do jego prac odwoływali się humaniści różnych generacji. Przedstawiciele najmłodszego pokolenia nabrali dzięki niemu przekonania, że triumf „filozofii Chrystusowej" i reforma Kościoła są nieuniknione. Nadzieje te zgasły, gdy reformatorzy spod znaku filozofa z Rotterdamu zaangażowali się w ruch reformy protestanckiej. Od kiedy stało się jasne, że reformacja dzieli Kościół, większość starszych wiekiem humanistów dołączyła do Erazma, który odżegnał się od wszelkich wcześniejszych sympatii do Marcina Lutra. Dla młodszych decydujące znaczenie miał atak na Lutra zawarty w traktacie *O wolnej woli* (1524), ponieważ wielu z nich, nadal doceniając dokonania naukowe Erazma oraz celną krytykę nadużyć Kościoła i możnych, nie chciało już parać się samą tylko nauką i zdecydowało się przejść na luteranizm. Staremu myślicielowi wierni pozostali humaniści trwający przy katolicyzmie. Z perspektywy czasu, gdy zawiodły wysiłki w celu zjednoczenia Kościoła w drodze negocjacji i kompromisu, stanowisko Erazma stało się jednak nie do obrony. Wielu jego byłych zwolenników zaczęło podzielać pogląd tradycjonalistów, że krytyka nadużyć duchowieństwa oraz koncepcja osobistych relacji między człowiekiem a Bogiem podkopały autorytet Kościoła i przyczyniły się do sukcesu heretyków.

W połowie stulecia pozycja „chrześcijańskich humanistów" jeszcze się pogarszała. W indeksie ksiąg zakazanych, wydanym przez papieża Pawła IV w 1559 roku, Erazm z Rotterdamu znalazł się wśród autorów, których dzieł nie wolno było katolikom drukować, mieć i czytać, i choć po śmierci papieża w sierpniu tego roku indeks został wycofany, na nieco bardziej umiarkowanym indeksie Piusa IV z 1564 roku dzieła Erazma nadal figurowały. Całkowitym zakazem objęto tylko sześć z nich, między innymi popularne *Rozmowy* i *Pochwałę głupoty*; inne prace uczonego, łącznie ze studiami patrystycznymi i biblistycznymi, można było przedrukowywać, ale tylko po usunięciu wątpliwych fragmentów i za aprobatą cenzora. Prawdą jest jednak, że autorów, których książki były dozwolone po uprzednim okrojeniu, mniej chętnie cytowano (zwłaszcza z nazwiska) niż przed wydaniem papieskich indeksów oraz ich hiszpańskich i portugalskich odpowiedników. Umiarkowani katolicy zabiegali w Rzymie o dopuszczenie do obiegu niedotyczących teologii dzieł humanistów, a nawet niektórych autorów protestanckich, ale bez większego powodzenia. Indeks umocnił tylko trend, który zaznaczył się wyraźnie już przed 1559 rokiem: humanizm chrześcijański, który w latach 1500–1530 pobudzał do działania uczonych młodego pokolenia i budził żywy niepokój konserwatywnych teologów, w połowie stulecia przestał odgrywać znaczącą rolę. Nie oznacza to jednak, że humanizm odszedł w przeszłość lub zamierał we wszystkich aspektach. Właściwsze będzie stwierdzenie, że ograniczył swoje ambicje. Pozostał, a nawet rozszerzył się zakres wpływu tego prądu umysłowego na sposób nauczania europejskich elit, zarówno świeckich, jak duchownych. W krajach katolickich rozpoczął działalność zakon jezuitów, który wkrótce znalazł się w czołówce zakonów kształcących młodzież. Program nauczania w szkołach jezuickich – pierwsza powstała w 1548 roku – nie obejmował oczywiście koncepcji Erazma z Rotterdamu dotyczących stosunku człowieka do Boga ani jego pism poświęconych krytyce Kościoła, ale nauczanie literatury klasycznej stało się specjalnością jezuitów. Z wyjątkiem nauczania teologii ich szkoły bardzo przypominały najlepsze szkoły protestanckie, zakładane przez takich działaczy reformacyjnych, jak Filip Melanchton (1497–1560) czy Johann Sturm (1507–1589). Humanizm przetrwał przez wieki jako podstawa nauczania europejskich elit.

Spuścizna starożytności w literaturze i prawodawstwie

W XVI wieku nadal żywa pozostała inna ważna dziedzina działań piętnastowiecznych włoskich humanistów – opracowywanie i wydawanie drukiem dzieł piśmiennictwa klasycznego. We Włoszech wciąż działało wielu wybitnych uczonych, ale punkt ciężkości tego rodzaju aktywności naukowej przeniósł się już na północ od Alp, najpierw do Francji, a później (po 1600 roku) do Niderlandów. O przodującej roli Francji zadecydowała działalność Guillaume'a Budégo (1468–1540), którego dzieła poświęcone prawu rzymskiemu, rzymskim miarom i wagom oraz greckiej leksykografii nadały nowy kierunek badaniom naukowym. Dorobek Budégo jest świadectwem przemian myśli humanistycznej, odejścia od idei Petrarki i Erazma z Rotterdamu, marzących o przebudowie chrześcijaństwa. Budé skupił się bardziej na metodzie i dociekaniu faktów niż budowaniu wielkich koncepcji, które mogłyby (lub nie) rozwiązać problemy współczesnych społeczeństw. Był humanistą, ale nie podzielał typowej dla renesansu wiary w sprawczą moc odkrywanej na nowo spuścizny starożytności. Jako urzędnik na dworze francuskim zabiegał o utworzenie narodowego instytutu studiów humanistycznych na wzór powstałych już tego rodzaju instytutów w Alcalá w Hiszpanii i Lowanium w Niderlandach. W 1530 roku król Franciszek I mianował czterech wybitnych humanistów królewskimi wykładowcami, dwóch – języka greckiego i dwóch – hebrajskiego; był to zalążek późniejszego Kolegium Królewskiego. Dorobek wykładowców królewskich sprawił, że Francja zdobyła pierwszeństwo w naukach humanistycznych. Do najznakomitszych przedstawicieli tych nauk zalicza się Henriego Estienne'a (1528–1598) oraz Josephusa Justusa Scaligera (1540–1609). Estienne, najwybitniejszy w końcu XVI wieku znawca starożytnej Grecji, wydał w 1578 roku dzieła Platona w języku greckim, do dziś stanowiące punkt odniesienia dla badaczy, a jego słownik klasycznej greki z 1572 roku nadal pozostaje niezastąpiony. Scaliger zyskał rozgłos dzięki pracom na temat rzymskiej astronomii i stosowanych w starożytności sposobów liczenia czasu, ustalającym relacje między różnymi kalendarzami używanymi wówczas do datowania wydarzeń.

W kręgu zainteresowań humanistów francuskich znalazło się również prawo rzymskie zebrane w *Corpus Juris Civilis*, wydanym przez bizantyńskiego cesarza Justyniana w latach 529–534. Ten kierunek badań zapoczątkowali w XV wieku Lorenzo Valla i Angelo Poliziano, później znalazł on kontynuację w *Annotationes in Pandectas* (1508) Budégo. Zastosowanie metody analizy krytycznej do tekstu prawniczego zrewolucjonizowało historię prawa. François Baudouin dowiódł, że bizantyńscy wydawcy błędnie rozumieli lub wypaczyli wiele orzeczeń zbieranych dla Justyniana. François Hotman zakwestionował natomiast w dziele *Francogallia* (1573) wyznawany w średniowieczu pogląd, że prawo francuskie wywodziło się z rzymskiego; wykazał, że miało ono rodzime korzenie, których należy szukać w prawach stanowionych przez średniowiecznych królów francuskich. Badania te kontynuowali tacy uczeni, jak Pierre Pithou (1539–1596) czy Etienne Pasquier (1529–1615), którzy zbierali i wydawali akty prawne obowiązujące we Francji w średniowieczu, dzięki czemu obraz owej epoki stał się bliższy prawdy.

Wiedza tajemna

Gdy z upływem czasu coraz wyraźniej okazywało się, że studia nad dziełami najwybitniejszych autorów greckich i rzymskich nie spełnią pokładanych w nich nadziei i że ponowne odkrycie utraconej mądrości nie przyniesie odnowy duchowej, wielu humanistów skierowało zainteresowania ku innego rodzaju spuściznie starożytności – żydowskiej kabale, traktatom hermetycznym i innym szczątkowym pozostałościom starożytnej teozofii, takim jak teksty orfickie, przepowiednie Zaratustry, hymny pitagorejskie, księgi sybillińskie. Teksty te dostarczać miały wiedzy koniecznej dla odnowy ludzkiego ducha i prowadzić człowieka do pojednania, a nawet mistycznego zjednoczenia się ze światem nadprzyrodzonym. Często przydawać miały także osobie, która pojęła ich sekretne znaczenie, magicznej mocy władania nad światem materialnym.

W XVI wieku tego rodzaju pisma teozoficzne stały się dostępne, nie dokonano jeszcze natomiast rzeczowej oceny ich wartości – nastąpił więc złoty wiek europejskiego okultyzmu. Dopiero gdy w końcu stulecia druzgocącej krytyce poddali je Scaliger i Isaac Caubon (1559–1614), wykształceni czytelnicy zaczęli zarzucać naiwną wiarę w to, że teksty okultystyczne zawierają gotowe recepty na rozwiązanie wszystkich, nawet najtrudniejszych problemów nękających świat. Dziś skłonni jesteśmy odrzucać renesansową wiedzę tajemną jako zabobon, ale ówcześni poważni uczeni, tacy jak Ficino czy Pico della Mirandola, dokładnie studiowali teksty okultystyczne, nie dostrzegając zawartego w nich fałszu.

Najpełniejsze kompendium renesansowej wiedzy tajemnej, czyli magii, *De occulta philosophia* (1533), wyszło spod pióra niemieckiego humanisty Agrippy von Nettesheima (1486–1535). Nettesheim, pozostający pod silnym wpływem florenckiego neoplatonizmu, przedstawił wizję wszechświata o hierarchicznej strukturze; poszczególne jego elementy miały być połączone w całość w sposób niemożliwy do odkrycia przy użyciu rozumu, ale zawarty w starożytnych księgach. Renesansowy okultyzm chciał być czymś więcej niż tylko teorią. Wiedza, zrozumienie tajemnych powiązań między rzeczami usytuowanymi na różnych szczeblach hierarchii, miała dawać praktykującemu ją magowi moc sprawczą. Najczęściej praktykowaną nauką tajemną była astrologia. Wierzono we wpływ ciał niebieskich na życie stworzeń ziemskich, z ludźmi włącznie, i że istotę tego wpływu można zgłębić dzięki dokładnym badaniom. Kościół traktował przepowiadanie przez astrologów przyszłości na podstawie ruchu ciał niebieskich jako przestępstwo i zakazywał tego rodzaju praktyk, ponieważ podważały one koncepcję wolnej woli i odpowiedzialności moralnej jednostki. Nie zmienia to faktu, że wielu papieży, biskupów i królów korzystało z pomocy wróżb i przepowiedni. Inne zastosowania wiedzy astrologicznej były w pełni uznawane. Studenci medycyny musieli badać wpływ ruchu ciał niebieskich na pogodę, zbiory, a zwłaszcza zdrowie ludzi i zwierząt, uważano bowiem, że każdy dobry lekarz powinien brać ten wpływ pod uwagę przy stawianiu diagnozy i przepisywaniu sposobu leczenia.

Do nauk tajemnych należała też kabalistyka, której podstawę stanowiły żydowskie księgi mistyczne. Kabaliści – znajdowało się wśród nich także wielu humanistów – doszukiwali się tajemnego sensu Biblii, interpretując jej podteksty. Najsłynniejszym włoskim wyznawcą kabały był Giovanni Pico della Mirandola. Podobnie jak inni chrześcijańscy kabaliści Pico był przekonany, że dzięki kabale można będzie dowieść prawdziwości doktryny chrześcijańskiej, na przykład boskości Jezusa. Podobne koncepcje występowały w pismach niemieckiego humanisty Johanna Reuchlina (1455–1522), który podczas pobytu we Włoszech poznał zarówno Ficino, jak Pico i napisał dwie rozprawy poświęcone kabale.

Powrót Arystotelesa

Wpływ humanizmu na nauczanie i kulturę wysoką stawał się w XVI wieku coraz wyraźniejszy, ale na uniwersytetach nadal – i jeszcze w następnym stuleciu – za największy autorytet uznawano Arystotelesa. W kręgu myślicieli katolickich żywe stało się znów zainteresowanie najwybitniejszym przedstawicielem średniowiecznego arystotelizmu, Tomaszem z Akwinu. Za sprawą hiszpańskiego teologa i profesora uniwersytetu w Salamance, Francisca de Vitorii (ok. 1483–1546), Salamanka stała się pierwszym ośrodkiem neotomizmu, nurtu dominującego w filozofii katolickiej do połowy XX wieku. Humanizm sam w sobie stanowił jednak wyzwanie dla filozofii Arystotelesa, który dążył do ustalenia prawdy absolutnej za pomocą logicznego rozumowania. Od czasów Petrarki humaniści wykształceni w dziedzinie retoryki krytykowali scholastyczny racjonalizm i utrzymywali, że rola ludzkiego myślenia nie polega na wyznaczaniu, co jest prawdą, ale dokonywaniu zgodnych z moralnością wyborów między alternatywnymi sposobami postępowania, wobec których stają ludzie w życiu codziennym. Humanistyczna retoryka skłaniała się więc ku antyracjonalizmowi, a w wyniku przeprowadzonej w XVI wieku reformy nauczania uniwersyteckiego dialektyka w większym stopniu skupiła się na kwestiach, których rozwiązanie musiało pozostać raczej w sferze przypuszczeń niż udowodnionych naukowo wniosków. Ten nowy trend zaznaczył się w dziele niemieckiego humanisty Rudolfa Agricoli (1444–1485) *De inventione dialectica*, napisanym w 1479 roku, ale niewydanym aż do roku 1515. Agricola uważał, że dialektyka zbyt ściśle skupia się na logice formalnej i kwestiach teoretycznych interesujących jedynie uczonych z kręgów akademickich. W swej rozprawie wprowadził do dialektyki dużo materiału retorycznego i definiował dialektykę nie jako narzędzie dotarcia do prawdy, ale jako „sztukę rozmowy na każdy możliwy temat". Od chwili pierwszej edycji *De inventione* stała się wzorcowym podręcznikiem, który humaniści usilnie starali się wprowadzić (z dużym powodzeniem) na uniwersytety nauczające dialektyki. *De inventione* stanowiła świadectwo niezbyt szeroko rozpowszechnionego, ale znaczącego sprzeciwu wobec dialektyki wyrosłej z ducha Arystotelesa. Gwałtowna krytyka greckiego filozofa i całej jego myśli znalazła się w rozprawie Petrusa Ramusa (Pierre de la Ramée, 1515–1572), co wywołało ostry konflikt na najbardziej cenionej uczelni Europy Północnej, czyli na uniwersytecie paryskim. Ramus zdobył wielu zwolenników, choć nie udało mu się stworzyć spójnego systemu, który mógłby zastąpić filozofię Arystotelesa.

Mimo niemałej liczby przeciwników Arystoteles wciąż dominował w naukach przyrodniczych, na tym polu nie miał właściwie poważnych rywali. Traktuje się to czasem jako dowód na upadek uniwersytetów, nienadążających za prądami umysłowymi swoich czasów. Trzeba jednak wziąć pod uwagę, że nie istniał wówczas inny system mogący stanowić podstawę nauczania filozofii przyrody. Dzieła Arystotelesa dawały przejrzysty, zrozumiały wykład różnych dziedzin i lepiej służyły nauczaniu niż wszystko, czym próbowano je zastąpić. Hegemonia Arystotelesa nie oznaczała, że szesnastowieczni myśliciele ślepo za nim podążali. W wielkim dorobku filozofa znalazły się dzieła poświęcone rozmaitym kwestiom. Te, które najlepiej służyły jako punkt wyjścia do dyskusji o teologii, na przykład *Metafizyka*, bardzo się różniły od tych, które mogły zainteresować przyrodników, jak choćby *Fizyka*. Niemal każdy mógł znaleźć w jego pismach coś dla siebie.

Uczeni włoscy odkryli w filozofii Arystotelesa elementy materializmu, niezbyt zgodnego z religią. Naturalistyczna interpretacja tej filozofii, zawarta w komentarzach arabskiego myśliciela z XII wieku, Awerroesa, zyskała w końcu XV wieku dużą popularność. Profesorowie uniwersytetu w Padwie Nicoletto Vernia (1420–1499) i Agostino Nifo (ok. 1470–1538) napisali rozprawy o Awerroesie i w zasadzie zgodzili się z proponowaną przezeń interpretacją, nie poświęcając większej uwagi kwestii, że tak pojęty arystotelizm podważa biblijną wersję stworzenia świata i wiarę w nieśmiertelność duszy. Najwybitniejszym przedstawicielem świeckiego nurtu interpretacji filozofii Arystotelesa był Pietro Pomponazzi (1462–1525). Na początku swej drogi naukowej Pomponazzi był tomistą, później uznał argumenty Tomasza z Akwinu przeciw Awerroesowi za niewystarczające. Badając poglądy Arystotelesa na nieśmiertelność, doszedł do wniosku, że grecki filozof nigdzie nie mówił o oddzieleniu ludzkiej duszy od ciała w chwili śmierci. Stanowisko swoje wyłożył w dziele *De immortalitate animae* (O nieśmiertelności duszy, 1516). Wywołało ono burzę kontrowersji, co nie podważyło jednak pozycji Pomponazziego jako najwybitniejszego filozofa swoich czasów.

Matematyka i astronomia

Arystoteles nie zajmował się w swoich pismach zagadnieniami ściśle matematycznymi, co przysparzało uczonym problemów już w XIV wieku; wtedy to filozofowie przyrody z Oksfordu i Paryża uznali, że w *Fizyce* nie wyjaśnia dostatecznie kwestii ruchu ciał po torze (na przykład pocisków). Tego rodzaju kwestie powstawały przy rozpatrywaniu całości myśli naukowej Arystotelesa. Nauczał on co prawda, że doświadczenie zmysłowe jest źródłem ukształtowanych w umyśle idei, ale przykładał niewielką wagę do rozumowania indukcyjnego i sposobu, w jaki doświadczenie zmysłowe przekłada się na uogólnienia, które można sprawdzić i dowieść ich prawdziwości lub fałszu. Sprawa odpowiedniej metody rozstrzygania problemów w nauce takiej jak astronomia, w której dane zgromadzone w wyniku obserwacji służą jako podstawa stwierdzeń, była w XVI wieku przedmiotem zażartych polemik.

W filozofii Arystotelesa kryła się jeszcze jedna trudność. Arystoteles uważał, że doświadczenie nie oznacza eksperymentu, którego celem jest ustalenie, czy wnioski wysnute na podstawie uogólnień są prawdziwe. „Doświadczeniem" było dla niego coś przyjętego jako prawda na podstawie powszechnych, codziennych obserwacji, nie zaś konkretnej obserwacji przeprowadzonej w celu sprawdzenia słuszności uogólnienia. Uczeni, którzy powoływali się na wyniki konkretnych doświadczeń, zwłaszcza przeprowadzonych przez siebie w celu zakwestionowania powszechnie przyjętej opinii, łatwo mogli zostać zdyskredytowani, ponieważ na dowód błędu lub nieuczciwości eksperymentatora wystarczyło odwołać się do wspólnego „doświadczenia", podzielanego przez wszystkich.

Aby mogło dojść do nowych odkryć, tradycyjnie określanych jako „rewolucja naukowa", konieczne było ponowne zdefiniowanie pojęć indukcji, doświadczenia i eksperymentu, a także wykształcenie się świadomości zasadniczego znaczenia matematyki dla rozwoju nauk ścisłych. Do wielkiego przełomu, który odmienił oblicze nauki w początkach epoki nowożytnej, nie przyczyniło się przeprowadzanie doświadczeń w dzisiejszym rozumieniu. Klucz stanowiła matematyka. Dowodem na to są dokonania polskiego astronoma Mikołaja Kopernika (1473–1543), autora traktatu *De revolutionibus orbium coelestium* (*O obrotach ciał niebieskich*, 1543), pierwszego wielkiego dzieła zapowiadającego rozwój nauk fizycznych w następnym stuleciu. Studia matematyczne w Bolonii uświadomiły Kopernikowi słabości obowiązującej teorii Ptolemeusza z Aleksandrii (zm. ok. 151), uznającej Ziemię za centrum wszechświata. Łacińska wersja rozprawy greckiego uczonego, *Almagest*, krążyła po Europie od XII wieku, po raz pierwszy ukazała się drukiem w Wenecji w 1515 roku, ale większość astronomów znała ją przede wszystkim ze streszczenia, *Epitome Almagesti*, niemieckiego uczonego Regiomontanusa (Johannesa Müllera, 1436–1476), wydanego w 1496 roku. Astronomia ptolemejska proponowała prosty, uporządkowany i harmonijny obraz świata, ale obserwacje astronomów nie potwierdzały jej założeń. Wielu problemów przysparzał „ruch wsteczny", którym poruszały się planety, co można było zaobserwować, ale nie wyjaśnić. Aby pogodzić teorię z obserwacjami, astronomowie wypracowali wiele skomplikowanych, wymyślonych prawideł matematycznych, niezgodnych z teorią, ale pozwalających wytłumaczyć obserwowane położenia ciał niebieskich, a opartych przede wszystkim na koncepcji okręgów niewspółśrodkowych i epicykli, co miało usprawiedliwić dające się zaobserwować anomalie.

Kopernik, zdając sobie sprawę z zawiłości i niekonsekwencji tradycyjnej astronomii, podjął trud reformy tej nauki. W dziele *O obrotach ciał niebieskich* zaproponował zaskakująco proste rozwiązanie. Gdyby w ptolemejskim obrazie wszechświata zamienić położenie Ziemi i Słońca, tak że Słońce znalazłoby się w centrum, a Ziemia stałaby się po prostu jedną z planet, większość trudności zostałaby wyeliminowana. Z systemu Kopernika znikły udogodnienia, takie jak kręgi niewspółśrodkowe i epicykle, ale pozostawał on w jawnej sprzeczności z powszechnym odczuciem, nie znalazło w nim także rozstrzygnięcia wiele dość poważnych wątpliwości. *O obrotach ciał niebieskich*, przypominające budową *Almagest*, oferowało czytelnikom nie tylko garść niekonwencjonalnych koncepcji, ale całościowy, matematycznie udowodniony system, dlatego przyciągało uwagę nawet astronomów nieprzekonanych do nowej teorii. Niektóre z wysuwanych przez nich obiekcji bez trudu można było wyjaśnić, ale uczeni dostrzegali również rzeczywiste słabości teorii Kopernika. Jego system wprowadzał rozdźwięk między fizyką a astronomią, ponieważ negował arystotelesowską koncepcję grawitacji jako naturalnej tendencji wszystkich ciał do ciążenia w kierunku środka wszechświata. Najpoważniejsze zastrzeżenia uczonych budziła jednak nieobecność paralaksy w obserwacji gwiazd stałych. Większość astronomów uznała teorię Kopernika za interesującą, lecz nieudowodnioną. Dziś obiekcje wysuwane przez ówczesną naukę wydawać się mogą albo uroczo staroświeckie, albo niepoważne.

Spośród uczonych zastanawiających się nad słusznością teorii Kopernika najwybitniejsi byli Duńczyk Tycho Brahe (1541–1601) oraz Niemiec Johannes Kepler (1571–1630). Brahe przyjął niektóre elementy tej teorii, nie chciał jednak uwierzyć, że Słońce stanowi środek wszechświata. Na podstawie własnych obserwacji doszedł do wniosku, że istnieją zjawiska astronomiczne (jak choćby nagłe pojawienie się nowej gwiazdy w 1572 i komety w 1577 roku), których nie sposób pogodzić ani z nową teorią Kopernika, ani starożytną Ptolemeusza. Stworzył więc własny system, w którym Ziemia pozostawała nieruchoma w centrum wszechświata, wokół niej krążyło Słońce (jak u Ptolemeusza), pełny obieg trwał rok, natomiast wokół Słońca krążyły planety. Teoria ta wyjaśniała zjawisko ruchu wstecznego, ale wiele kwestii pozostawiała nierozwiązanych. Po odkryciach Galileusza i Newtona system Brahego wydaje się mizernym kompromisem, ale wielu współczesnych uznało go za interesujący.

Kepler opublikował większość swoich dzieł w następnym stuleciu, ale badania zaczął w ostatnich latach XVI wieku. Wcześnie stał się zwolennikiem teorii Kopernika i ujawnił to w pierwszej ważnej pracy, *Mysterium cosmographicum* (Tajemnica kosmograficzna, 1596). W 1600 roku został pomocnikiem Brahego, w późniejszych latach, jako kontynuator jego prac, mógł korzystać z wielkiego zbioru obserwacji astronomicznych duńskiego uczonego. Najważniejszych odkryć – między innymi eliptycznego kształtu orbit planetarnych – które ostatecznie doprowadziły do sformułowania praw ruchu planet, dokonał Kepler już w XVII wieku.

Nauki przyrodnicze

W XVI wieku w naukach ścisłych – zwłaszcza astronomii i fizyce – nastąpił przełom; znacznie mniej działo się w naukach przyrodniczych. W obu tych dziedzinach autorytetami ciągle pozostawali wówczas uczeni starożytni: w fizyce i astronomii – Arystoteles, w medycynie i biologii – Galen; poszły one jednak różnymi drogami, co widać na przykładzie dokonań Kopernika w astronomii i Andreasa Vesaliusa (1514–1564) w anatomii. Kopernik napisał *O obrotach ciał niebieskich*, wzorując się na dziele Ptolemeusza, a na poparcie swojej teorii heliocentrycznej przytaczał najczęściej argumenty tradycyjnej natury. Konsekwentnie kwestionował jednak główne założenie astronomii ptolemejskiej, że Ziemia jest centrum wszechświata. Dokonana przezeń rewolucja w astronomii miała więc przede wszystkim charakter konceptualny. W naukach przyrodniczych natomiast nie pojawiły się nowe teorie. W dziedzinie tej istotne zmiany nastąpiły w wyniku nagromadzenia kolejnych obserwacji, nie zaś konstruowania nowych teorii; dorobek pionierów, takich jak Vesalius, miał charakter opisowy, ważne były w nim nowe informacje, które wymagały zmian w szczegółach, nie zaś w podstawowych założeniach. Vesalius miał krytyczny stosunek do Galena – który często wywodził wnioski dotyczące anatomii człowieka z sekcji ciał zwierząt – ale nie zaproponował nic nowego, skupiając się przede wszystkim na prostowaniu błędów popełnionych przez rzymskiego uczonego. W naukach przyrodniczych nowe tendencje pojawiały się więc nie w rezultacie formułowania teorii, lecz gromadzenia nowych doświadczeń.

Mimo to XVI wiek był okresem rozwoju medycyny i biologii. Znaczący postęp miał miejsce zwłaszcza w dziedzinie farmakologii. Ukazanie się drukiem dzieł trzech wybitnych autorów starożytnych, uznawanych za autorytety w dziedzinie historii naturalnej, Pliniusza Starszego, Teofrasta i Dioskuridesa, spowodowało pilną potrzebę włączenia wiedzy starożytnych na temat roślin leczniczych do współczesnego obiegu naukowego. Dokonali tego przyrodnicy, tacy jak Otto Brunfels (1488–1534), Leonhart Fuchs (1501–1566) i Conrad Gesner (1516–1556), znawcy historii naturalnej i dzieł uczonych starożytnych. Napisali oni encyklopedyczne herbaria (zielniki) na podstawie własnych badań, zawierające drzeworytowe ilustracje roślin, po raz pierwszy wykonane wprost z natury.

W medycynie średniowiecznej nie poświęcano zbyt wielkiej uwagi anatomii, w praktyce medycznej opierano się na teorii „humorów", czterech soków w organizmie ludzkim, od których proporcji zależy stan zdrowia człowieka. Teorię tę przejął od Hipokratesa najwybitniejszy anatom starożytności, Galen z Pergi (ok. 129–199). Zainteresowanie anatomią zaczęło wzrastać na przełomie XV i XVI wieku, gdy humaniści uznali, że traktaty anatomiczne Galena stanowią cenny element spuścizny starożytności i należy ocalić je od zapomnienia. W początkach stulecia wydano kilka łacińskich przekładów dzieł uczonego, a w roku

1525 ukazała się drukiem pierwsza edycja w języku greckim. Za najważniejsze w jego dorobku uznano *Peri anatomicon encheireseon* (O postępowaniu w anatomii). Łacińską wersję tego traktatu opublikował w 1531 roku w Paryżu profesor medycyny Johannes Winter von Andernach (1487–1574). Jeden z asystentów Andernacha, młody Flamand Andreas Vesalius, został wykładowcą chirurgii w Padwie. W przeciwieństwie do większości anatomów Vesalius osobiście wykonywał sekcje zwłok. W 1538 roku wraz z holenderskim artystą wykonał serię ilustracji na podstawie Galena, mających służyć jako pomoc w nauczaniu, z czasem zauważył w nich jednak liczne błędy. Sprostować je miało główne dzieło Vesaliusa, *De humani corporis fabrica* (O budowie ciała ludzkiego, 1543), w którym uczony poddał Galena krytyce za pochopne przypisywanie ludziom takiej samej budowy, jaką można zaobserwować u zwierząt. Rozprawa ta odegrała znaczącą rolę, ponieważ powstała nie na podstawie znanych już tekstów, ale nowych informacji pozyskanych podczas sekcji. Największy wkład Vesaliusa w rozwój nauk medycznych polegał na przekonywaniu współczesnych, że podstawą poznania anatomii jest szczegółowe badanie ciała ludzkiego poprzez sekcje, nie zaś lektura uczonych rozpraw.

Etyka

Etyka była jedyną dziedziną filozofii, którą uznawano za humanistyczną. Warunkiem uzyskania stopnia naukowego w zakresie sztuk wyzwolonych było zaliczenie jednego lub więcej wykładów z *Etyki Nikomachejskiej* Arystotelesa. Odkrycie na nowo dorobku starożytności przyczyniło się do wzrostu zainteresowania innymi filozofami moralności, a przede wszystkim Platonem. Dzieła tego myśliciela nigdy nie stały się jednak przedmiotem studiów uniwersyteckich. Teorie Platona pociągały głównie filozofów amatorów – poetów i wszystkich tych, którzy podziwiali elegancję jego języka. Największą sławę zyskała teoria miłości platonicznej, przedstawiona w *Uczcie*. Wydane w 1469 roku przez Marsilia Ficina komentarze do *Uczty* nadały kształt toczonym w następnych latach dyskusjom na temat tego rodzaju miłości. Jednym z głównym motywów poezji renesansu stała się miłość jako siła przenikająca wszechświat, prowadząca człowieka na wyżyny duchowe, a nawet do Boga. Tak pojęta miłość pojawia się w dialogu *Gli Asolani* (1505) pióra weneckiego humanisty, poety i kardynała Pietra Bemba. Fikcyjny Bembo wychwala miłość platoniczną w słynnym podręczniku dobrych manier, *Dworzaninie* (1528) Baldassare Castiglionego. Drugim nurtem etyki budzącym wielkie zainteresowanie był stoicyzm. Stoicka doktryna etyczna, do której zwolenników należeli tak wybitni autorzy rzymscy, jak Cycero czy Seneka, była dobrze znana w średniowieczu. Cycerona i Senekę interesowała przede wszystkim stoicka koncepcja moralności, nie przywiązywali oni wagi do materializmu, stanowiącego fundament teorii greckich założycieli szkoły stoickiej. Najsilniej oddziaływała na nich definicja cnoty jako najwyższego celu życia ludzkiego. Dla rzymskich stoików cnota była jedynym dobrem, do którego osiągnięcia należało dążyć. Wszystkie inne rzekome dobra – zdrowie, bogactwo, szczęście, a nawet wolność od cierpienia i ucisku – były moralnie obojętne. Stoicyzm zakładał również, że wszechświat rządzi się niezmiennym prawem naturalnym, mającym boskie korzenie, a cnotliwe działanie wpisuje się w to prawo. Stoicka etyka samoograniczenia mogła prowadzić do ucieczki od świata zewnętrznego, ale połączenie jej z nakazem życia w zgodzie z naturą sprzyjało również dążeniu do cnoty w życiu publicznym. W XV wieku uważano zazwyczaj, że wymagania tej etyki są zbyt surowe. Żądanie wyparcia się uczuć, oczekiwanie, że po śmierci żony lub dziecka mądry mężczyzna pozostanie zupełnie niewzruszony, wydawało się nieludzkie.

Niepokoje społeczne, polityczne i religijne, które ogarnęły Europę w drugiej połowie XVI wieku, wywołały kryzys wartości. Pociechę mógł przynieść stoicyzm, uczący, że żadne okoliczności zewnętrzne nie powinny przynieść szkody dobrze uporządkowanej duszy. Z kolei podkreślanie obowiązków jednostki, wynikających z jej pozycji społecznej, bardzo odpowiadało przywódcom, którzy musieli dążyć do wypełnienia swych powinności wobec społeczeństw nękanych zamieszkami, rzeziami oraz zatruwającymi umysły konfliktami religijnymi i politycznymi. Filozofem, który z największym powodzeniem propagował etykę stoicką jako remedium na tego rodzaju sytuację na świecie, był Niderlandczyk Justus Lipsius (1547–1606). Wydawał on dzieła na temat starożytnej nauki, ale największą sławę zdobył dzięki rozprawie *De con-*

stantia (O wierności, 1574), w której rozważał rzymski stoicyzm w kontekście współczesnych problemów. Książka stała się manifestem neostoicyzmu. Głównym jej przesłaniem była potrzeba niezłomności w obliczu przeciwieństw. Lipsius podkreślał znaczenie samokontroli i spokoju wewnętrznego oraz dobre strony szukania pokojowych rozwiązań zmierzających do zminimalizowania sporów religijnych, zalecał również pozorne podporządkowanie się władzy religijnej lub świeckiej dla utrzymania pokoju publicznego. We Francji do wzrostu zainteresowania stoicyzmem przyczyniły się także trwające w owym czasie gwałtowne zamieszki. Głównym przedstawicielem francuskiego neostoicyzmu był Guillaume du Vair (1556–1621). Podobnie jak Lipsius, kładł nacisk na samokontrolę, pomagającą nie uciekać się do przemocy. W przeciwieństwie natomiast do Lipsiusa, który unikał angażowania się w sprawy publiczne, du Vair był urzędnikiem i utrzymał swoje stanowisko w bardzo niebezpiecznych czasach. W eseju *La philosophie morale des stoiques* (Filozofia moralna stoików, 1584) uznał miłość do ojczyzny za drugą po miłości do Boga i potępił ludzi porzucających służbę publiczną w obliczu niebezpieczeństwa; pogląd ten powtórzył w *De la constance et consolation ès calamites publiques* (O wierności i pocieszeniu w czasach powszechnych nieszczęść, 1590). Słynny francuski pisarz Michel de Montaigne (1533–1592) był początkowo zwolennikiem stoicyzmu, ale zerwał z nim w późniejszych latach, zniechęcony wymogiem bierności i odrzucenia wszelkich uczuć.

Myśl polityczna

Teoria polityki stanowiła dziedzinę etyki. Nowatorskie koncepcje polityczne powstają zazwyczaj w odpowiedzi na aktualne kryzysy polityczne, a w XVI wieku ich nie brakowało. W Europie istniały wówczas dwa główne ogniska zapalne i w obu powstały ważne dzieła z zakresu filozofii polityki. Pierwszy kryzys wybuchł we Włoszech, gdy w 1494 roku król francuski Karol VIII najechał na Półwysep Apeniński, aby wyegzekwować swoje pretensje do Królestwa Neapolu; zaburzyło to równowagę polityczną, wykształconą po utworzeniu w 1455 roku Ligi Włoskiej. Najazd francuski sprawił, że do wojny przyłączył się król Ferdynand Aragoński, mający w Neapolu własne interesy dynastyczne, Włosi zaś musieli uczestniczyć w toczonych na ich ziemiach walkach między obcymi państwami. Interwencja francuska przyczyniła się także do obalenia władzy Medyceuszów w Republice Florenckiej i zapoczątkowała okres destabilizacji, który trwał do momentu przekształcenia się Florencji w 1532 roku w dziedziczne księstwo.

Najsłynniejszym dziełem napisanym w odpowiedzi na te wydarzenia była rozprawa Niccola Machiavellego (1469–1527). Po przejęciu władzy przez Medyceuszów w 1512 roku Machiavelli, uznany za przeciwnika rodziny książęcej, stracił stanowisko, wycofał się z życia publicznego i poświęcił pisaniu w próżnej nadziei zyskania względów nowych władców. Najważniejszym jego dziełem był *Książę* (1513). Tego rodzaju rozprawy traktowały zwykle o wychowaniu książąt i zawierały porady dla władców, jak w zgodzie z moralnością rządzić państwem. Machiavelli postawił sobie inne zadanie – nie pisał o tym, co władcy powinni robić, ale jak muszą postępować, jeśli chcą zrealizować podstawowy cel każdego rządzącego, „obronę państwa", czyli utrzymanie się przy władzy i zapewnienie pokoju społecznego. Dopuszczał wiele działań potępianych przez ówczesnych zwolenników filozofii Arystotelesa, stoików i moralistów chrześcijańskich. Jego zdaniem, władca mógł zrobić dosłownie wszystko, co jest konieczne dla przetrwania państwa, posunąć się do kłamstwa, oszustwa, morderstwa, zastraszania lub wojny. Machiavelli uczył więc, że władców obowiązują zupełnie inne normy moralne niż zwykłych ludzi. Ten dualizm etyczny sprawił, że już od chwili pierwszego wydania książki w 1532 roku jej autor cieszył się reputacją obrońcy niemoralności w polityce.

Uznanie władców za ludzi, których nie obowiązuje prawo moralne, przyczyniło się do powstania powszechnej, lecz niesprawiedliwej opinii, że w myśli Machiavellego etyka jest nieobecna. Uważna lektura *Księcia* oraz drugiej, mniej znanej jego rozprawy poświęconej republice, *Uwagi Machiawela wysnute z Liwiusza historii rzymskiej* (1531), dowodzi jednak, że przykładał on miarę etyczną do poczynań władców, za nadrzędne uważał bowiem interes ogółu i stabilność społeczną. Z *Uwag...* wynika również, że Machiavelli nadal cenił najwyżej umiarkowany system republikański, z jakim związał swą karierę polityczną i jakiemu służył przed 1512 rokiem. Akceptacja rządów absolutnych w *Księciu* była rezultatem przekonania, że rządy republikańskie są możliwe tyko wówczas, gdy sprawują je ludzie „cnotliwi", a zatem przedkładający interes ogółu nad własne korzyści. Machiavelli uważał, że Florentyńczycy jego pokolenia są zbyt skłóceni, podzieleni na różne frakcje polityczne, a przy tym zbyt zepsuci moralnie, aby sami sobą rządzić. Z dzieł historyka Rzymu Polibiusza zaczerpnął zarówno koncepcję cyklicznego powstawania i upadku dobrych i złych rządów, jak i wyidealizowany obraz republiki rzymskiej, w której dzięki zrównoważeniu interesów silnej władzy i potężnej arystokracji oraz aktywności politycznej obywateli utrzymano system republikański i podbito świat śródziemnomorski. Rozważając, w jakim stopniu los decyduje o rezultatach ludzkich poczynań i jak dalece ludzie mogą wpływać na rozwój wypadków, doszedł do wniosku, że około połowy osiągnięć politycznych zależy od mądrego postępowania, natomiast o drugiej połowie decydują okoliczności, na które nikt nie ma wpływu. Brzmi to dość pesymistycznie, ale znacznie bardziej przygnębiające wnioski wyciągnął w tej samej kwestii rodak Machiavellego, Francesco Guicciardini (1483–1540), w *Historii Włoch*, ukończonej w 1540 roku, a wydanej w latach 1561–1564. Guicciardini dowodził, że ludzka wiara w moc sprawczą racjonalnego działania jest całkowicie iluzoryczna. Zarówno Machiavelli, jak i Guicciardini musieli zmierzyć się z faktem o zasadniczym znaczeniu – że za ich życia państwa włoskie, nękane obcymi najazdami, przestały o sobie decydować.

W pierwszej połowie XVI wieku w większości krajów Europy Zachodniej znacznie rozszerzył się zakres władzy królewskiej. We Francji w latach 1484–1560 król ani razu nie zwołał stanów generalnych. Urzędnicy królewscy traktowali parlament paryski, sąd najwyższej instancji, w sposób graniczący z pogardą. Po roku 1560 protestancka mniejszość, walcząca o przetrwanie w kraju, w którym władze dążyły do wykorzenienia herezji, wypracowała doktryny usprawiedliwiające zbrojny opór. Hugenoci musieli używać takich argumentów, które nie zraziłyby umiarkowanych katolików. Początkowo powoływali się na dawne prawa broniące ludzi przed tyranią, naruszane, jak twierdzili (podobnie myślało wielu niezadowolonych katolików), przez ambitnych polityków, zwolenników silnej władzy królewskiej. Deklarowali posłuszeństwo i wierność samemu królowi, który w ich ocenie był więźniem ultrakatolickiej frakcji Gwizjuszów.

Sytuacja zmieniła się radykalnie po rzezi tysięcy protestantów w noc świętego Bartłomieja z 23 na 24 sierpnia 1572 roku. Masakra dokonała się za jawnym przyzwoleniem królowej matki Katarzyny Medycejskiej i króla Karola IX. Hugenoci uznali więc, że nie ma powodu dłużej udawać, iż próbują bronić króla przed jego poplecznikami o skrajnych poglądach. Wielu działaczy hugenockich opublikowało rozprawy usprawiedliwiające zbrojny opór. Przez pewien czas największym rozgłosem cieszyła się *Francogallia* François Hotmana (1524–1590), humanisty, uczonego prawnika. Hotman zdawał sobie sprawę, że nie może zrazić do siebie umiarkowanych katolików, wśród których rzeź również wywołała przerażenie, skupił się więc na krytyce takich zjawisk, jak nieliczenie się króla i jego urzędników ze stanami generalnymi i parlamentem paryskim. W dziele *Francogallia* dowodził, że monarchia została stworzona przez przedstawicieli ludu i że stany zachowały uświęcone prawo do zdetronizowania króla, jeśli nie wypełnia on swego podstawowego obowiązku obrony życia i własności poddanych.

Hugenoci potrzebowali jednak dla uzasadnienia swojej sprawy teorii trudniejszej do podważenia przez przeciwników mających inne poglądy na temat dziejów ustroju Francji. Niektórzy zwolennicy oporu odwoływali się do zupełnie innej tradycji myśli politycznej – średniowiecznej koncepcji prawa naturalnego, która pojawiła się w doktrynie koncyliarystów (wielu z nich było Francuzami) podczas wielkiej schizmy zachodniej. Spadkobiercy tej tradycji, tacy jak Jacques Almain (1480–1515) czy żyjący na obczyźnie Szkot John Mair (ok. 1467–1550), utrzymywali, że w każdym systemie politycznym najwyższa władza zawsze należy do ludu. Władza jest tylko przekazywana rządzącym na podstawie umowy, stanowiącej, że będą jej oni używać dla dobra wspólnego. Z mocy prawa naturalnego społeczeństwo może wypowiedzieć tyranowi posłuszeństwo. Ani Almain, ani Mair nie określili jednak dokładnie, kto zgodnie z prawem może zapoczątkować próbę pozbawienia tyrana władzy.

Scholastyczna koncepcja władcy, niebędącego nikim więcej niż najwyższym urzędnikiem działającym na zlecenie ludu, została wykorzystana do ukucia doktryny politycznej usprawiedliwiającej zbrojny opór przeciw czemuś tak potwornemu, jak współudział monarchy w rzezi własnych poddanych. Ponieważ hugenoci nie mogli już dłużej traktować króla jako zakładnika radykalnej katolickiej koterii politycznej, przedstawiali teraz opór jako słuszną na mocy niezbywalnego prawa naturalnego obronę siebie i całego narodu przeciw bezprawnej władzy. Kwestię tę poruszano w wielu traktatach politycznych, z których największą popularnością cieszyła się wydana w 1559 roku rozprawa *Vindiciae contra tyrannos* (Prawo przeciwko tyranom). Autorstwo rozprawy przypisuje się najczęściej przywódcy protestanckiej szlachty, Philippe'owi du Plessis de Mornay (1549–1623). Wykorzystał on imponującą liczbę źródeł średniowiecznych; przytaczał Tomasza z Akwinu, włoskiego jurystę Bartolusa, bizantyńskie kompilacje prawa rzymskiego, dekrety piętnastowiecznych soborów w Bazylei i Konstancji, przeciwstawiające się papieskim pretensjom do władzy absolutnej. W kwestii usprawiedliwienia buntu najwięcej trudności przysparza odpowiedź na pytanie, kto ma prawo – również moralne – zainicjować działania. Mornay wywodzi wszelką władzę ze złożonej umowy dwustronnej, której uczestnikami są – w różnych konfiguracjach – Bóg, król i lud. Argumentem o pierwszorzędnym znaczeniu jest dla niego pogwałcenie przez króla umowy z ludem. Król despota nie może jednak zostać obalony przez osobę prywatną ani nawet przez grupę ludzi działających wspólnie. Wszyscy chrześcijanie jako jednostki są zobowiązani do posłuszeństwa. Czynny opór jest usprawiedliwiony tylko wówczas, gdy podejmują go uznani przywódcy polityczni reprezentujący naród, na przykład przedstawiciele szlachty, członkowie zgromadzenia stanowego, organów sądownictwa i rad miejskich. Mornay chciał ograniczyć do minimum ryzyko przekształcenia się zgodnego z prawem buntu w anarchię. *Vindiciae* mieści się w głównym, umiarkowanym nurcie protestanckiej teorii oporu, ale koncepcja prawa naturalnego i suwerenności ludu mogła również zostać wykorzystana do usprawiedliwienia rewolty ludowej. Najbardziej charakterystycznym tego przykładem jest dialog *De jure regni apud Scotos* (O prawie monarchii w Szkocji, 1579), autorstwa szkockiego humanisty George'a Buchanana (1506–1582). Buchanan uważał za źródło wszelkiej władzy zwykłą umowę między królem a poddanymi i twierdził, że lud ma prawo obalić monarchę, jeśli zamienia się on w tyrana. Odrzucił koncepcję Mornaya, zakładającą konieczność działania za pośrednictwem ciał przedstawicielskich, utrzymując, że lud nie zrzeknie się na ich rzecz swoich praw do obrony. Teoria Buchanana, zbyt radykalna dla jego współczesnych, zyskała licznych zwolenników w siedemnastowiecznej Anglii.

W latach 1562–1584 francuscy hugenoci dążyli do wypracowania teorii usprawiedliwiających opór wobec władzy królewskiej, ale śmierć ostatniego brata króla Henryka III w 1584 roku oznaczała, że na tron francuski wstąpi kuzyn króla, Henryk Bourbon, król Nawarry i dowódca wojsk hugenockich. Francuscy katolicy mieli więc znaleźć się pod rządami protestanckiego władcy. Bardziej radykalni uznali wówczas za własne koncepcje na temat posłuszeństwa, oporu wobec władców i źródeł władzy królewskiej uderzająco podobne do sformułowanych przez radykalnych protestantów i zaczerpnięte z dzieł tych samych późnośredniowiecznych filozofów.

Mimo że teorie prawa naturalnego, umowy politycznej i oporu przeciwko tyranii zyskały w drugiej połowie XVI wieku wielką popularność, w państwach europejskich wykształcał się stopniowo system zwany absolutyzmem. Straszliwe doświadczenia wojen domowych we Francji i w Niderlandach wzbudziły strach przed niepokojami społecznymi; narastało przyzwolenie na wzmocnienie władzy królewskiej i wrogość do wszelkich teorii prawa naturalnego, mogących usprawiedliwić rewolucję. Argumenty w obronie absolutyzmu płynęły dwoma nurtami. Pierwszy odwoływał się do boskiego pochodzenia władzy królewskiej. Ponieważ zawarty w Piśmie Świętym nakaz posłuszeństwa wobec władzy świeckiej (List do Rzymian 13, 1–7) stanowił główną przeszkodę dla chrześcijan chcących usprawiedliwić opór wobec tyranów, zwolennicy koncepcji prawa boskiego utrzymywali, że nakazy Biblii mają moc absolutną i nie dopuszczają wyjątków. Władza świecka, nawet pogańska czy heretycka, pochodzi bezpośrednio od Boga i dlatego jest święta. Królowie są obdarzani władzą nie przez lud, lecz przez Wszechmogącego, dlatego władzy tej nie można w żaden sposób ograniczać ani się jej sprzeciwiać. Najsłynniejszym obrońcą tej koncepcji był król szkocki Jakub VI (późniejszy król angielski Jakub I), który poświęcił jej dwa traktaty polityczne, *The Trew law of Free Monarchies* (Prawdziwe prawo wolnych monarchii, 1598) i *Basilikon Doron* (Królewski dar, 1599).

Drugi nurt teoretyczny uzasadniający konieczność rządów absolutnych w większym stopniu odwoływał się do argumentów racjonalnych. Najzdolniejszym jego przedstawicielem był francuski prawnik Jean Bodin (ok. 1530–1596), autor dzieł dotyczących polityki i historii, *Methodus ad facilem historiarum cognitionem* (Metoda łatwego zrozumienia historii, 1566) oraz *Sześć ksiąg o Rzeczypospolitej* (1576). W pierwszej Bodin głosił pochwałę silnej monarchii, choć – podobnie jak większość prawników – uznawał potrzebę pewnego ograniczenia władzy królewskiej przez prawo zwyczajowe. Nawet tu poddał jednak krytyce koncepcję „ustroju mieszanego", w którym zagwarantowany udział w rządzeniu mają król, arystokracja i lud, tak że nikomu nie może przypaść pełnia władzy. W chwili wydania *Sześciu ksiąg...* Bodin zajmował już znacznie sztywniejsze stanowisko. Wydarzenia roku 1572 przekonały go, że zachowanie wolności ludu jest o wiele mniej ważne niż utrzymanie porządku społecznego. Teraz Bodin nie uznawał już żadnych ograniczeń władzy królewskiej.

W *Sześciu księgach...* wywód oparty został na koncepcji suwerenności (zwierzchności). Bodin był pierwszym myślicielem, który w pełni dopracował tę koncepcję. Zakładała ona, że suwerenność to moc stanowienia prawa bez konieczności zgody z czyjejkolwiek strony i dotrzymywania jakichkolwiek warunków czy umów. Prawo jest niczym innym jak deklaracją woli suwerena. Nazywając suwerena absolutnym, Bodin ma na myśli to, że nawet jeśli stosuje on ucisk, żaden poddany nie ma prawa występować przeciwko niemu, a żadna opozycja w imię sprawiedliwości nie ma racji bytu. Rozważania te dotyczyły przede wszystkim współczesnej uczonemu Francji, ale teorię Bodina można zastosować do każdej formy państwa, ponieważ to właśnie suwerenność decyduje o istnieniu państwa; tam gdzie nie ma suwerenności, nie ma też i państwa. Suwerenność nie musi przynależeć królowi, wiąże się ona z mocą stanowienia prawa, w ustroju oligarchicznym może być więc przypisana szlachcie, a w republice nawet wybieralnym organom przedstawicielskim. Musi jednak mieć ją każda władza. Bodin uznaje za najlepszy ustrój monarchię, ponieważ suwerenność jest wówczas atrybutem tylko jednego człowieka, od którego woli zależy wszystko, nie ma zatem trudności przy określaniu, co jest prawem. W oligarchiach i republikach jest to bardziej skomplikowane. Ci, którzy utrzymują, że sądy lub zgromadzenia stanowe muszą wyrażać zgodę na wprowadzenie przez króla nowych praw, w rzeczywistości próbują pozbawić króla suwerenności na rzecz sędziów lub stanów. Suwerennego króla prawa nie obowiązują, on je ustanawia. Główna linia rozumowania Bodina jest dość klarowna, ale klarowność tę mąci wprowadzenie przezeń pewnych ograniczeń suwerenności. Bodin utrzymuje na przykład, że suweren ma obowiązek szanowania własności prywatnej swoich poddanych. Obrona własności prywatnej jest z punktu widzenia Bodina zrozumiała, ponieważ celem państwa jest utrzymanie porządku społecznego. Ponieważ społeczeństwo tworzą rodziny, a rodziny nie mogą istnieć bez własności, porządek społeczny zależy od poszanowania własności nawet przez króla. Ograniczenie to wynika z wyznawanej przez Bodina koncepcji rodziny jako fundamentu porządku społecznego, ale nienaruszalność własności prywatnej stwarzała potencjalne zagrożenie dla suwerenności władzy.

Sceptycyzm wobec możliwości poznania

Wykształceni Europejczycy końca XVI wieku musieli uporać się z wieloma błędnymi wyobrażeniami na temat otaczającej ich rzeczywistości, z przekonaniami, które ich przodkowie uważali za niepodlegające dyskusji. Największy wstrząs wywołała reformacja i będący jej konsekwencją podział chrześcijaństwa. Rozkwitający w Europie Północnej na początku stulecia humanizm chrześcijański zatonął w odmętach walk ideologicznych lat dwudziestych i trzydziestych. Te idee humanizmu, które przetrwały, wyrażano teraz z większą ostrożnością, humaniści nie aspirowali już do roli odnowicieli kultury i duchowości, skupili się przede wszystkim na nauczaniu i nauce. Niepowodzenie prób uzdrowienia życia religijnego, politycznego i społecznego poprzez poznawanie dziedzictwa starożytności przysporzyło kręgom intelektualnym wielu rozczarowań. Nic nie wydawało się już pewne. Synkretyści – na przykład florenccy neoplatonicy – oczekiwali, że coraz głębsza znajomość filozofii starożytnej pozwoli ostatecznie uzyskać przejrzysty i spójny jej obraz. Zamiast tego okazało się, że filozofowie starożytni byli tak samo podzieleni jak współcześni.

Pewni myśliciele nawiązywali do greckich sceptyków, którzy kwestionowali zdolność ludzkiego umysłu do poznania prawdy absolutnej. Kwestii tej nie podejmowała filozofia średniowieczna, choć powszechnie znano poświęcone jej dzieło Cycerona, *Academica*. Cycero bronił umiarkowanego sceptycyzmu platońskiej Nowej Akademii, której przedstawiciele utrzymywali, że ludzki umysł potrafi odróżnić bardziej prawdopodobne od mniej prawdopodobnego, nie może jednak stwierdzić z całą pewnością prawdziwości żadnego twierdzenia. Skrajny sceptycyzm reprezentowali w filozofii starożytnej zwolennicy poglądów Pirrona z Elidy, głoszący, że ponieważ rzeczywistość jest niepoznawalna, a ludzkie sądy i wrażenia zmysłowe nie są ani prawdziwe, ani fałszywe, należy powstrzymać się od jakichkolwiek kategorycznych twierdzeń. Ta odmiana sceptycyzmu była w średniowieczu jeszcze słabiej znana niż sceptycyzm Cycerona; zachowało się tylko jedno dzieło starożytnego pirronisty, Sekstusa Empiryka. Oprócz niewielkiej książeczki Gianfrancesca Pico della Mirandoli (1470–1533) nie istnieją dowody wskazujące na zainteresowanie dziełami Sekstusa przed 1562 rokiem, gdy opublikowano łaciński przekład *Zarysów pirrońskich*. Koncepcje sceptyków były jednak obecne w świadomości Europejczyków już w pierwszej połowie XVI wieku. Odniesienia do pirronistów i sceptyków znalazły się w trzeciej księdze *Gargantui i Pantagruela* (1546) François Rabelais'go. Miało to tym większe znaczenie, że Rabelais, choć był człowiekiem wykształconym, pisał w potocznej francuszczyźnie książki przeznaczone dla szerokich rzesz odbiorców. Francuski filozof Omer Talon (1510–1552) przywoływał w rozprawie *Academica* (1542) poglądy Cycerona, aby uzasadnić krytykę arystotelizmu dokonaną przez Petrusa Ramusa. Podobnie jak wszyscy myśliciele występujący wówczas w obronie sceptycyzmu Talon dowodził, że sceptycyzm pokazuje tylko, że prawdziwą drogą poznania Boga jest wiara chrześcijańska, nie zaś filozofia Arystotelesa.

Narastające zainteresowanie tym nurtem znalazło najpełniejszy wyraz w dziełach dwóch pisarzy, Francuza i Portugalczyka, z których pierwszy jest sławny, drugi zaś został niemal całkowicie zapomniany. Nieznany to Francisco Sanchez (1552–1623). W rozprawie opublikowanej w 1581 roku ten wykładowca filozofii i medycyny w Tuluzie poddał gruntownej i dobrze uargumentowanej krytyce arystotelesowską teorię poznania, podstawy wiary Arystotelesa w rozum, i zrobił to lepiej niż ktokolwiek wcześniej. Nie zyskał jednak większego oddźwięku.

O wiele szerszy wpływ zdobył mniej konsekwentnie sceptyczny Michel de Montaigne, być może po części dlatego, że lepiej władał piórem. W *Próbach* (1580–1588) porusza on, oprócz kwestii sceptycyzmu, wiele najróżniejszych tematów, a dzieło to ma szczególne znaczenie, wyrosło bowiem z ducha renesansowego humanizmu. W dzieciństwie Montaigne mówił tylko po łacinie; odebrał wykształcenie humanistyczne w najlepszej szkole w ówczesnej Francji, doskonała znajomość literatury antycznej widoczna jest we wszystkich jego dziełach. W eseju o nauczaniu pisał, że wiedza książkowa, choć pożądana, jest o wiele mniej ważna niż zasady moralne i jasność myślenia. Znajomość literatury klasycznej, zasadniczy cel humanistycznego nauczania, jest pożyteczna pod każdym względem, ale tylko wówczas, gdy wiedza ta zostanie przyswojona i wykorzystana, nie zaś tylko zapamiętana.

Montaigne znał *Zarysy pirrońskie*, ale poglądy w kwestii ludzkiego poznania czerpał raczej z antyfilozoficznego nurtu humanistycznej retoryki niż z Sekstusa czy innych filozofów. Retoryka, sztuka pięknego wysławiania się i umiejętnej argumentacji, nie odwoływała się do procesów myślowych umożliwiających poznanie prawdy absolutnej, co stanowiło cel arystotelizmu, wiązała się natomiast z podejmowaniem decyzji natury moralnej, niemających wiele wspólnego z nauką, takich jak decyzje polityczne czy związane z problemami życia codziennego. Retorycy humaniści sądzili, że zarówno jednostki, jak i społeczeństwa rzadko – jeżeli w ogóle – stają przed koniecznością zmierzenia się z kwestią prawdy absolutnej rozumianej w duchu logiki Arystotelesa i że kwestia ta jest najczęściej przedmiotem jałowych spekulacji między uczonymi. Zastrzeżenia co do możliwości pewnego poznania wyrażali już Erazm z Rotterdamu w polemice z Lutrem oraz Sebastian Castellio występujący przeciw Kalwinowi.

Montaigne przejął ten sposób myślenia, a jego sceptycyzm wzmocniły doświadczenia z okresu wojen religijnych. Poglądy pirronisty Sekstusa Empiryka prawdopodobnie zainspirowały go do napisania eseju *Apologia Raymonda Sebonda*. Sebond, piętnastowieczny teolog hiszpański, utrzymywał, że kwestie abstrakcyjne wszelkiego rodzaju, z problemem istnienia Boga i cech boskości włącznie, powinny być rozpatrywane w kategoriach rozumowych. Władze kościelne zmusiły teologa do odwołania poglądów, ponieważ nie pozostawiał on miejsca dla wiary. Montaigne „bronił" Sebonda, dowodząc, że jego racjonalistyczne poglądy są tak samo uzasadnione, jak wszystkie inne twierdzenia filozofów racjonalistów – czyli że w ogóle nie są uzasadnione. Z Sekstusa Empiryka Montaigne zapożyczył druzgocącą krytykę ludzkich zmysłów, uznającą poznanie zmysłowe (według Arystotelesa dzięki temu poznaniu umysł ludzki dochodził do pojęć) za niepewne, wobec czego rozumowanie oparte na pojęciach nie powinno być stosowane do wyrokowania w kwestiach abstrakcyjnych. W *Próbach* Montaigne'a, który znał relacje europejskich odkrywców, można dostrzec również relatywizm w ocenie różnych kultur. W eseju *O kanibalach* pisał on, że brazylijscy kanibale, gotujący i zjadający pokonanych wrogów, nie postępują bardziej nierozumnie i dziwacznie niż europejscy chrześcijanie, grabiący, torturujący i wyrzynający swoich rodaków w imię religii.

Montaigne często przytacza słowa autorów starożytnych i deklaruje podziw dla ich mądrości, ale w odróżnieniu od humanistów poprzednich generacji nie szuka już u nich prawdy; w jego czasach wiara w odradzającą moc kultury antycznej mocno przybladła. Prawda absolutna, twierdzi ostatecznie Montaigne, pozostaje poza zasięgiem ludzkiego rozumu. Podobnie jak wszyscy sceptycy swojej epoki uważa, że poznanie ograniczeń rozumu prowadzi do wiary w prawdy objawione przez Boga. W następnym stuleciu sceptycyzm w rozumieniu pirronistów będzie dostarczał najlepszych argumentów myślicielom broniącym katolicyzmu we Francji.

U progu nowego stulecia

Pisma sceptyków wytyczyły drogę filozofom XVII wieku niegodzącym się uznać sceptycyzmu za ostateczny rezultat dyskursu intelektualnego. Dwaj najwybitniejsi myśliciele, którzy podjęli w swej pracy problem poznania, czerpali inspirację z twórczości Montaigne'a. Kartezjusz (René Descartes, 1596–1650), który zaczynał od pirrońskiego sceptycyzmu, był już filozofem nowego stulecia; Francis Bacon (1561–1626) natomiast w o wiele większym stopniu reprezentuje postawę typową dla końca XVI wieku. Bacon uznawał za słuszną krytykę arystotelesowskiego racjonalizmu, ale w dziele *The Advancement of Learning* (Rozwój nauki, 1605), idąc śladem Arystotelesa i w opozycji do sceptyków, przywrócił wartość poznaniu zmysłowemu. Próbował, choć bez większego powodzenia, wypracować nowe zasady logiki, która pomogłaby poprowadzić umysł od doznania zmysłowego do poprawnego naukowo wniosku uogólniającego. O wiele bardziej otwarcie niż Montaigne Bacon podważał użyteczność studiów nad dziełami starożytnych, uważając je za bezwartościowe dla poszukiwań filozoficznych i naukowych, choć nadal przydatne do innych celów. W niedokończonej nigdy pracy *Instauratio magna* (Wielka odnowa) pisał: „Trzeba jasno powiedzieć, że mądrość, którą czerpiemy głównie od Greków, jest mądrością dzieci i ma wszystkie jej cechy: może mówić, lecz nie może tworzyć, jest bowiem pełna sprzeczności i niezdolna stworzyć dzieł". Opinię tę można by uznać za kolejny typowy dla renesansu przejaw sprzeciwu wobec Arystotelesa, w głębszym sensie stanowi ona jednak świadectwo zmierzchu renesansowej wiary w to, że pozostałości piśmienniczej spuścizny Greków i Rzymian są krynicą mądrości, którą należy tylko odkryć. Bacon uważał, że pora porzucić złudzenia – starożytni Grecy nie uosabiają dojrzałej mądrości rodzaju ludzkiego, lecz nieopierzoną, rozgadaną, młodzieńczą niedojrzałość.

5

Niepokoje religijne

Euan Cameron

Wiek XVI był okresem najbardziej gwałtownych zmian, jakich doświadczyło chrześcijaństwo europejskie. W 1500 roku mieszkańcy Europy Zachodniej należeli do Kościoła powszechnego, zróżnicowanego i zmieniającego się, ale jednego dla wszystkich, tak że niewielu Europejczykom potrzebna była świadomość, iż są członkami Kościoła zachodniego, łacińskiego czy katolickiego. Istniały co prawda skupiska „heretyków" – waldensów czy lollardów – ale były one nieliczne i izolowane, nie odgrywały już znaczącej roli. Nawet Kościół czeski, od czasów Jana Husa na poły schizmatycki, znalazł sposoby koegzystencji z Rzymem. W roku 1600 sytuacja była zupełnie inna – wielu Europejczyków, prawdopodobnie większość, jasno zadawało sobie sprawę, że są rzymskimi katolikami, luteranami czy ewangelikami reformowanymi. Choć jedynie od ludzi w miarę wykształconych oczekiwano, że będą wiedzieli, dlaczego wyznają taką, a nie inną wiarę. Na Zachodzie przynależność do któregoś z większych lub mniejszych wyznań stanowiła wówczas nie tylko o świadomości jednostki, ale także o jej podporządkowaniu określonej sile politycznej. Państwa zawierały między sobą mniej lub bardziej stabilne sojusze przeciw innym państwom, przygotowując się do wojny, która od 1618 roku przez kilka dziesięcioleci wstrząsała Europą Środkową.

Oblicze wiary

Nie zawsze zdajemy sobie dobrze sprawę, jak ważny i głęboko zakorzeniony zespół wierzeń krył się tuż pod cienką warstwą kultury europejskiej. Wierzenia te nie tworzyły wyodrębnionego zbioru, który można by nazwać „religijnością ludową", ale nakładały się na oficjalnie wyznawaną wiarę i praktykowaną religię, mieszały z nią, oddziaływały na nią i ulegały jej wpływom. Znajdowały w nich odbicie codzienne troski, potrzeby i niepokoje będące udziałem większości lub nawet wszystkich Europejczyków początków epoki nowożytnej.

Zdecydowana większość Europejczyków mieszkała na wsi, ich tryb życia, bezpieczeństwo, cała ich egzystencja zależała od żyzności ziemi, płodności zwierząt gospodarskich, pogody – w XVI wieku wszystkie te warunki ulegały stałemu pogorszeniu. Przetrwanie jednostek i rodzin oraz zdolność do wykonywania codziennej pracy w dużym stopniu zależały również od wystarczająco silnego zdrowia. Ludzie pragnęli uprawiać ziemię w spokoju, nie chcieli być narażeni na rabunki i obecność na ich ziemi wojsk czy choćby płacić zbyt wysokich podatków. Nie mieli jednak na to wpływu, nie potrafili sami zapewnić sobie dobrobytu i ustrzec się przed nieszczęściami, szukali więc pomocy sił nadprzyrodzonych, chwytając się sposobów często wykraczających poza proponowane i dopuszczane przez Kościół.

Na przełomie XV i XVI wieku przekonanie o konieczności odwoływania się do sił nadprzyrodzonych dla ochrony przed złem podzielali katoliccy teologowie. W 1505 roku wykładowca teologii na uniwersytecie w Tybindze, Martin Plantsch, wygłosił w tamtejszym kościele parafialnym pod wezwaniem świętego Jerzego cykl kazań. Dowodził w nich, w co i tak powszechnie wierzono, że diabeł szkodzi ludziom, sprowadzając burze niszczące zbiory, wykradając zapasy ziarna i wina, pozbawiając krowy mleka i wywołując choroby oraz bezpłodność ludzi i zwierząt. Te same nieszczęścia często powodują czarownice przy użyciu zaklęć, uroków i trujących substancji, służących przywołaniu na pomoc diabła. Szukanie ratunku w nieszczęściu w czarach i różnego rodzaju praktykach magicznych było powszechne, choć potępiane przez Kościół. Plantsch utrzymywał, że jest to katastrofalny w skutkach błąd. Całe zło, jakiego doświadczają ludzie, spada na nich z woli Bożej. Bóg pozwala, aby zło kusiło niepewnych w wierze, i sprawdza ich w ten sposób. Ludzie muszą unikać i strzec się czarów i czarownic, powinni natomiast uciekać się do środków aprobowanych przez Kościół i tradycyjną medycynę. Plantsch zachęcał więc mieszkańców Tybingi do stosowania wody święconej na rany i bolesne miejsca, a także dla ochrony domów i innych budynków. Dla ochrony przed piorunami można włożyć do ognia poświęcony liść palmy, na różne dolegliwości skuteczne będą woda święcona, świece i poświęcony chleb oraz modlitwa do świętych; święty Antoni pomaga na gorączkę, święty Piotr na febrę, święty Błażej zaś na bóle gardła.

W XVI wieku Kościół luterański i Kościół reformowany z uderzającą jednomyślnością zwalczały sposób myślenia, w którym mieściło się stosowanie tego rodzaju remediów. Teologowie protestanccy dowodzili, że ani obrzędy kościelne, ani magiczne rytuały nie mogą zmienić materialnych właściwości rzeczy. Poświęcona woda i sól i tak pozostaną wodą i solą. Większość wiernych nadal trwała jednak w przekonaniu, że przyczyną nieszczęść jest diabeł. Źródła dowodzą, że wśród ludzi prostych wciąż silna była wiara w złe spojrzenie i myśli, które mogą spowodować chorobę, a nawet śmierć. Nieustannie uciekano się do znanych z dawien dawna, nieuznawanych przez medycynę i religię sposobów odpędzania nieszczęść. Wierzono, że dzięki rozmaitym wróżbom i zaklęciom można odnaleźć utracony majątek i wykryć złodziei. Listy tego rodzaju środków i remediów wymieniali między sobą lekarz i zwolennik sceptycyzmu Johannes Weyer, luterański pisarz Johann Georg Godelmann oraz jezuicki teolog Martin del Rio. Mimo różnic światopoglądowych wszyscy trzej zgadzali się co do oceny wierzeń rozpowszechnionych w warstwach nieoświeconych.

Na początku XVI wieku w Europie Zachodniej coraz powszechniejsza stawała się wiara w czarownice, ale choć polowania na nie rozpoczęły się jeszcze w poprzednim stuleciu, największe rozmiary przybrały dopiero po 1600 roku. Przez większość XVI wieku problem czarownic usuwały w cień wydarzenia reformacji, które przyczyniły się również do wielkiego zamieszania w sądownictwie kościelnym. Nastąpiła jednak wówczas istotna zmiana – polowaniem na czarownice zajęli się różni funkcjonariusze prawa, duchowni lub świeccy, najczęściej szczebla prowincjonalnego. W XV wieku należało to najczęściej, choć nie wyłącznie, do inkwizytorów. Pisarze z kręgów inkwizycji wytworzyli na podstawie swoich wyobrażeń o heretykach i czarnoksiężnikach stereotyp czarownicy – kobiety żyjącej wśród zwykłych ludzi, ale na sabatach oddającej cześć diabłu i uprawiającej z jego pomocą szkodliwe czary. Około 1500 roku wyobrażenie to rozpowszechniano zarówno w licznych malowidłach, jak i uczonych rozprawach. Zadomowiło się ono w teoriach naukowych i do pewnego stopnia w prawoznawstwie, ale nie wywarło większego wpływu na wierzenia ludowe. Dopiero w końcu XVI wieku w pewnych regionach Europy (niektórych księstwach biskupich w Niemczech, w dolinie Saary, Szwajcarii, Szwabii i na peryferiach kontynentu) czarownice były systematycznie ścigane przez inkwizycję. Do tego czasu sądziły je najczęściej sądy świeckie. Prowincjonalne władze sądownicze nader chętnie uciekały się do stosowania w śledztwie tortur, które nieodmiennie prowadziły do przyznania się oskarżonych do winy. Sądy wyższej instancji, takie jak inkwizycja hiszpańska i włoska, a także parlament paryski zwykle przestrzegały zasad zbierania dowodów, dopuszczały odroczenia i apelacje, dlatego rzadziej wydawały wyroki śmierci.

Wiara teologów nie różniła się pod jednym ważnym względem od wiary zwykłych ludzi – we wszystkich wydarzeniach burzących gwałtownie naturalny porządek upatrywano interwencji boskiej. Ludzie wszystkich stanów traktowali cudowne wydarzenia, narodziny nietypowych istot, zaćmienia Słońca i Księżyca, pojawienie się komety jako znak, zapowiedź boskiego gniewu lub ostrzeżenie. Największą sławę zyskały narodziny dwóch zdeformowanych zwierząt, tak zwanego papieskiego osła, który został utopiony w Tybrze w 1496 roku, oraz „mnisiego cielęcia", urodzonego we Freibergu w Saksonii w 1522 roku. Wiosną 1533 roku w Augsburgu jakaś kobieta wydała na świat troje groteskowo zniekształconych dzieci, co szczegółowo opisano; w Bałtyku łapano czasem dziwaczne ryby. Gdy w latach trzydziestych i czterdziestych nad Niemcami wisiała groźba wojen religijnych, na niebie pojawiali się rycerze w zbrojach, wieże, lwy, niedźwiedzie i smoki. Komety przelatujące niespodziewanie po spokojnym zwykle niebie mogły jedynie oznaczać, że Bóg daje ludziom ostrzeżenie.

Katolicyzm w przededniu reformacji

W przededniu reformacji religijność katolickiej Europy Zachodniej wyróżniała się charakterystycznymi cechami. U jej podstaw leżały zasady wykształcone w ciągu średniowiecza, w myśl których w dziele zbawienia pośredniczyli, poprzez udzielanie sakramentów, kapłani. W Kościele, jak uznał w 1215 roku Sobór Laterański IV, Jezus Chrystus jest zarówno kapłanem, jak i tym, który złożył życie w ofierze; poza Kościołem nikt nie mógł zostać zbawiony. Centralną postacią średniowiecznego chrześcijaństwa był więc Jezus Chrystus, ukrzyżowany za grzechy ludzkości. Późnogotyckie wyobrażenia Ukrzyżowania w malarstwie tablicowym, rzeźbie drewnianej i w kamieniu przedstawiają jego cierpienia w naturalistycznej, czasem graniczącej niemal z sadyzmem manierze. Rozpamiętywaniu Męki Pańskiej służyć miała Droga Krzyżowa, której stacje przekazywały opowieść o Pasji wykraczającą poza treści zawarte w Ewangeliach. Rozpamiętywanie miało wywołać u wierzących współczucie i skłaniać ich do zastanowienia się nad własnymi grzechami. W wyobrażeniach Męki Pańskiej zawsze znajdowały się odniesienia do Eucharystii. W słynnym obrazie ołtarzowym z Isenheim pędzla Matthiasa Grünewalda krople krwi baranka stojącego u stóp krzyża wpadają wprost do kielicha. Z kolei w kapliczce przydrożnej w Wilsnack krople krwi ukrzyżowanego Boga-Człowieka spadają na opłatek i następuje przeistoczenie. Innymi słowy, ofiara Chrystusa nie była tylko wydarzeniem sprzed kilkunastu wieków, lecz cudem, który powtarzał się codziennie na ołtarzach wszystkich świątyń chrześcijańskich.

Badacze zwykle analizują dogmaty o obecności Chrystusa w Eucharystii i ofierze eucharystycznej jako oddzielne składniki średniowiecznego myślenia, podczas gdy uzupełniały się one i wzmacniały nawzajem, a każdy zyskiwał na przełomie XV i XVI wieku coraz większe znaczenie. Ponieważ Chrystus stał się w Eucharystii tak dostępny, namacalny i widoczny, Eucharystia stała się najbardziej naturalnym sposobem udzielania łaski Bożej jednostkom i społecznościom. Liturgia chrześcijańska w coraz większym stopniu skupiała się na Podniesieniu, wystawianiu poświęconej hostii w monstrancji i procesjach w dzień Bożego Ciała (pierwsza odbyła się w Liège w 1264 roku, ale rozpowszechniły się one dopiero po poparciu przez papieży na początku XIV wieku). Duchowni i wierni świeccy zyskali przekonanie, że korzyści z mszy można określić ilościowo i zwielokrotnić – uczestnictwo w większej liczbie mszy zapewnia większą łaskę. Pomysł ten nie narodził się w przededniu reformacji; już w końcu XIII wieku ostrzegano duchownych przed takim traktowaniem mszy. Ważne jest jednak to, że w XV wieku uświęconą zasadą stało się wielokrotne odprawianie nabożeństw żałobnych, a całe zastępy kapłanów poświęcały się tylko jednemu zajęciu – odprawiały jedną mszę za drugą, aby przyspieszyć przejście duszy zmarłego przez czyściec. Sprawiło to, że mieszkańców pewnych regionów Europy, których stać było na wykupienie jedynie skromnej liczby mszy pośmiertnych, historycy podejrzewali później o sprzyjanie herezji waldensów.

Z drugiej strony religia w czasach poprzedzających reformację nie wydaje się tak całkowicie skupiona na Jezusie Chrystusie. Chrystusa mogli zobaczyć wszyscy pod postacią chleba na ołtarzu. Ukazywano Go na krzyżu, co miało uświadamiać wiernym konsekwencje grzechu, albo jako sędziego na Sądzie Ostatecznym, aby jeszcze dobitniej ostrzec tych, którzy lekceważą nakazaną przez Kościół pokutę za grzechy. Rolę dobrotliwej, współczującej opiekunki w coraz większym stopniu przejmowała matka Jezusa, Maryja. W ostatnich dziesięcioleciach średniowiecza Dziewica Maryja stała się kimś znacznie więcej; nie była już tylko przykładem potulnego poddania się woli Bożej. W kazaniach teologa z Tybingi Gabriela Biela (zm. 1495) jawiła się jako współodkupicielka rodzaju ludzkiego. W modlitwach i w sztukach plastycznych występowała jako obrończyni grzeszników przed surowymi wyrokami Bożymi. Erazm z Rotterdamu (ok. 1467–1536) zauważył, że kult Dziewicy był tak powszechny, iż modły do Niej uważano za bezwartościowe, jeśli nie zostało w nich określone, do której Matki Boskiej, z jakiego kościoła lub kaplicy, zwraca się proszący. Erazm wyobrażał sobie zmęczoną Maryję, która musi wysłuchiwać niekończącej się litanii próśb śmiertelników, przekonanych o takiej Jej władzy nad Dzieciątkiem, że jeśli Jezus odmówi czyjejś prośbie, Ona ze swej strony „nie poda Mu piersi, gdy będzie głodny".

Dziewica Maryja stała ponad świętymi, ale wszyscy oni mieli obowiązek wstawiennictwa i opieki nad ludźmi – wiara w to przetrwała w katolickiej Europie przez cały XVI wiek. Kult świętych odgrywał dużą rolę w drugiej połowie roku liturgicznego, uroczystości ku czci świętych patronów przerywały latem i jesienią monotonię dnia powszedniego. Patroni otaczali opieką te społeczności, które przechowywały ich relikwie lub po prostu modliły się do nich w podzięce za wybawienie od suszy, powodzi, zarazy i innych nieszczęść. Posiadanie i wystawianie relikwii miało doniosłe znaczenie. W Niemczech późnego średniowiecza nie budziło zdziwienia, że pobożny książę saski Fryderyk III zgromadził wielki zbiór szczątków różnych świętych, a nawet zauroczony ideami renesansu papież Pius II (1405–1464), autor wnikliwych i pisanych ze świeckiego punktu widzenia komentarzy o życiu na dworze papieskim, czerpał naiwną przyjemność z przeniesienia głowy świętego Andrzeja z Patras do Rzymu w kwietniu 1462 roku.

Szaleńcze niekiedy wysiłki ludzi średniowiecza, pragnących zapewnić sobie i swoim bliskim dostęp do zbawienia, napotykały poważną przeszkodę – zgodnie z teologią, człowiek nie mógł zbawić własnej duszy. Kościół średniowieczny nigdy w rzeczywistości nie głosił, że chrześcijanie mają zapewnione zbawienie. Nawet święci potrzebowali boskiej pomocy, jak wszyscy inni ludzie. Pomoc ta przychodziła poprzez oczyszczenie się z grzechów, pokutę. W Europie Zachodniej od 1215 roku wierni byli zobowiązani co najmniej do jednej spowiedzi w roku (na Wielkanoc), w kościele parafialnym, i odbycia pokuty wyznaczonej przez spowiednika. Wielu proboszczów nie potrafiło sprostać nowym wymaganiom, dlatego funkcję spowiedników często pełnili wyznaczeni do tego zakonnicy; działali nawet spowiednicy prywatni. Specjaliści ci przeprowadzali penitentów przez gąszcz przepisów dotyczących dobra i zła, zawartych w obszernych, zawiłych podręcznikach dla spowiedników, takich jak *Angelica* czy *Silvestrina*. Na pierwszy rzut oka system ten mógł wydawać się bezwzględny w dążeniu do ukarania grzeszników, w istocie jednak spełniał także funkcje terapeutyczne. Ludziom, którzy uznali pokutę za zbyt ciężką, często zamieniano ją na łagodniejszą lub łatwiejszą do spełnienia. Dzięki pielgrzymce do wyznaczonego miejsca lub nawet dzięki pobożnej kontemplacji świętego obrazu można było uzyskać odpuszczenie części grzechów, a więc i zmniejszenie kary teraz i w życiu przyszłym. W latach jubileuszowych i z okazji różnych świąt jeszcze łatwiej dostawało się odpust – wystarczyło wpłacić pieniądze w kwocie zależnej od wysokości dochodu. Gdy w 1517 roku Marcin Luter (1483–1546) wystąpił przeciwko odpustom, zaczął od prostych pytań: czy słuszne jest zwalnianie grzeszników od pokuty w tak całkowicie błędny sposób? Czy nieodbycie należytej pokuty jest lepsze dla duszy?

Luter i luteranizm

W kwestii ruchu reformacyjnego w XVI wieku jedna rzecz jest całkowicie jasna – nie wywołał go jeden człowiek, nie przyczyniły się do jego powstania ambicje i dążenia jednego ugrupowania politycznego czy religijnego. Skutki reformacji są pochodną niezwykle złożonego i nieprzewidywalnego splotu wydarzeń, wzajemnego oddziaływania na siebie osobowości, przekonań religijnych, postaw wobec zastanego świata. Początków reformacji nie sposób jednak rozpatrywać, nie uwzględniając roli Marcina Lutra. Luter, augustianin eremita, należący do obserwanckiego odłamu zakonu, reprezentował odrodzony w końcu średniowiecza typ pobożności ascetycznej. W filozofii był zwolennikiem nominalizmu, łącząc skrajnie krytyczne podejście do języka teologii z przekonaniem, że wszystkie rzeczy i wydarzenia są całkowicie przypadkowe, zależą jedynie od arbitralnej woli Boga. Jako przedstawiciel renesansu północnego, doceniał znaczenie literatury klasycznej, a przede wszystkim greki i łaciny, dla swoich współczesnych. Bez trudu włączył się w nurt debaty nad sytuacją Kościoła niemieckiego, zwłaszcza od kiedy poznał przedstawicieli dworu papieskiego i ich nieprzekonujące poglądy teologiczne. Luter był jednak kimś więcej niż tylko sumą elementów składających się na jego osobowość. Teologowie uniwersyteccy nie poświęcali się zazwyczaj działalności publicystycznej. Wykształceni humaniści nie sądzili, że dogmaty religijne muszą być całkowicie jasne i zrozumiałe nawet dla rzesz ludzi prostych. Wydawało się wręcz niemożliwe, aby ktoś o takim wykształceniu i pozycji przeciwstawił się opiniom powszechnie panującym w zachodnim chrześcijaństwie i był gotów poświęcić całe życie na obronę swych poglądów.

Początkowe kontrowersje w sprawie odpustów odgrywały drugoplanową rolę w sporach teologicznych okresu dojrzałej reformacji. Zaczęło się od tego, że papież pozwolił arcybiskupowi Moguncji Albrechtowi von Hohenzollernowi sprzedawać odpusty na pokrycie części długów, które Hohenzollern zaciągnął, aby pokryć koszty swego wyniesienia na stolicę arcybiskupią; połowa dochodu ze sprzedaży tych odpustów miała być przeznaczona na odbudowę Bazyliki Świętego Piotra w Rzymie. Tego rodzaju handel odpustami wywoływał u jednych wątpliwości natury religijnej, u drugich sprzeciw z racji nadużyć finansowych. Jako duszpasterz,

Luter poczuł się w obowiązku zareagować, miał bowiem wątpliwości, czy chrześcijanin może zrezygnować ze szczerej pokuty, nawet jeśli odpust czyni ją niekonieczną. Początkowo zamierzał tylko wystosować pełen szacunku list do arcybiskupa, z załączonymi 95 tezami, a jednocześnie zaprosić teologów do dyskusji nad tym zagadnieniem. Dopiero nie otrzymawszy z Moguncji rzeczowej odpowiedzi, zaczął puszczać *95 tez* w obieg. Tezy, napisane w szkolnej łacinie, odwoływały się do odczuć ludzi świeckich, sceptycznie nastawionych do odpustów. „Dlaczego papież dla świętej miłości i dla cierpień, jakie dusze w czyśćcu ponoszą, dusz tych naraz nie wyzwoli z czyśćca, ale... za pieniądze tyle dusz wyzwala?" (82). „Po co odbywają się egzekwie... kiedy przecież za wybawionych nie trzeba już się modlić?" (83). „Czemuż owe dawne zasady pokutne, które w rzeczy samej są już zniesione i martwe, jednakże dzięki odpustowi nabrały znaczenia i mogą być usunięte za pieniądze, jak gdyby dotąd istniały w całej pełni?" (85). Luter nie dał odpowiedzi na te pytania, liczył jednak, że odpowiedzą na nie czytelnicy. Tezy prowokowały do publicznej dyskusji; doskonale zdawali sobie z tego sprawę drukarze i wydawcy rozpowszechniający je bez zgody Lutra.

Dysputa o odpustach, w której na porządku dziennym było błędne odczytywanie i przeinaczanie racji strony przeciwnej, przerodziła się w kryzys. Niektórzy dominikanie uznali tezy augustiańskiego teologa za oburzające. Teologowie papiescy dopatrzyli się w nich niedopuszczalnej obrazy i podawania w wątpliwość duchowej władzy papieża. Luter tracił złudzenia wraz z następującymi jedna po drugiej wizytami wysłanników z Rzymu; nawet kardynał Cajetan, jeden z najwybitniejszych teologów dominikańskich epoki, okazał się całkowicie niezdolny do zrozumienia jego argumentów. Hierarchowie katoliccy zapędzili się w ślepą uliczkę, opowiadając się za najbardziej skompromitowanymi i niezrozumiałymi dla rzesz wiernych elementami kultury religijnej. W chwili ekskomunikowania Lutra w 1520 roku już tylko najbardziej zdeterminowani obrońcy papiestwa w Niemczech – a było ich bardzo niewielu – odnosili się z wrogością do niego i jego tez. Po spotkaniu z cesarzem na sejmie w Wormacji w 1521 roku, gdzie Luter z powodzeniem bronił swoich poglądów, teologa z Wittenbergi okrzyknięto bohaterem narodowym. Można by wątpić, czy młody cesarz Karol V ośmieliłby się oddać go w ręce władz kościelnych, nawet jeśli nie obiecał mu listu żelaznego.

Tymczasem Luter poświęcił się zagadnieniom dość odległym od kwestii odpustów. Od chwili rozpoczęcia w 1513 roku w Wittenberdze wykładów poświęconych Biblii nieustannie prowadził walkę z teologicznym podejściem do problemu wybawienia dusz od grzechu. Dość szybko doszedł do przekonania, podobnie jak jego bracia zakonni, że usprawiedliwienie, które czyni człowieka sprawiedliwym i gotowym na przyjęcie przez Boga, jest darem od Boga, nie wystarczą do niego dobre uczynki. Gdyby poprzestał na tej konkluzji, nie byłoby reformacji, ponieważ pogląd ten całkowicie mieścił się w doktrynie katolickiej. Istota sprawy tkwiła w odpowiedzi na nieco zawiłe pytanie: czy Bóg obdarza człowieka łaską, aby stał się on lepszy i mógł później zostać przezeń przyjęty, czy też wedle własnej woli przypisuje człowiekowi sprawiedliwość Chrystusa, dzięki czemu jest on wolny od grzechu, niezależnie od tego, jaki jest prawdziwy stan jego ducha. W latach 1515–1517 Luter przedstawiał swoim studentom raz jedną, raz drugą możliwość w rozmaitych wersjach; później jednak poszedł dalej, stopniowo nabierając przekonania o słuszności jednej tylko odpowiedzi – Bóg usprawiedliwia i zbawia grzeszne z natury dusze niezależnie od ich przyrodzonych właściwości. „Boska sprawiedliwość" przypisana wierzącemu oznacza, że Bóg uniewinnia grzesznika, zanim go osądzi.

W roku 1520 tego rodzaju poglądy nie tylko oznaczały zerwanie z dotychczasową teologią, ich naturalną konsekwencję stanowiły zupełnie inne podejście do praktyk i koncepcja Kościoła chrześcijańskiego. Skoro Bóg chce, żeby ludzie byli zbawieni dzięki głoszeniu Ewangelii przebaczenia, nie zaś przez udzielanie sakramentu oczyszczenia, po cóż potrzebni są wyświęceni kapłani? Po co żyjący w celibacie księża, zakonnicy i zakonnice, umartwiający ciało w jałowej wierze, że uczyni ich to bardziej świętymi? W rozprawie *O niewoli babilońskiej Kościoła* (1520) Luter poddał ostrej krytyce sakramenty. Pisał, że konieczne jest zakazanie większości krążących obecnie książek, zmiana niemal całego wystroju kościołów i wprowadzenie, czy raczej przywrócenie, całkowicie innego typu obrzędów. Chrystus żyje, musimy więc bardziej zważać na Słowo Boże niż na wszystkie myśli ludzi i aniołów.

Luter uznawał, że konsekwencje polityczne ruchu, który wyrósł z inspiracji jego poglądami, to sprawa Boga. On sam głosił kazania, nauczał prawdy i pozwalał wydarzeniom toczyć się swoim torem. Było to dla niego typowe, choć czasem robił wyjątki. Zimę 1521/1522 spędził na zamku w Wartburgu, bezpieczny pod opieką książęcego protektora. Gorączkowo pisał i zaczął przekładać na język niemiecki Nowy Testament. Tymczasem jego przyjaciele i zwolennicy zaczęli wcielać w życie poglądy swego mentora – zmienili porządek nabożeństw, rozdawali wino wiernym świeckim, nie tylko duchownym, zamknęli klasztory, zniszczyli „bałwochwalcze" wizerunki i ołtarze. Luter dostrzegał w tym niebezpieczeństwo dla prawdzowej wiary. W marcu 1522 roku wrócił do Wittenbergi i nakazał swoim zwolennikom zaprzestać działań, poświęcić się rozmyślaniom i nauczaniu. Dopóki nie będzie nauczania i zrozumienia, zewnętrzne zmiany zachowań nic nie będą znaczyły. Luter do końca życia twardo obstawał przy stanowisku, że bez względu na wszelkie trudności praktyczne niezbędne jest zapoznanie z prawdami wiary szerokich mas społeczeństwa. Jeśli chodzi o zmiany form kultu religijnego, Wittenberga znalazła się raczej na szarym końcu niż w awangardzie reformacji.

Reformacja w miastach niemieckich

Luter szybko stał się postacią powszechnie znaną w Niemczech i poza ich granicami; jego podobizny pojawiały się na rycinach i w pismach ulotnych. Zyskał zwolenników w rozmaitych grupach społecznych. Do niektórych, na przykład do rycerstwa, na którego czele stanął Franz von Sickingen, przemawiała krytyka wyższego duchowieństwa, arogancji i przywilejów kleru. Humaniści doceniali jego walkę o zastąpienie pism Arystotelesa i Piotra Lombarda Biblią w języku greckim i hebrajskim. Ale to w wolnych miastach niemieckich dokonało się najbardziej naturalne – choć przejściowe – włączenie teologicznego przesłania Lutra w nurt ówczesnej myśli społecznej i politycznej.

W końcu średniowiecza miasta niemieckie stanowiły samodzielne wspólnoty, tak jak w innych krajach miały swoje władze i granice wyznaczone przez mury miejskie. Cieszyły się jednak, podobnie jak miasta Związku Szwajcarskiego, znacznie większą niż gdzie indziej niezależnością. Wiele z nich sprawowało władzę nad okolicznymi ziemiami. Zawierały sojusze, opłacały najemnych żołnierzy, uczestniczyły w działaniach politycznych czy lokalnych wojnach. I wszystkie musiały rozwiązywać kwestie związane z Kościołem. Niektóre kilkaset lat wcześniej stały się „wolnymi miastami" po wygnaniu księcia biskupa, który nominalnie sprawował nad nimi władzę. Ponieważ w miastach panowało silne poczucie odpowiedzialności za wspólnotę i konieczności wzajemnej pomocy, sprzeciwiały się one podatkowym i prawnym przywilejom duchowieństwa. Wiele dziesiątków lat przed reformacją miasta takie jak Norymberga czy Strasburg dążyły do przejęcia patronatu nad głównymi świątyniami i zabiegały, aby duchowni zrzekli się immunitetów w zamian za *Schirm*, opiekę i ochronę przysługującą pełnoprawnym obywatelom. Wiele miast zatrudniało płatnych kaznodziejów, działających poza strukturami parafialnymi; na przykład w Zurychu kaznodzieją miejskim był Huldrych Zwingli (ok. 1484–1531), później jedna z głównych postaci reformacji. Dominowało przekonanie, że mieszczanie stanowią wobec Boga wspólnotę, nie zaś dwie odrębne zbiorowości – ludzi świeckich i duchowieństwa. To, że aspiracje mieszczaństwa wyrażały się częściowo w wypracowanej przez Lutra nowej koncepcji Kościoła i duszpasterstwa, okazało się przypadkiem bardzo brzemiennym w skutki.

W latach 1521–1525 miasta cesarstwa niemieckiego stały się widownią publicznych debat religijnych na niespotykaną skalę. Było to możliwe dzięki ogromnemu rozpowszechnieniu się niezwykle wydajnych pras drukarskich. Technika druku znana już była wówczas od około sześćdziesięciu lat, ale początkowo książki drukowane w zasadzie nie różniły się formatem od manuskryptów. W przededniu wystąpienia Lutra drukarze wydawcy odkryli, że jeden lub dwa arkusze papieru, złożone do formatu *quarto*, wystarczą do wykonania broszury liczącej sześćdziesiąt lub więcej stron. Broszury i niewielkie objętościowo rozprawy wypełniły wolne miejsce między opasłymi tomami uczonych ksiąg a pojedynczymi kartami pamfletów odbijanymi z jednego klocka drzeworytniczego, stanowiącymi przedtem ulubioną formę tanich druków dla szerokiego odbiorcy. Pierwsze pisma Lutra, zwłaszcza kazania, doskonale nadawały się do druku w tym formacie; wkrótce w poręcznym *quarto* wydano inne jego dzieła. W podobny sposób publikowali swe rozprawy inni pisarze duchowni, na przykład Erazm z Rotterdamu; szybko dołączyła do nich rzesza polemistów, również świeckich, takich jak Hans Sachs czy Argula von Grumbach i Katharina Zell. W tych latach fermentu intelektualnego Luter więcej pisał, więcej wydawał i sprzedawał niż ktokolwiek inny. Równie ważne było jednak, że tworzył przestrzeń dla coraz to nowych pytań. Czy człowiek może dostąpić zbawienia bez odpustu? Czy społeczność chrześcijańska ma prawo powoływać i odwoływać swoich duszpasterzy? Mieszkańcy nawet najbardziej rozwiniętych miast byli w większości niepiśmienni, słowu drukowanemu wszelkiego rodzaju towarzyszyły jednak głośne i licznie uczęszczane kazania. Mogli ich słuchać wszyscy, także chłopi z okolicznych wsi, a wygłaszali je nie tylko zwolennicy reformy Kościoła, ale i przeciwnicy zmian. Na początku lat dwudziestych w wielu miastach kaznodzieje obu stron wykazywali taką zapalczywość i wywoływali takie poruszenie, że władze miejskie próbowały ich uciszyć, aby przywrócić porządek. Co najmniej w siedemnastu miastach niemieckich i szwajcarskich kaznodziejom nakazano ograniczenie się do objaśniania Biblii i unikanie wzajemnych złośliwości. Nakazy okazały się jak zwykle nieskuteczne. Co ważniejsze, władze miejskie poczuwały się do obowiązku czuwania nad zgodną z ich własnymi zapatrywaniami interpretacją Biblii. Kaznodzieje reformacyjni zachęcali przecież świeckich do otwartego wyrażania własnych poglądów. W styczniu 1523 roku Zwingli wdał się w polemikę z wikariuszem generalnym Konstancji, który dowodził, że nie wolno prowadzić dyskusji teologicznej w obecności świeckich. Zwingli odpowiedział wówczas:

Zebraliśmy się tu dziś w wielkiej liczbie my, chrześcijanie. Dlatego jest tu, na tym zgromadzeniu, bardzo wielu ludzi prawdziwej wiary zarówno z naszego okręgu, jak spoza jego granic, ludzi pobożnych i uczonych niczym biskupi. Nie widzę żadnego powodu, aby zabronić nam tu i teraz zgodnej z prawem dyskusji nad zdaniem wikariusza w tej materii.

Trzeba było przynajmniej kilku lat, aby mogła wydarzyć się tego rodzaju sytuacja. W ciągu tych lat społeczności miejskie, systematycznie utwierdzane w przekonaniu, że ich poczynania płyną z woli Bożej i nie mają nic wspólnego ze świętokradztwem, przejęły kontrolę nad kościołami oraz rozmaitymi należącymi do nich szpitalami, przytułkami dla ubogich i innymi przybytkami dobroczynności. Księża stali się pastorami, pozakładali rodziny i dołączyli do grona obywateli. Miejsce mszy świętych zajęły zreformowane nabożeństwa. Wkrótce potem zlikwidowano wszystkie zakony i skonfiskowano ich majątki. Bezładny, mieszany system dobroczynności prywatnej i komunalnej zastąpiono, przynajmniej w teorii, uporządkowaną i racjonalną pomocą dla ubogich i szkolnictwem publicznym. Sytuacja polityczna w miastach przedstawiała się różnie. Reformacja rodziła się albo w ogniu konfliktów politycznych (miasta bałtyckie), albo wskutek całkowitej niezdolności części władz miejskich do podjęcia decyzji (Augsburg), a nawet w rezultacie głosowania obywateli (Ulm, Konstancja, Memmingen i inne miasta). Nie istnieje jedno wyjaśnienie wszystkich przypadków, wspólne było tylko żarliwe zainteresowanie mieszczaństwa sprawami religii.

W pierwszym okresie reformacji zaczęła się zaznaczać linia podziału między miastami Północy i Południa cesarstwa. Podział nie miał charakteru ani wyraźnie politycznego, ani czysto teologicznego, dotyczył raczej metod wprowadzania reformacji. W północnych Niemczech Luter i, w większym jeszcze stopniu, jego bliski przyjaciel Johannes Bugenhagen (1485–1558) popierali ruch reformatorski dość konserwatywny w kwestii zmian w liturgii. Dążyli do zachowania tradycyjnych form tam, gdzie było to możliwe, naciskali na stopniowe zmiany i zakazywali masowego niszczenia wizerunków. Po wiekach panowania luteranizmu w niektórych kościołach północnych Niemiec zachowały się po dziś dzień późnośredniowieczne ołtarze. Na południu Niemiec i w Szwajcarii działo się inaczej. Martin Bucer (1491–1551) w Strasburgu i Huldrych Zwingli w Zurychu domagali się o wiele radykalniejszego „wyczyszczenia" pozostałości średniowiecznego porządku. Niszczono wizerunki, a z liturgii konsekwentnie usuwano niepożądane elementy. Zdaniem Lutra reformacja w wydaniu południowoniemieckim i szwajcarskim stwarzała zagrożenie – jej przedstawiciele zbyt usilnie dążyli do szybkich i radykalnych zmian, zbyt ufali w siłę ludzkiego rozumu, zbyt arogancko kwestionowali dogmat o obecności Jezusa w Eucharystii. Luter nie tworzył instytucji religijnych i nigdy nie uważał, że należy koniecznie zaczynać od wprowadzenia ujednoliconej, „zreformowanej komunii". Rozdźwięki i nieporozumienia końca lat dwudziestych zapoczątkowały jednak proces kształtowania się w Europie dwóch potencjalnie antagonistycznych odłamów protestantyzmu.

Reformacja w miastach była niezwykle ciekawym fenomenem kulturowym, ale tylko w Szwajcarii mogła rozwijać się i utrwalić bez przeszkód. Miasta południowoniemieckie, opowiadające się zwykle za cesarzem, a przeciw książętom, od roku 1531 przystępowały do lig tworzonych przez dawnych nieprzyjaciół. Gdy w latach czterdziestych cesarz podjął walkę z książętami, pozostawili oni wolne miasta swojemu losowi. Miasta utraciły wówczas swobody religijne, a niektóre również wolność.

Chłopi, książęta i monarchowie

Nie tylko w rządzących się własnymi prawami miastach silne było poczucie wspólnoty i wzajemnych zobowiązań. W gorączkowej atmosferze początku lat dwudziestych także wspólnoty wiejskie środkowych i południowych Niemiec dostrzegły w ruchu reformacyjnym szansę realizacji własnych aspiracji społecznych i kulturalnych. Skoro Bóg powierzył narzędzia zbawienia wspólnocie, wybierającej i mianującej własnego pastora, czyż wspólnota ta nie ma również praw do użytkowania ziemi, lasów, rzek, pastwisk i innych naturalnych zasobów? Czy panowie nie powinni dowieść swoich praw do ziemi, opartych na wcześniejszej zgodzie społeczności? W tym pragmatycznym chłopskim myśleniu pojawiały się też wątki bardziej radykalne, zaczerpnięte z millenarystycznych przepowiedni zwiastujących rychłe nadejście nowego Królestwa Bożego. Na przełomie 1524 i 1525 roku narastało wrzenie, co doprowadziło do kilkumiesięcznych rozruchów w Szwabii, gdzie bandy uzbrojonych „wieśniaków" (w rzeczywistości chłopów oraz mieszkańców małych miast) zgromadziły się wokół Memmingen i zdobyły miasto. Spisano postulaty, „dwanaście artykułów", które wydane *in quarto* krążyły po całych Niemczech, inspirując licznych naśladowców. Dalej na północ, w Turyngii, chłopi pod przywództwem wizjonera Thomasa Müntzera zdobyli Frankenhausen.

Używane powszechnie określenie „wojna chłopska 1525 roku" jest podwójnie mylące. Głównymi uczestnikami wydarzeń byli nie tylko chłopi, a ponadto trudno tu w ogóle mówić o wojnie. Chłopi ze Szwabii zaprzestali działań i rozproszyli się po rozmowach z władzami, natomiast w Turyngii oddziały chłopskie zostały pod Frankenhausen wycięte w pień przez świetnie wyszkolone wojska książęce. Wydarzenia te zaważyły jednak na postawach niemieckiej szlachty i książąt. Na początku lat dwudziestych rodziny panujące trzymały się z dala od debat religijnych. Ci, którzy tak jak książę saski Jerzy próbowali konfiskować egzemplarze Biblii w języku niemieckim, narazili się na pogardliwe szyderstwa Lutra. Wiosna 1525 roku pokazała jednak, że trwanie z boku nie jest dobrą polityką. Mimo że w następnych latach wciąż spontanicznie pojawiały się ogniska reformacji, przede wszystkim w miastach, społeczeństwo niemieckie stało się silniej zhierarchizowane i poddane większej kontroli. Nadszedł czas umacniania się władzy książąt. Już wcześniej zdarzały się przypadki przejmowania przez książąt władzy nad miejscowym Kościołem, podobnie jak władze miejskie zajmowały kościoły w miastach. Niektórzy biskupi zostali wasalami świeckich książąt, niektórzy książęta przyjęli patronat kościelny, tak jak koronowane głowy całej Europy. Szczególnie chętnie zajmowali ziemie kościelne książęta z północnych i wschodnich Niemiec, dążący do powiększenia swoich i tak już rozległych domen.

„Reformacja książęca" rozwijała się jednak wolno i nie zaowocowała tyloma nowymi ideami religijnymi, ile powstawało w miastach. W ojczyźnie Lutra, Saksonii, rządzonej przez linię ernestyńską dynastii Wettynów, wprowadzenie nowego porządku kościelnego (lata trzydzieste) poprzedziła powszechna wizytacja parafii w latach 1527–1528. Wcześniejsza próba zorganizowania własnego Kościoła, podjęta przez landgrafa heskiego Filipa na synodzie w Homburgu w 1526 roku, nie powiodła się. Proces przejmowania majątków kościelnych i obwoływania się przez książąt głowami Kościołów państwowych miał jednak coraz większy zasięg, w początkach lat czterdziestych istniała już grupa luterańskich państw niemieckich. Na opóźnieniu tego procesu zaważyły kalkulacje polityczne i spory dynastyczne. Wiele niemieckich rodów książęcych podzielonych było na rywalizujące ze sobą gałęzie, z których każda rządziła na własnym skrawku terytorium; gdy jedna linia zgłaszała akces do nowego wyznania, druga wolała na wszelki wypadek zachować postawę wyczekującą.

Najważniejszy wkład reformacji książęcej w myśl reformacyjną stanowiły koncepcje polityczne. W końcu średniowiecza zasadniczym problemem cesarstwa niemieckiego był ład i porządek publiczny. Wobec braku skutecznej władzy centralnej rozwiązanie mogła stanowić albo silniejsza władza książąt, albo łączenie się mniejszych państw w ligi i konfederacje. Gdy okazało się, że popieranie reformacji stwarza zagrożenie dla egzystencji samodzielnych państewek, książęta zaczęli się jednoczyć. W 1529 roku na sejmie w Spirze złożyli uroczysty protest przeciw polityce cesarza (stąd nazwa „protestanci""); protest podpisały również niektóre miasta. W następnym roku przedstawili w Augsburgu swoje wyznanie wiary, *confessio augustiana*, co oznaczało kres nadziei na ponowne zjednoczenie Kościoła w cesarstwie niemieckim. Wkrótce potem książęta protestanccy założyli związek obronny w Szmalkalden w Hesji, tak zwany Związek Szmalkaldzki, który w czasie swego istnienia zyskał szczątkowe znamiona państwowości – miał własny sejm, gromadził pieniądze i organizował oddziały wojskowe, wysyłał ambasadorów do krajów ościennych. Stwarzało to jednak teologom luterańskim pewne problemy natury teoretycznej. Luter początkowo wyrażał opinię, że Rzesza jest niepodzielnym królestwem pod berłem cesarza, każdy zaś, czy to rycerz, chłop, czy książę, kto siłą stawia opór cesarzowi, łamie boskie nakazy. Do 1530 roku Lutra i jego współpracowników nakłaniano do przyjęcia poglądu, że przynajmniej na gruncie prawa świeckiego ustrój cesarstwa niemieckiego jest bardziej złożony, a Niemcy są państwem, w którym książęta mogą zgodnie z prawem bronić siebie i swoich poddanych przed niesprawiedliwymi działaniami cesarza, czyli w istocie napastnika z zewnątrz. Pod koniec życia Luter znalazł uzasadnienie dla tego sposobu myślenia: papież jest tak straszliwie zdeprawowany, że powinna przeciwstawić mu się cała społeczność chrześcijańska, żaden więc władca, który opowiada się po jego stronie, nie ma prawa rządzić.

Teoretyczne uzasadnienie oporu to jedno, opór w praktyce to całkiem inna sprawa. Cesarz Karol V pozbawił Związek Szmalkaldzki przywódców, szantażując landgrafa heskiego Filipa i przeciągając na swoją stronę księcia saskiego Maurycego, tak że w 1546 roku mógł już bez trudu pokonać wojska saskie i heskie. Mimo klęski przeciwnika na polu bitwy Karol okazał się całkowicie niezdolny do zaprowadzenia trwałego pokoju, próbując narzucić całym Niemcom swą wizję Kościoła – umiarkowanego, po części zreformowanego, ale nadal katolickiego. Ani luteranie, ani katolicy nie chcieli tego wymuszonego małżeństwa, które wiązałoby się z pogwałceniem przekonań zarówno jednej, jak i drugiej strony. Na początku lat pięćdziesiątych Karol V, przeszedłszy załamanie nerwowe, powierzył swemu bratu Ferdynandowi prowadzenie pertraktacji w sprawie ustalenia *modus vivendi* między katolikami a luteranami w cesarstwie. Porozumienie zostało w zasadniczych punktach wynegocjowane w 1552 roku, a ostatecznie potwierdzone pokojem augsburskim w 1555 roku. Przyjęta wówczas zasada *cuius regio, eius religio* (czyja władza, tego religia) oznaczała koniec wolności religijnej w Niemczech.

Tymczasem na luteranizm przeszli królowie duński i szwedzki. W królestwie Danii (obejmującym też Norwegię, południową część dzisiejszej Szwecji, Islandię i Szlezwik-Holsztyn) ciąg wojen domowych i *coups d'etat* zakończył się w 1536 roku, za panowania Chrystiana III, ustanowieniem Kościoła luterańskiego. W Szwecji, która uniezależniła się od korony duńskiej na początku lat dwudziestych, mający skłonności absolutystyczne i nieco chimeryczny król Gustaw I Waza (1523–1560) od 1527 roku wprowadzał Kościół państwowy rytu luterańskiego, lecz świadomie ograniczał zbytnią niezależność duchowieństwa. Król francuski Franciszek I (1515–1547) miał do reformacji stosunek niejednoznaczny. Gdy popadł w konflikt z ultrakatolickimi wykładowcami teologii uniwersytetu paryskiego, zaczął interesować się różnymi aspektami myśli reformacyjnej. Zarówno on, jak jego syn Henryk II (1547–1559) zawierali sojusze z luterańskimi książętami niemieckimi w celu wspólnej walki ze znienawidzonymi Habsburgami. Obaj nie stronili jednak od okrutnych prześladowań protestantów i wszelkiego rodzaju heretyków. Król angielski Henryk VIII (1509–1547) zerwał z Rzymem w 1534 roku, gdy papież nie wyraził zgody na jego rozwód. Prowadził dialog z luterańskimi przywódcami politycznymi i religijnymi, dopuścił nawet do przedstawienia na synodzie biskupów Kościoła anglikańskiego w 1536 roku zasad doktrynalnych wyrosłych jakoby z ducha luteranizmu. Zależało mu jednak na sojuszu z najważniejszymi mocarstwami europejskimi, nie zaś z państewkami o drugorzędnym znaczeniu, musiał więc zrezygnować z amatorskiego parania się teologią, ku wielkiemu rozczarowaniu arcybiskupa Thomasa Cranmera i Filipa Melanchtona. Postawa Henryka VIII zdecydowała, że nadzieje na rozwój luteranizmu w Anglii wkrótce upadły.

Kalwinizm

W drugiej połowie XVI wieku reformacja wkroczyła na nowe tory. Człowiekiem, który stworzył najsilniejszy i najprężniej działający Kościół protestancki, był Francuz Jan Kalwin (1509–1564). Wykształcony humanista, prawnik i teolog, w 1533 roku zerwał z Kościołem katolickim i musiał opuścić Francję. Wyjechał do Bazylei, gdzie opublikował *Institutio christianae religionis* (Zasady religii chrześcijańskiej, 1536), dzieło zawierające wykład jego doktryny, wykazujące pewne podobieństwa do *Loci communes seu hypotyposes theologiae* (Podstawowe zasady albo wzory nauki teologicznej, 1521) Melanchtona. Wkrótce potem, gorąco zachęcany przez zwolenników, objął kierownictwo gminy ewangelickiej w Genewie, francuskojęzycznym byłym mieście biskupim w kantonie berneńskim. Okazał się utalentowanym pisarzem, nauczycielem i kaznodzieją, a przede wszystkim niezwykle sprawnym organizatorem, dzięki któremu gmina genewska wysunęła się na pierwsze miejsce, wyprzedzając zuryską gminę Heinricha Bullingera. Ponieważ wszystkie Kościoły protestanckie w Niemczech opowiedziały się za luteranizmem, w połowie XVI wieku jedynie w miastach szwajcarskich działały nieluterańskie Kościoły reformowane, z których tylko genewski i zuryski utrzymały międzynarodowe znaczenie, przy czym Zurych, otoczony przez katolickich sąsiadów, miał ograniczone możliwości ekspansji.

Kalwin, doskonały organizator i propagator nowej wiary, cieszący się ogromnym autorytetem współwyznawców, nie uczyniłby jednak z Genewy głównego ośrodka reformacji, gdyby nie okoliczności. W połowie XVI wieku do Genewy, podobnie jak do Strasburga, Frankfurtu nad Menem i innych miast Europy Środkowej, napływali uchodźcy religijni z Francji, Niderlandów, Włoch i Anglii. Kalwin miał już wówczas silną pozycję, narzucił obywatelom dyscyplinę moralną, podporządkował sobie władze miejskie, okładając nieposłusznych ekskomunikami, czego nigdy nie próbowano w Zurychu. W 1559 roku założył w Genewie akademię łączącą funkcje świeckiej uczelni i seminarium duchownego.

Uchodźcy przybywali więc do miasta funkcjonującego jako wzorowy ośrodek reformacji, niemający nigdzie indziej odpowiedników. Tu przyuczano ich do pełnienia posługi duszpasterskiej w innych zakątkach Europy. W latach czterdziestych Kalwin doszedł do przekonania, że jego rodacy, Francuzi, nie angażują się należycie w sprawę reformacji i trzymają się na uboczu, udając katolików i czekając na lepsze czasy, wzorem biblijnego faryzeusza Nikodema. Uważał zapewnianie sobie w ten sposób bezpieczeństwa za z gruntu nieuczciwe, płynące z podszeptu diabła. Lepszym wyjściem była jego zdaniem ucieczka, a jeszcze lepszym –

praktykowanie wiary reformowanej nawet we wrogim otoczeniu, początkowo w sekrecie, i stopniowe skupianie wokół siebie współwyznawców. Różnił się tu diametralnie od Lutra, który był przeciwnikiem zakładania sekretnych wspólnot wyznaniowych przez osoby prywatne. Koncepcja Kalwina miała szansę powodzenia w tych regionach Europy Zachodniej, które nie były tak zróżnicowane pod względem politycznym jak Niemcy – we Francji, Niderlandach (od 1548 roku znajdujących się pod panowaniem hiszpańskich Habsburgów) i na Wyspach Brytyjskich. Znalazła także odzew w Europie Wschodniej, gdzie zwolennicy reformacji woleli przystąpić do wyznania innego niż luteranizm praktykowany przez niemieckich sąsiadów.

Rozprzestrzenianie się kalwinizmu przebiegało w inny sposób niż luteranizmu. W latach dwudziestych i trzydziestych dana społeczność najpierw podejmowała decyzję akcesu do reformacji, a dopiero p o t e m wypracowywano wyznanie wiary, szczegóły liturgii, organizację Kościoła. Kalwinizm proponował natomiast gotowy, idealny wzorzec zreformowanego chrześcijaństwa, który przyjmowano p r z e d podjęciem decyzji przez wspólnotę czy władze państwowe. Co prawda nie zawsze tak się działo, kalwinizm nie wiązał się niezmiennie z „reformacją oddolną" czy rewolucją religijną. W Szkocji parlament, niechętnie nastawiony do regentki, Francuzki i katoliczki, ogłosił kalwinizm wyznaniem panującym, przy niechętnym i spóźnionym wsparciu ze strony królowej angielskiej Elżbiety I. Powstały w rezultacie Kościół narodowy przyczynił się raczej do wzmocnienia niż osłabienia integralności królestwa, choć nie zawsze w sposób odpowiadający koronie. W Anglii duchowieństwo i szlachta skłaniający się ku protestantyzmowi już wcześniej, za panowania Edwarda VI, wybierali chętniej kalwinizm niż luteranizm. Gdy Elżbieta, przyrodnia siostra Edwarda, w 1558 roku wstępowała na tron po katoliczce Marii I, kalwinizm zapuścił już dość mocne korzenie; królowa zdołała jednak stępić radykalizm jego wyznawców i zmusić ich do działania w ramach Kościoła anglikańskiego, który zachował swe średniowieczne struktury. Z kolei w niektórych regionach Niemiec od lat sześćdziesiątych zaznaczył się zaskakujący alians między zasadami kalwinizmu i książęcego absolutyzmu. Wielu książąt niemieckich, pod przewodem elektorów Palatynatu, z różnym powodzeniem próbowało narzucić surowe, racjonalne, wymagające wysiłku intelektualnego kalwińskie zasady religijne swoim luterańskim poddanym.

Ewangelicki Kościół reformowany poderwał się jednak do walki przeciwko francuskim Walezjuszom i rządzącym w Niderlandach Habsburgom. Przykład dała mała wspólnota waldensów, zamieszkująca alpejskie doliny w zachodnim Piemoncie, gdzie częstymi gośćmi byli kalwińscy ministrowie, którzy doprowadzili do zbliżenia doktrynalnego obu wyznań. Gdy nieoczekiwanie uprawiane dotąd w tajemnicy praktyki religijne przerodziły się w kult publiczny, książę Sabaudii najpierw groził, a następnie wysłał przeciwko waldensom ekspedycję wojskową. Wykorzystując znajomość terenu, bronili się oni tak skutecznie, że książę zawarł z nimi pokój i przyznał wolność religijną. To niewielkie z pozoru zwycięstwo „reformacji oddolnej" miało ogromne znaczenie psychologiczne. Stało się o nim głośno w całej Europie, zwłaszcza gdy do walki o swoje prawa przystąpili protestanci francuscy i flamandzcy. We Francji od 1562 roku trwały zmagania o zakres przywilejów mniejszościowego Kościoła reformowanego i prawo do publicznego kultu także w miastach. Sytuacja wewnętrzna we Francji była tak złożona, a religia tak ściśle związana z polityką, że wojny religijne trwały tam ponad trzydzieści lat, kompromis osiągnięto dopiero w 1598 roku, za panowania nawróconego na katolicyzm protestanta Henryka IV. W Niderlandach walka o prawa protestantów łączyła się z dążeniem flamandzkiej szlachty do uwolnienia się spod habsburskiej dominacji oraz flamandzkich i brabanckich rzemieślników do swobody uprawiania rzemiosła, a także z ambicjami politycznymi rodziny Oranje-Nassau. Podobnie jak we Francji kalwiniści stanowili tu mniejszość, ale mniejszość ta stała się wyrazicielką rodzących się aspiracji narodowych, przynajmniej w prowincjach północnych, gdzie w drugiej połowie lat osiemdziesiątych rewolucja antyhabsburska zaczęła zataczać coraz szersze kręgi.

Kalwinizm zyskał również duże wpływy w niektórych regionach Europy Wschodniej. Ponieważ Niemcy osiadli na terenach od wybrzeża Bałtyku po Siedmiogród od początku w zdecydowanej większości przechodzili na luteranizm, polska i węgierska szlachta wolała opowiedzieć się za innym wyznaniem; rody Leszczyńskich i Tarnowskich broniły praw Kościoła reformowanego w strefach swoich wpływów, natomiast przywódcy węgierskich kalwinistów, na przykład Martin Santa Kálmáncsehi czy Pétér Méliusz Juhasz, zbudowali organizację kościelną konkurencyjną w stosunku do luterańskiej. Podobnie jak w Niemczech, w zasadzie tylko szlachta i miasta miały tam coś w rodzaju swobody wyboru wyznania. Co więcej, w niektórych regionach kalwinizm zakorzenił się stosunkowo płytko, konwertyci nierzadko równie łatwo zgłaszali akces do kolejnego, bardziej „heretyckiego" wyznania, na przykład arianizmu lub socynianizmu (zob. podrozdział *Na marginesie oficjalnych wyznań*). Mimo rozrzucenia gmin kalwińskich po całej Europie wyraźna była pewna wspólnota postaw. Kalwiniści wierzyli, że to oni, nie zaś luteranie, dokonali całkowitej reformy chrześcijaństwa. Dumni byli z usunięcia z liturgii wszystkiego, co pachnie „bałwochwalstwem". Dążyli, z różnym powodzeniem, do utrzymania surowej dyscypliny kościelnej. Mieli skłonność do myślenia w kategoriach ponadnarodowych, dość abstrakcyjnie pojętej „sprawy", podczas gdy dla luteranów ważniejszy był interes narodowy lub lokalny. W następnym stuleciu ta rozbieżność między protestantami różnych wyznań okaże się fatalna w skutkach.

Kontrreformacja

Rozwój ruchu reformacyjnego nie oznaczał, że Kościół rzymskokatolicki z założenia musi się stać przeciwnikiem ideowym i politycznym Kościołów protestanckich. Do połowy XVI wieku próby reintegracji chrześcijaństwa w Europie nie wydawały się z góry skazane na niepowodzenie. Katolicyzm miał wówczas różne oblicza. Wiadomo dziś, że utrwalony w powszechnej świadomości obraz renesansowego Kościoła jako instytucji chylącej się ku upadkowi, pozbawionej dyscypliny, za to nurzającej się w zbytku i obojętnej wobec niebezpieczeństw, jakie niesie reformacja, nie odpowiada prawdzie. Wśród duchowieństwa świeckiego i zakonnego, a także części wiernych rozwijał się ruch propagujący życie zgodne z nakazami religii i ascetyczną pobożność. Piętnowano rozwiązłość zakonów, niski poziom moralny i umysłowy wielu księży świeckich, marnotrawstwo i złe zarządzanie Kościołem. Narzekania te, uzasadnione czy nie, dowodzą raczej żywotności ducha reformy niż jego braku. Mniej oczywiste jest, czy owo dążenie do odnowy moralnej i piętnowanie zła można nazwać szumnie „ruchem przedreformatorskim" i dopatrywać się tu szczególnego etapu dziejów katolicyzmu. Słuszniej chyba będzie powiedzieć, że tego rodzaju nurt odnowy przewijał się przez całe średniowiecze.

Jedną z charakterystycznych cech katolicyzmu na przełomie XV i XVI wieku – dopiero później uznaną za błąd czy wadę – była pewna otwartość doktrynalna. W wielu kwestiach teologicznych, między innymi kwestii usprawiedliwienia, Kościół nie zajął jeszcze ostatecznego stanowiska. W pierwszym trzydziestoleciu XVI wieku niektórzy najwybitniejsi i najbardziej uduchowieni myśliciele włoscy, pośród których znajdowało się wielu przyjaciół weneckiego szlachcica i przyszłego kardynała Gaspara Contariniego, wyrażało w sprawie usprawiedliwienia poglądy bardzo bliskie, przynajmniej na poziomie werbalnym, poglądom zwolenników reformacji. Nie wyciągali oni, zwłaszcza początkowo, takich samych jak protestanci wniosków co do liturgii i roli Kościoła, skłaniali się raczej do rozważań teoretycznych – mogących stanowić bardziej temat do dyskusji i konwersacji wśród ludzi reprezentujących podobny poziom umysłowy – niż do kazań i broszur polemicznych. Do lat czterdziestych wśród wyższego duchowieństwa przeważały i prawdopodobnie nadawały mu ton osoby o dość otwartym stosunku do doktryny. Na drugim biegunie stała nieliczna grupa zwolenników ścisłej ortodoksji – jej przedstawicielem był między innymi Giovanni Pietro Carafa, późniejszy papież Paweł IV – uznających „herezję", rozumianą jako każde odstępstwo od oficjalnej nauki Kościoła, za poważne naruszenie dyscypliny, nie mniejsze niż świętokupstwo czy zepsucie moralne. Grupa ta godziła się z potrzebą odnowy moralnej, nie umiała jednak określić, jaki sposób reakcji na wyzwania reformacji będzie tej odnowie sprzyjał.

W latach dwudziestych i trzydziestych trwały nieustanne debaty. Przez blisko dwadzieścia lat po ponownym wybuchu wojen włoskich w 1522 roku kuria rzymska nie mogła sformułować jednolitego stanowiska w sprawie reformacji. Z powodu konfliktu między Habsburgami a Walezjuszami nie mógł zebrać się zapowiadany sobór powszechny, ponieważ nie można było liczyć na obecność najpotężniejszych katolickich władców. Sytuacja zmieniła się na początku lat czterdziestych. W latach 1540–1541 najwybitniejsi niemieccy przedstawiciele myśli katolickiej próbowali wszelkimi sposobami dojść do porozumienia z umiarkowanymi luteranami na zjazdach w Hagenau, Wormacji i Regensburgu, jednak bez powodzenia. We Włoszech zwolennicy porozumienia przegrali z twardogłowymi, gdy w 1542 roku dwaj najwybitniejsi przedstawiciele nurtu koncyliacyjnego przeszli na protestantyzm. W tym samym roku papież Paweł III powołał Sacrum Officium, najwyższy trybunał inkwizycyjny, oraz ogłosił długo obiecywane i często odkładane zwołanie soboru powszechnego, który zdołał się zebrać w Trydencie dopiero trzy lata później. Tymczasem cesarz szykował się do zbrojnej rozprawy ze Związkiem Szmalkaldzkim.

Decyzje podjęte na soborze trydenckim, obradującym w latach 1545–1547, 1551–1552 i 1562–1563, należy więc rozpatrywać na tle pogarszającej się sytuacji i słabnącej pozycji zwolenników porozumienia. Na czwartej sesji, 8 kwietnia 1546 roku, sobór przesądził o losie wszelkich dyskusji o doktrynie, stwierdzając, że nauka Kościoła oparta jest zarówno na Piśmie Świętym, jak i na tradycji kościelnej, ponieważ zarówno doktryna, jak i praktyka muszą zachować ciągłość historyczną. Uznano również za „autentyczny" (czyli ważniejszy niż oryginały grecki i hebrajski) łaciński przekład Biblii z IV wieku, zwany Wulgatą, a przypisywany świętemu Hieronimowi, stanowiący źródło niedokładnie przetłumaczonych zdań, na których zbudowano średniowieczną teologię. W kwestii usprawiedliwienia za jedynie słuszną uznano interpretację świętego Tomasza z Akwinu i neotomistów, ku rozczarowaniu zarówno zwolenników późnośredniowiecznego podejścia nominalistycznego, jak i tych, którzy w głębi ducha przychylali się do rozwiązań proponowanych przez reformację (jedną z takich osób był na przykład angielski kardynał Reginald Pole). Dekrety soborowe uznawały także ważność wszystkich sakramentów i podkreślały istotę dyscypliny – dociekania teologiczne służyć miały odtąd wsparciu, nie zaś kwestionowaniu ustalonych zasad.

Sobór trydencki zmienił oblicze katolicyzmu. Umocnił tradycyjne podstawy nauczania Kościoła katolickiego, a jednocześnie zapoczątkował reformy wewnętrzne w Kościele, zmierzające do usunięcia nadużyć i wzmocnienia kontroli duszpasterskiej. Biskupi zostali zobowiązani do rezydencji w diecezjach, głoszenia kazań i nadzorowania parafii. Nie stanowiło to nowości – sobory średniowieczne wydawały podobne postanowienia, a część biskupów usiłowała je wypełnić. Nowy był szeroki zakres władzy przyznanej biskupom, którzy mogli odbierać, jeśli uznali to za potrzebne, uprawnienia i przywileje wszelkiego rodzaju grupom wewnątrz Kościoła. Biskupi diecezjalni dostali prawo działania bez wszystkich tych ograniczeń i utrudnień, które ich średniowiecznym odpowiednikom często wręcz uniemożliwiały rezydowanie. Regularnie odbywano synody i wizytacje, co w przeszłości było sporadyczną praktyką. Reforma napotykała również przeszkody. Wzorowy reformator w duchu trydenckim Karol Boromeusz, biskup Mediolanu, budził gwałtowną niechęć bezwzględnym egzekwowaniem postanowień soboru. Zdaniem części biskupów posłudze duszpasterskiej lepiej służyło dążenie do zgody niż prowokowanie opornych. Dowodzono również, że rozpowszechnienie się propagowanego przez Boromeusza wzorca lepiej wykształconego, górującego pod względem umysłowym proboszcza, anonimowo wysłuchującego spowiedzi w konfesjonale, powiększy przepaść między proboszczami a ludem.

Dziejów katolicyzmu w XVI wieku nie można rozpatrywać jedynie w kategoriach odpowiedzi na wyzwania czy to natury doktrynalnej, czy dyscyplinarnej. Na dużych terenach Europy, przede wszystkim na Półwyspie Iberyjskim, życie religijne toczyło się zgodnie z zasadami ustanowionymi w średniowieczu; realizowano tu w praktyce duchowość i ascezę w myśl zasad ustalonych przed wiekami. W takim otoczeniu rozwinął się nurt odnowy życia zakonnego i mistycyzm, którego najwybitniejszymi przedstawicielami byli święci Teresa z Ávili i Jan od Krzyża. Niepodzielnie panowała teologia tomistyczna w kształcie niezmienionym od średniowiecza. Tu wreszcie narodziło się Towarzystwo Jezusowe. Ignacy Loyola był wytworem późnośredniowiecznej Hiszpanii, kraju uważającego się za przedmurze chrześcijaństwa, gdzie ciągle żywa była tradycja zakonów rycerskich kultywujących cnoty rycerskie i katolickie. Celem zakonu, zatwierdzonego przez papieża w 1540 roku, było duszpasterstwo poprzez nauczanie i spowiedź, a także prowadzenie działalności misyjnej wśród niechrześcijan. Można by rzec, że w założeniach nie miało to wiele wspólnego z walką z protestantyzmem.

W ciągu kilku lat jezuici stworzyli prężny system szkolnictwa religijnego i świeckiego. Loyola uważał, że podstawą nauczania jest wpajanie podstawowych prawd wiary w jasnej, skróconej formie, tak by były one zrozumiałe nawet dla najmłodszych uczniów. W tym czasie sobór trydencki uznał potrzebę kształcenia wszystkich kandydatów do stanu duchownego w seminariach. Jezuitom, reprezentującym taki sam kierunek myślenia, powierzono nauczanie duchownych mających wcielać w życie idee kontrreformacji. Dzięki powstaniu seminariów jezuickich Kościół mógł osiągnąć więcej, niż gdyby polegał tylko na działaniach biskupów. Misjonarze jezuiccy podejmowali trudne, czasem samobójcze wyprawy do obu Ameryk i Azji, w celu nawracania niechrześcijan, ale prowadzili też (niekiedy równie samobójczą) działalność misyjną w Europie, dążąc do nawrócenia niekatolików i umocnienia katolickich mniejszości w oporze przeciw niekatolickiej władzy. W następnym stuleciu zakon odegrał żywotną rolę w polityce wyznaniowej państw europejskich. Jezuici utrzymywali ścisłe kontakty z pobożnymi władcami, takimi jak ich byli uczniowie: książę bawarski Maksymilian i cesarz Ferdynand II. Przyczynili się do ustanowienia sojuszu tronu i ołtarza, decydującego o obliczu katolicyzmu w XVII wieku.

Na marginesie oficjalnych wyznań

Zdecydowana większość mieszkańców Europy należała do jednego z kościołów głównych wyznań, rozwijały się jednak także ruchy religijne, których zwolennicy, uważający się za wybranych, tworzyli własne kościoły, niemieszczące się w głównym nurcie. Pod tym względem szli dalej niż większość średniowiecznych heretyków, którzy zwykle zachowywali, choćby w postaci szczątkowej, tradycyjne elementy wspólnych praktyk religijnych. Kościoły te, mające charakter dobrowolnych zgromadzeń, stanowią przedmiot wielkiego zainteresowania badaczy, ponieważ wydają się zapowiadać sytuację, którą mamy dzisiaj, gdy uczestnictwo w Kościele jest dobrowolne, wynika z własnego wyboru. Porównania te mogą być jednak nieco mylące. W XVI wieku ktoś, kto chciał wystąpić z dużej wspólnoty religijnej i przyłączyć się do garstki wybranych, musiał mieć albo głębokie przekonanie, wręcz pewność nadciągającego końca świata, albo wolę odrzucenia wartości życia doczesnego dla wiary. Żarliwa pobożność szesnastowiecznych anabaptystów w niewielkim stopniu przypomina chłodny relatywizm kościołów postoświeceniowych.

Ruch anabaptystów narodził się w gorącej atmosferze fermentu ideowego i polemik religijnych początku lat dwudziestych. Myśliciele religijni z północnej Szwajcarii i południowych Niemiec postawili sobie za cel całkowitą przebudowę społeczności chrześcijańskiej. Odrzucali dwa ważne przekonania podzielane przez wszystkich reformatorów z głównych nurtów reformacji. Po pierwsze, nie zgadzali się, że „wybrani" są także grzesznikami potrzebującymi dyscypliny społecznej i mogą na pozór nie różnić się od reszty. Po drugie, przeciwstawiali „Kościół wybranych" „Kościołowi mas". Dążyli więc do stworzenia gruntownie zreformowanej społeczności, złożonej tylko z ludzi całkowicie uzdrowionych duchowo. Stopniowo, nie od razu, cechą wyróżniającą społeczności podzielającej te poglądy stało się przyjęcie zasady chrztu dorosłych (stąd nazwa anabaptyści, z gr. – nowochrzceńcy). Pierwsi przywódcy tworzącej się społeczności anabaptystów zostali na początku lat dwudziestych wygnani z Zurychu i zakładali komuny na wsi; nawiązywali również kontakty z wyznawcami podobnych poglądów z południowych i zachodnich Niemiec. Dziś anabaptyzm uważa się na ogół za ruch tworzony przez wiele działających jednocześnie grup, świadomych pewnej wspólnoty przekonań, ale niekoniecznie wywodzących się z tego samego źródła.

Większość mieszkańców szesnastowiecznej Europy utożsamiała anabaptyzm z jednym, powszechnie znanym, ale zupełnie nietypowym przykładem. Na początku lat trzydziestych koncepcja powtórnego chrztu zyskała niespodziewany oddźwięk w Holandii, prowincji znajdujących się pod rządami Habsburgów Niderlandów. Prześladowani przez władze zwolennicy anabaptyzmu zbiegli z kraju i skupili się w Münster, mieście biskupim w Westfalii, gdzie niedługo przedtem zwyciężyła reformacja. Anabaptyści zyskali tam rzesze zwolenników i przejęli władzę, która następnie przeszła w ręce radykałów pod przywództwem Jana Beukelszoona z Lejdy, ucznia głoszącego idee chiliastyczne kaznodziei Melchiora Hoffmana. Jan z Lejdy ogłosił się królem Nowego Królestwa Syjonu i wprowadził w oblężonym przez wojska księcia biskupa Münster rządy teokratyczne, a w praktyce bezwzględną dyktaturę. Po przywróceniu władzy katolickiego biskupa przywódcy anabaptystów zostali straceni.

Jeszcze przed wydarzeniami w Münster anabaptyści starali się znaleźć sposoby przetrwania w obliczu nadchodzącego końca świata. W połowie XVI wieku okazało się, że w morzu powszechnej wrogości zdolne do przetrwania są dwie społeczności wyznawców anabaptyzmu. Pierwszą stanowili zwolennicy Menno Simonsa, zwani mennonitami, przeciwnicy wszelkiej przemocy, żyjący wedle surowych reguł w odosobnionych wspólnotach na zapadłej wsi niderlandzkiej. Drugą byli huterianie, którzy wzięli nazwę nie od założyciela ruchu (co się często zdarzało), lecz od Jakoba Huttera, który zreorganizował wspólnoty anabaptystów na Morawach. Huterianie wprowadzili wspólną własność i wspólną, zorganizowaną pracę na roli. W obu tych ruchach – dążących przecież do prawdziwej odnowy – dość często dochodziło do nieporozumień, konfliktów, skandali, wywołujących poważne kryzysy. Oba były podzielone i w pewnych okresach mocno ze sobą skłócone. Członkowie obu narażeni byli na męczeńską śmierć w razie schwytania; niektórzy przygotowywali się na nią i jej oczekiwali.

Do „radykalnych odłamów reformacji" zalicza się często nurt doktrynalny w chrześcijaństwie, który wcale do reformacji nie należy. Reformatorzy pozostający w głównym nurcie nawiązywali do spuścizny zachodniego katolicyzmu schyłku starożytności, do trzech *credo*, nicejskiego trynitaryzmu i chrystologii przyjętej na soborze w Chalcedonie. Nie był to bezrefleksyjny tradycjonalizm – zarówno Luter, jak i Kalwin potrafili dobitnie uzasadnić, dlaczego zachodnia koncepcja Boga jest prawdziwa. Nie wszyscy przyjęli ten punkt widzenia. Wielu włoskich zwolenników reformy chrześcijaństwa – choć nie wszyscy, jak zwykło się kiedyś sądzić – poszło inną drogą niż protestanci, sięgając do tradycji chrześcijaństwa wschodniego. Niemała ich liczba opuściła Włochy, by szukać schronienia w Europie Wschodniej, gdzie życie religijne nie zostało jeszcze poddane ścisłym regułom; najsławniejsi z tej grupy byli Lelio i Fausto Sozzini (Faustyn Socyn). Uchodźcy nawiązali kontakty z miejscowymi myślicielami reformacyjnymi dążącymi do radykalnej rewizji teologii. W 1562 roku w polskim zborze kalwińskim nastąpił rozłam, którego konsekwencją było powstanie tak zwanego zboru mniejszego braci polskich, zwanych arianami, antytrynitarzami, a później także socynianami, ponieważ w latach dziewięćdziesiątych ich nieformalnym przywódcą został Faustyn Socyn. Bracia polscy odrzucali dogmat Trójcy Świętej i boskość Chrystusa. Ważnym ośrodkiem antytrynitaryzmu stał się Raków, miasto założone w dobrach Jana Sienieńskiego, gdzie na początku XVII wieku działała słynna Akademia Rakowska.

W Siedmiogrodzie, stanowiącym teren sporny między imperium Habsburgów a Turcją, antytrynitaryzm rozwijał się bez przeszkód ze strony miejscowych władz. W XVIII wieku, w epoce oświecenia, potomkowie przedstawicieli tego ruchu, teraz zwani unitarianami, zyskali duże wpływy w Europie i Ameryce. Do tego czasu jednak musieli walczyć o przetrwanie i unikać niebezpiecznych rozłamów.

Podsumowanie

Na przełomie XVI i XVII wieku życie religijne Europy było ujęte w sztywne ramy – miejsce dyskusji i polemik okresu reformacji zajęła ortodoksja, zarówno w krajach katolickich, jak i protestanckich. Próby określenia, kiedy dokładnie nastąpiła ta zmiana, zwykle jednak napotykają trudności. Chodzi o to, że wielu współczesnych badaczy skupia się na początkach reformacji ze względu na typową dla tego czasu otwartość myśli, rozległość horyzontów intelektualnych. Zapomina się o tym, że otwartość ta nigdy nie stanowiła celu ostatecznego, była produktem ubocznym procesu poszukiwania prawdy absolutnej. Ludzie XVI wieku wierzyli, że prawdę absolutną można odkryć w świętych księgach; uważali, że już znalezioną powinno się głosić i żarliwie jej bronić. Surowość zasad i wojowniczość charakterystyczna dla następnego stulecia były naturalną konsekwencją reformacji, nie zaś zdradą jej ideałów. Tragedią XVII wieku było to, że zbyt wiele czasu zajęło ówczesnym Europejczykom zrozumienie, że żaden zbiór dogmatów nie może – ani nie powinien – zdobyć całkowitego pierwszeństwa przed innymi.

6

Europa i świat

D.A. Brading

Ekspansja terytorialna w XVI wieku

W *Badaniach nad naturą i przyczynami bogactwa narodów* (1776) Adam Smith pisał, że największym wydarzeniem w historii ludzkości było odkrycie Ameryki i drogi do Indii Wschodnich wokół Przylądka Dobrej Nadziei. I dodawał, że choć dopiero ujawnią się wszelkie pożytki i nieszczęścia spowodowane tymi odkryciami, już widać wyraźnie, że niektóre kraje europejskie zyskały duże i wciąż rozwijające się rynki dla swoich wyrobów przemysłowych. Wyznawał również szczerze, że jeśli chodzi o tubylców zarówno z Indii Wschodnich, jak i Indii Zachodnich, wszystkie korzyści, jakie mogłyby przynieść te wydarzenia, zatonęły i przepadły w morzu nieszczęść.

Przekonania Smitha, że dzięki koloniom w Azji i Ameryce Europa zdobyła rynki zbytu, nie można jednak odnosić do XVI wieku, ponieważ ówcześni hiszpańscy i portugalscy odkrywcy i konkwistadorzy wyprawiali się na morza przede wszystkim w poszukiwaniu korzeni i metali szlachetnych, nie mówiąc już o niewolnikach. Europa nie produkowała jeszcze zbyt wielu towarów, które można by sprzedać w Azji lub które mogłyby znaleźć nabywców w Ameryce. Co więcej, charakter i skutki kolonizacji na obu kontynentach znacznie się różniły. W Ameryce zarówno Hiszpanie, jak i Portugalczycy podbili i zasiedlili znaczne obszary, szybko wprowadzili tam europejskie formy produkcji i rozwinęli na ogromną skalę eksport cukru i srebra. W Azji natomiast portugalscy najeźdźcy założyli morskie imperium handlowe, którego gospodarkę podtrzymywała wymiana metali szlachetnych na pieprz i inne przyprawy. Jeśli pominąć podbój Ameryki, w XVI wieku istniały trzy mocarstwa prowadzące ekspansję terytorialną – Osmanów w Turcji, Safawidów w Persji i Mogołów w Indiach. Turcja, podporządkowawszy sobie terytoria arabskie, czyli Syrię, Egipt i Mezopotamię, w 1529 roku zagroziła Wiedniowi, a wkrótce potem zajęła Węgry. Mogołowie, na których dworze panował język perski, podbijali północne Indie, korzystając z armii perskich i tureckich najemników. W 1565 roku zdobyta została i zniszczona stolica ostatniego państwa hinduskiego, Widźajanagar, licząca około pół miliona mieszkańców. Ponadto w XVI i na początku XVII wieku islam rozprzestrzenił się na Sumatrę, Jawę i mniejsze wyspy Indonezji. W rezultacie Azja Południowa i Azja Południowo-Wschodnia znalazły się w kręgu kultury islamskiej, arabskiej i perskiej.

Mocarstwa chrześcijańskie zdołały przejąć władzę tylko na nielicznych ziemiach położonych na peryferiach świata islamskiego. W 1492 roku katoliccy władcy hiszpańscy, Izabela Kastylijska i Ferdynand Aragoński, zakończyli rekonkwistę, zająwszy ostatni arabski emirat, Grenadę; wykorzystano wówczas działa, co umożliwiło przerwanie łańcucha niezdobytych dotąd twierdz górskich. Izabela i Ferdynand, a także ich następca Karol V (1517–1554) wysyłali następnie ekspedycje do Afryki Północnej, aby zdobyć tam oparcie, jednak bez powodzenia. Ponadto – mimo że król portugalski Jan I, założyciel dynastii Aviz, zajął w 1415 roku i utrzymał marokański port Ceuta – większość podejmowanych później ekspedycji portugalskich do Afryki Północnej nie przyniosła znaczących zdobyczy. W 1578 roku ostatni potomek dynastii Aviz, młody król Sebastian I, wyprawił się na krucjatę do Maroka i poległ w bitwie. Na drugim krańcu chrześcijaństwa spadkobiercą Cesarstwa Rzymskiego ogłosił się Iwan Groźny (1533–1584), namaszczony przez pierwszego prawosławnego patriarchę moskiewskiego. W latach pięćdziesiątych Iwan podbił Chanat Kazański i Chanat Astrachański i zagroził Krymowi, którego władca był poddanym Osmanów. W XVI wieku inwazji państw islamskich najmocniej przeciwstawiały się Rosja i Hiszpania, które wcześniej doświadczyły niewoli muzułmańskiej. Teokratyczne zapędy Iwana Groźnego i króla hiszpańskiego Filipa II znalazły wyraz między innymi w rozbudowie moskiewskiego Kremla i wystawieniu monumentalnego Eskurialu.

Portugalia, Hiszpania
i pierwsze podboje zamorskie

Człowiekiem, który rozpoczął ekspansję portugalską na morzach świata, był książę Henryk zwany Żeglarzem, młodszy syn króla Jana I. Henryk wykorzystał zasoby rodzinne i Zakonu Rycerzy Chrystusa, którego był wielkim mistrzem, aby zająć wyspy na Atlantyku i podjąć liczne wyprawy morskie w celu zbadania zachodnich wybrzeży Afryki i sporządzenia map. W 1425 roku osiedlił kolonistów na dwóch niezamieszkanych wyspach, Maderze i Porto Santo i wyposażył ich w środki do życia. W 1439 roku zajął Azory, a później Wyspy Zielonego Przylądka. Pięć lat później zapoczątkował atlantycki handel żywym towarem, wysyłając statki, których załogi brały w niewolę niczego się niespodziewających tubylców. W późniejszych latach agenci księcia kupowali w Senegalu niewolników za konie, płacąc jednym koniem za siedmiu Afrykanów. Do chwili śmierci Henryka w 1460 roku zbadano już ponad 4 tysiące kilometrów wybrzeży. Nie powiodła się natomiast próba podboju Wysp Kanaryjskich, które w latach osiemdziesiątych XV wieku dostały się ostatecznie w ręce hiszpańskie. Za panowania Jana II (1481–1495) Portugalczycy założyli ufortyfikowaną faktorię na wyspie São Jorge de Minha u wybrzeży Gwinei, po czym ruszyli na południe, do brzegów dzisiejszej Angoli. Zwieńczeniem powolnej, stopniowej eksploracji wybrzeży afrykańskich stała się wyprawa Bartolomeu Diaza, który w 1488 roku jako pierwszy żeglarz europejski opłynął południowy kraniec Afryki i dotarł do wschodniego wybrzeża, otwierając w ten sposób drogę do Indii.

Flota portugalska i hiszpańska składały się przede wszystkim z karawel, trójmasztowych żaglowców o dwóch żaglach prostokątnych i jednym ukośnym oraz wysokich nadbudówkach na dziobie i rufie. Żegluga oceaniczna wymagała systematycznego używania kompasu, oznaczania położenia gwiazd za pomocą kwadrantu i astrolabium, map okrętowych i obliczeń matematycznych. W rezultacie wykształciła się nowa gałąź wiedzy empirycznej, której owocem były mapy z oznaczeniem długości i szerokości geograficznej oraz praktyczna znajomość prądów morskich i wiatrów. Na okrętach zaczęto ponadto instalować działa średniego kalibru, umieszczane pod pokładem śródokręcia; znajdowały się tam iluminatory, które można było zamknąć w razie wysokiej fali. Francis Bacon, pisząc w *Novum Organum* (1620), że oblicze rzeczy na całej ziemi zostało zmienione przez wynalazek druku, prochu strzelniczego i kompasu żeglarskiego, miał na myśli między innymi podboje europejskie w Ameryce i Azji. Dzięki rozpowszechnieniu się wynalezionego w XV wieku druku wiadomości o portugalskich i hiszpańskich odkryciach i podbojach szybko rozchodziły się po całej Europie.

Wyprawy przez Atlantyk i Ocean Indyjski, choćby najbardziej śmiałe, nie zmieniłyby biegu dziejów świata, gdyby władcy Portugalii i Hiszpanii nie przekształcili szybko odkrytych terenów w swoje imperia, wysyłając rozliczne ekspedycje zbrojne w celu obrony i rozszerzenia nowych posiadłości. Na służbę królewską zaciągała się szlachta, począwszy od arystokratów, którzy obejmowali komendę, po rzesze zubożałych hidalgów, szukających szczęścia za morzem. Ludzie ci zawsze w równym stopniu służyli interesom króla, jak własnym, ale w obu przypadkach przyczyniali się do rozwoju gospodarki w koloniach. Handel zamorski i wytwórczość często były przy tym finansowane przez banki europejskie, a kupcy genueńscy działali w Lizbonie i Sewilli jako pośrednicy. Pierwszy napływ złota z Hispanioli (Haiti) oraz pieprzu z Indii od razu stał się przedmiotem dyskusji w kręgach finansowych we Flandrii, południowych Niemczech i miastach włoskich; w rezultacie rozciągnięto linie kredytowe za oceany. Możliwość utrzymania zamorskich imperiów przez królów portugalskich i hiszpańskich zależała po części od pożyczek i kredytów, czyli od międzynarodowego systemu bankowego; dotyczyło to zwłaszcza Hiszpanii za panowania Karola V, jednej z największych potęg ówczesnej Europy.

Gdy Krzysztof Kolumb, żeglarz z Genui, przez wiele lat działający w portugalskim handlu w Afryce, wyruszał w 1492 roku na Atlantyk, prowadząc trzy małe żaglowce i dziewięćdziesięciu ludzi załogi przez nieznane morza, gdzie spędził trzydzieści dni bez bodaj widoku lądu, spodziewał się dotrzeć do zachodnich brzegów Azji. Zamierzał nawrócić wielkiego chana Kitaju na chrześcijaństwo i utworzyć wielką koalicję przeciw islamowi w celu wyzwolenia Jerozolimy z rąk muzułmańskich. Dotarłszy na Karaiby, zajął Hispaniolę i inne wyspy w imieniu swoich patronów, katolickich królów Hiszpanii. W 1493 roku, po powrocie Kolumba, Izabela Kastylijska i Ferdynand Aragoński otrzymali od papieża Aleksandra VI bullę, nadającą im prawo władania nowo odkrytymi ziemiami pod warunkiem, że będą nawracać na chrześcijaństwo ich mieszkańców. W następnym roku, za aprobatą papieża, podpisali traktat w Tordesillas z królem portugalskim Janem II; na mocy tego porozumienia terytoria zamorskie podzielono między Hiszpanię i Portugalię, przy czym granica biegła wzdłuż z grubsza wyznaczonego południka. Gdy w 1500 roku Pedro Alvarez Cabral, zboczywszy z kursu w drodze do Indii, dotarł do wybrzeży późniejszej Brazylii, właśnie dzięki temu traktatowi ogłosił odkryte ziemie własnością Portugalii. Granice między posiadłościami w Azji zostały wyznaczone po podjętej w roku 1519 wyprawie portugalskiego żeglarza w służbie Karola V, Ferdynanda Magellana, który podjął próbę opłynięcia kuli ziemskiej. Magellan wpłynął na Ocean Spokojny przez cieśninę noszącą dziś jego imię, po czym padł ofiarą tubylców na Filipinach; wyprawa powróciła do Europy pod dowództwem Sebastiana del Caño w roku 1522.

Wieści o odkryciach Kolumba szybko rozeszły się po Europie, ale znaczenie tych odkryć uwydatnił dopiero florentyński podróżnik Amerigo Vespucci, który wziął udział w portugalskiej wyprawie do Brazylii. W wydanej około 1503 roku relacji z wyprawy, *Novus mundus*, napisanej w nienagannej renesansowej łacinie, Vespucci opisywał nowy kontynent (Kolumb wciąż myślał, że dopłynął do Azji), porośnięty gęstymi lasami, w których żyją niezliczone gatunki ptaków i zwierząt nieznane starożytnym przyrodnikom, i gdzie nawet na niebie widać inne konstelacje gwiazd. Tubylcy chodzą tam nago, wszystko jest wspólne, nie ma własności prywatnej, nie obowiązuje prawo ani religia, nikt nie sprawuje rządów; wszyscy cieszą się swobodą, także seksualną, a instytucja małżeństwa jest nieznana. W pisanych później *Listach* Vespucci przyznał co prawda, że tubylcy prowadzą nieustanne wojny, a pokonanych wrogów ze smakiem zjadają, ale wizja tropikalnego raju, gdzie ludzie żyją w zgodzie z naturą, głęboko zapadła w umysły Europejczyków. Gdy w 1507 roku niemiecki kartograf Martin Waldseemüller otrzymał zamówienie na mapę świata, na cześć Vespucciego nazwał nowo odkryty kontynent Ameryką (chodziło tylko o Amerykę Południową).

Kolumb, choć mianowany admirałem i hiszpańskim wicekrólem, okazał się niezdolny do rządzenia rzeszą nieokiełznanych kastylijskich poszukiwaczy przygód, którzy zjechali do Nowego Świata. Stanowisko gubernatora Hispanioli objął więc Nicolas de Ovando (sprawował je w latach 1502–1509), szlachcic i członek zakonu rycerskiego Alcantara. Przyprowadził on ze sobą trzydzieści okrętów i dwa i pół tysiąca ludzi. Wkrótce na wyspie powstały skarbiec królewski, sąd i biskupstwo. Aby eksploatować zasoby naturalne tego miejsca, Ovando wprowadził instytucję zwaną *enconomienda*, której istota polegała na tym, że hiszpańskiemu osadnikowi powierzano określoną liczbę Indian, którzy musieli pracować dla niego za darmo i składać mu daniny w naturze w zamian za opiekę i nauczanie wiary chrześcijańskiej. W praktyce oznaczało to zniewolenie tubylczej ludności; od niewolników wymagano zaś tak ciężkiej pracy, że wielu umierało z wycieńczenia, nie byli bowiem przyzwyczajeni do tego rodzaju wysiłku, a ponadto nie dostawali innego pożywienia niż chleb z manioku, nie mieli zaś możliwości polowania na dzikie zwierzęta. Gdy zasoby bezpłatnej siły roboczej się wyczerpywały, Hiszpanie wyprawiali się na mniejsze wyspy Antyli i brali w niewolę mieszkańców pod pretekstem, że praktykują oni kanibalizm. Mimo tych trudności dochody z kopalń złota na Hispanioli wystarczały, aby w latach 1508–1511 pokryć koszty podboju i zasiedlenia Portoryko, Jamajki i Kuby. Dopiero w 1513 roku korona hiszpańska sfinansowała ekspedycję pod dowództwem Pedrariasa Dávili, liczącą dwa tysiące żołnierzy, głównie weteranów wojen włoskich, mającą zająć Darien na terenach dzisiejszej Panamy. Do pracy w tamtejszych kopalniach złota zmuszano krajowców, a do ścigania uciekinierów używano psów myśliwskich. Hiszpanie tak wyniszczyli ludność Karaibów – udział miały w tym również zarazy – że gdy w latach dwudziestych XVI wieku zakładano na Hispanioli plantacje trzciny cukrowej, trzeba było sprowadzać niewolników z Afryki. Metody produkcji cukru zapożyczono od Portugalczyków, którzy wypracowali je na Maderze i Wyspie Świętego Tomasza.

Podbój Meksyku i Peru

Charakter i skala kolonizacji hiszpańskiej zmieniły się zasadniczo w latach 1517–1521, gdy Hernán Cortés, *encomendero* Kuby, podbijał imperium Azteków. Pierwsi zdobywcy miasta Tenochtitlan nigdy nie zapomnieli wspaniałości miasta-wyspy, zamieszkanego przez sto pięćdziesiąt tysięcy mieszkańców, nad którym górowały piramidy schodkowe, miejsce składania ofiar z ludzi. Państwo Azteków liczyło około miliona mieszkańców; dzięki rozwiniętemu systemowi melioracyjnemu plony zbierano dwa razy w roku. Hiszpańscy konkwistadorzy zastali tu wysoko rozwiniętą, całkowicie niezależną cywilizację, społeczeństwo podzielone na klasy, z których wyższą stanowiła szlachta – wojownicy, urzędnicy i kapłani, niższą – kupcy, rzemieślnicy i rolnicy, najniższą zaś – niewolnicy; zastali też monumentalne piramidy-świątynie, pałace i dynastię panującą. Była to jednak cywilizacja, w której transport i komunikacja opierały się na sile ludzkich mięśni, nie używano jeszcze metalowych narzędzi i broni, a przede wszystkim nie znano koła. Aztekowie, wojowniczy lud indiański, przybyli do Doliny Meksyku w XIII wieku i, podbiwszy okoliczne plemiona, utworzyli w XV wieku rozległe imperium, stanowiące federację kilkuset miast-państw. Choć Cortés pisał do Karola V w radosnym uniesieniu: „Wasza Wysokość... może jeszcze raz nazwać się cesarzem, którego tytuł i zasługi nie ustępują niemieckiemu", konkwistadorzy nie znaleźli w Meksyku prawdziwych skarbów, ponieważ władcy azteccy zbierali trybuty w postaci koszy kukurydzy, bel bawełnianych tkanin oraz skór jaguara i orlich piór noszonych przez wojowników.

Ledwie Hiszpania zdołała uporać się z poruszającymi wieściami z Meksyku, gdy w 1532 roku Francisco Pizarro, zasłużony *encomendero* z Darien, poprowadził małą ekspedycję na płaskowyże między wybrzeżem Pacyfiku a wschodnimi zboczami Andów i w ciągu trzech lat podbił imperium Inków. Konkwistadorzy znaleźli tam ogromne ilości złota i srebra, składanych jako okup władcy imperium, Atahualpie, którego pojmali, a później stracili. Podczas gdy Aztekowie grabili podbite ludy i utrzymywali rządy twardej ręki, Inkowie żądali od pokonanych dużych kontyngentów siły roboczej; robotników tych zatrudniano nie tylko przy budowie twierdz i świątyń, ale też przy wykuwaniu tarasów i kanałów irygacyjnych, które przyczyniały się do wielkiego wzrostu produkcji rolnej. Ważną gałęzią gospodarki była również hodowla lam. Państwo Inków rozciągało się od dzisiejszego Ekwadoru po północną część Chile. Na potrzeby wojska wybudowano ogromną liczbę magazynów do składowania broni, odzieży i żywności, a także dwie drogi – wzdłuż wybrzeża i przez góry – łączące odległe granice ze stolicą, Cuzco. Podobnie jak Aztekowie, Inkowie nie mieli jednak metalowych narzędzi i broni i nie znali koła. Po najeździe Hiszpanów państwo się rozpadło, podbite przez Inków ludy zerwały więzy zależności.

Podboju tych dwóch wielkich imperiów dokonano stosunkowo skromnymi siłami – Cortés wkroczył do Meksyku na czele pięciuset ludzi, Pizarro miał ich stu sześćdziesięciu dziewięciu. Konkwistadorzy uzbrojeni byli w miecze, kusze, arkebuzy. Niewielu było konnych, a jeszcze mniej małych dział. Nazywali się zazwyczaj „towarzyszami", rzadziej żołnierzami, a jeden ze współczesnych opisywał ich jako „ludzi cnotliwych, niskiego urodzenia, zobowiązanych do przestrzegania reguł wojennych, bardziej surowych niż w zakonie kartuzów i bardziej niebezpiecznych". Najęci do udziału w ekspedycji, *entrada*, zawiązywali *compaña*, luźną kompanię przypominającą oddziały walczące we Francji w czasie wojny stuletniej. Łączyła ich nadzieja na zyski z grabieży, ale byli posłusznis *caudillo*, kapitanowi, który utrzymywał niezbyt twardą, doraźną dyscyplinę. W rezultacie podbój i kolonizacja zyskiwały rozmach, jako że coraz większe rzesze poszukiwaczy przygód i awanturników ciągnęły do Nowego Świata; większość zmarła przedwcześnie, lecz ci, którzy przeżyli, stworzyli rasę twardych pionierów, potrafiących zarówno znosić trudne warunki klimatyczne i niedogodności życia codziennego, jak walczyć z bronią w ręku. Jedyny wkład królów hiszpańskich polegał na tym, że kapitanom dowodzącym ekspedycjami przyznawano *capitulación*, pozwolenie na zarządzanie zajętymi terenami, z tym że piątą część, *quinta real*, wszystkich zdobytych metali szlachetnych musieli oddawać królowi.

Prawdziwe zyski czerpali jednak konkwistadorzy z Meksyku nie z zagrabionych skarbów, ale z ujarzmiania tubylców i zmuszania ich do pracy w *enconomiendas*. Inaczej niż na Karaibach, w Mezoameryce i regionie Andów wysyłaniem ludzi do *enconomiendas* i zbieraniem danin zajmowała się miejscowa arystokracja plemienna. W każdej z rozległych posiadłości Cortésa w Meksyku daniny zbierano co najmniej od pięciu tysięcy poddanych, Indian płci męskiej w wieku od osiemnastu do pięćdziesięciu pięciu lat; w Peru liczba ta mogła wynosić nawet dziesięć tysięcy. *Encomenderos* pierwszej generacji budowali rezydencje w hiszpańskich miastach w pobliżu swoich włości; zasiadali zwykle w radach miejskich i pełnili funkcje sędziów pokoju. Posiadanie *enconomienda* nie dawało uprawnień do sprawowania władzy sądowniczej ani w sprawach cywilnych, ani kryminalnych, umożliwiało jednak nadawanie wolnych ziem, należących niegdyś do świątyń lub władców, oraz regulowanie w razie potrzeby przepływu miejscowej siły roboczej. W rezultacie *enco-*

menderos utworzyli grupę szlachty kolonialnej, która, przynajmniej w Peru, wspierała innych Hiszpanów, wykorzystując ich jednocześnie do różnego rodzaju zadań. O kluczowym znaczeniu *enconomiendas* dla pierwszych konkwistadorów świadczą rozmiary podejmowanych przez nich przedsięwzięć. Cortés założył stolicę Nowej Hiszpanii (jak nazwano podbite przez niego ziemie) i wybudował swój pałac na ruinach Tenochtitlan, by wykorzystać aurę otaczającą słynną metropolię Azteków. W *enconomiendas* Cortésa pracowały bez zapłaty dwadzieścia trzy tysiące tubylców; wydobywał on srebro w Tasco, a złoto w Oxaca, zakładał plantacje trzciny cukrowej wzdłuż wybrzeża Zatoki Meksykańskiej i plantacje pszenicy; budował w Tehuantepec statki na potrzeby handlu z Ameryką Środkową i Peru; sprowadzał bydło, konie i owce do hodowli i spożycia. W Peru Francisco Pizarro pozostawił Cuzco własnemu losowi i na wybrzeżu Pacyfiku wybudował nową stolicę, Limę. Osadził w swoich *enconomiendas* ponad dwadzieścia pięć tysięcy tubylców, którzy uprawiali kokę na zachodnich zboczach Andów, pszenicę i kukurydzę w górskich dolinach oraz trzcinę cukrową na wybrzeżu. Pizarro wysyłał również statki na pacyficzne wybrzeże Panamy i otwierał składy handlowe w Limie i innych miastach. Brat Francisca, Hernando, który otrzymał sześć tysięcy dwustu pięćdziesięciu indiańskich poddanych, uprawiał kokę i na dużą skalę wydobywał srebro w Potosi. Oblicza się, że przy *empresa*, czyli wspólnych przedsięwzięciach braci Pizarro, zatrudnionych było co najmniej czterystu Hiszpanów, zarządzających rozmaitymi interesami i mających otwarte linie kredytowe w bankach od Sewilli po Cuzco. *Encomenderos* szybko wprowadzili więc w koloniach gospodarkę opartą na zasadach europejskich, ale mieli nad Europą tę przewagę, że korzystali z przymusowej i darmowej siły roboczej.

Kościół w Nowej Hiszpanii a ludność miejscowa

W 1524 roku Hernán Cortés klęczał na ziemi przed zgromadzeniem hiszpańskiej i indiańskiej szlachty miasta Meksyk, całując dłoń Martina de Valencii, przełożonego liczącej dwunastu braci misji franciszkańskiej. Valencia przyszedł na tę uroczystość boso z Vera Cruz. Franciszkanom, zakonowi żebraczemu, do którego wkrótce dołączyli augustianie i dominikanie, powierzono nawracanie tubylców. Aby tego dokonać, misjonarze równali z ziemią świątynie, rozbijali bałwany, palili azteckie kodeksy, jako świadectwa nekromancji, i zakazywali praktykowania wszelkich pogańskich rytuałów. Każdy możny lub kapłan, który starał się zachować dawną religię, narażał się na chłostę, więzienie, wygnanie, a czasem, choć wyjątkowo, spalenie na stosie. Aby przyciągnąć nowych wiernych, wykorzystywano w pełni wystawność liturgii katolickiej, wznoszono okazałe kościoły i z wielką pompą celebrowano główne święta kalendarza kościelnego. W końcu lat czterdziestych zakonnikom przydzielono zadanie przesiedlania społeczności indiańskich; ta prowadzona na ogromną skalę akcja polegała na przenoszeniu Indian z rozrzuconych wsi do miast; każde z nich miało szachownicową siatkę ulic dochodzących do rynku, na którym stał kościół parafialny oraz dom posiedzeń rady tubylczej szlachty.

Franciszkanie działający w Meksyku dążyli do powrotu do prostoty Kościoła z pierwszych wieków chrześcijaństwa i traktowali nawrócenie Indian z Nowej Hiszpanii jako daną przez Boga rekompensatę za herezję protestancką w Europie Północnej. Od początku prowadzili nabór do zakonu wśród synów miejscowej szlachty i wykorzystywali tych młodych ludzi jako tłumaczy. Przywiązywali wielką wagę do znajomości miejscowych dialektów i przy pomocy tubylczych kleryków przełożyli katechizm, hymny i kazania na główne indiańskie języki. Później wydawali podręczniki gramatyki i słowniki oraz prowadzili intensywne badania nad religią, kulturą i dziejami Indian. Kościoły zdobili obrazami wyuczonych przez siebie miejscowych malarzy, zakładali chóry i małe zespoły muzyczne śpiewające i akompaniujące podczas nabożeństw. Pierwszą książką wydrukowaną w Nowym Świecie był wydany w mieście Meksyk w 1539 roku przez Juana de Zumárragę, pierwszego tamtejszego biskupa, skrócony wykład doktryny chrześcijańskiej „w języku meksykańskim i kastylijskim".

Podbój Meksyku i Peru pociągnął za sobą wiele ofiar i zniszczył panujący na tych terenach porządek społeczny, nie dochodziło jednak do takich okrucieństw jak na Karaibach, zwłaszcza że zarówno *encomenderos*, jak i misjonarze potrzebowali pomocy miejscowej szlachty, aby zachęcić Indian do pracy. Sytuacja uległa zmianie wraz z pojawieniem się epidemii, których przebieg okazał się niezwykle gwałtowny, ponieważ ludność tubylcza, żyjąc w izolacji od świata zewnętrznego, nie nabrała naturalnej odporności na ospę, odrę, tyfus, zapalenie płuc i żółtą febrę. W czasie oblężenia Tenochtitlan mieszkańcy masowo umierali na ospę, która dotarła do Peru jeszcze przed przybyciem tam Hiszpanów. W rezultacie nastąpiła katastrofa demograficzna. W Nowej Hiszpanii liczba ludności tubylczej spadła z około dziesięciu milionów w 1519 roku do mniej niż miliona w roku 1600. Podobnie działo się w regionie Andów, gdzie zarazy siały największe spustoszenie na wybrzeżu, mniejsze – w położonych wysoko dolinach, ale w sumie straty były równie wielkie. W niektórych okolicach do powiększenia rozmiarów katastrofy przyczyniły się jeszcze uboga dieta wieśniaków przed podbojem, przestawienie gospodarki na produkcję rolną i wprowadzenie europejskiego pożywienia.

Bezwzględne poczynania Hiszpanów na Karaibach i wyniszczanie miejscowej ludności skłoniły Bartolomé de Las Casasa (1483–1566), byłego *encomendero* i dominikanina, do podjęcia wieloletniej walki w obronie praw Indian i potępiania nadużyć popełnianych przez konkwistadorów. Dzięki rozprawie Las Casasa, wydanej później pod tytułem *Krótka relacja o wyniszczeniu Indian* (1552), Karol V ustanowił w 1542 roku nowe prawa, wyzwalające wszystkich indiańskich niewolników i odbierające *encomenderos* prawo do korzystania z darmowej pracy Indian, którzy od tej pory mieli tylko płacić daninę albo w pieniądzu, albo w naturze. Ponadto Indianie pracujący dla Hiszpanów mieli być opłacani w systemie dniówkowym. Mimo gwałtownych protestów osadników postanowienia te zostały ostatecznie wprowadzone w życie. Oskarżenia dominikanina wywołały taką wrzawę, że cesarz zwołał publiczną debatę między Las Casasem a Juanem Ginésem de Sepúlvedą, filozofem i teologiem, na temat słuszności hiszpańskich podbojów. Dyskusja toczyła się wokół przyrodzonego charakteru Indian, a ściślej mówiąc, odpowiedzi na pytania, czy są oni z natury niewolnikami, czy potrafią sami się rządzić i czy w państwach Inków i Azteków panowała bezwzględna tyrania, czy też rządy prawa. Dla obrony swoich tez Las Casas zgromadził mnóstwo informacji na temat funkcjonowania państw indiańskich przed podbojem i dowodził, że były one równie cywilizowane i sprawiedliwie rządzone jak starożytna Grecja i Rzym.

Pierwszy wicekról Nowej Hiszpanii, Antonio Mendoza (1535–1551), wprowadzał nowe prawa bardzo ostrożnie, wicekról Peru dążył natomiast do zagarnięcia dochodów *encomenderos*; wywołało to rebelię pod wodzą Gonzala Pizarra, co zagroziło władzy królewskiej. W dochodowe posiadłości zamienił te zamorskie królestwa dopiero Filip II (1554––1598). Wysłał on na wizytację zaufanych prawników, po czym mianował dwóch szlachciców, zarządców dóbr królewskich, Francisca de Toledo (1569–1581) i Martína Enríqueza (1568–1580), wicekrólami Peru i Meksyku. Obaj oni znacznie zwiększyli dochody państwa i wzmocnili władzę królewską, mianując *corregidores* i *alcades majores*, urzędników, którzy odtąd byli odpowiedzialni za zbieranie danin; w ten sposób *encomenderos* spadli do roli rencistów na utrzymaniu korony. W tym samym czasie wzrastała liczba skarbców królewskich i sądów, a ponadto w obu krajach ustanowiono trybunały inkwizycyjne.

Społeczeństwo hiszpańskie w Nowym Świecie

Niezwykła sytuacja wytworzyła się w Peru, gdzie wicekról Toledo zapoznał się gruntownie z praktyką i zasadami działania państwa Inków. Doszedł do wniosku, że władcy inkascy zdawali sobie sprawę, iż „w naturze Indian leży skłonność do lenistwa i gnuśności", dlatego aby zmobilizować wieśniaków do pracy, konieczny jest przymus. W rezultacie rozpoczęto przesiedlenia na wielką skalę, przenosząc Indian do miast, w których życie skupiało się wokół kościoła parafialnego. Jednocześnie wzmocniono władzę naczelników plemiennych (*kurakas*) i zapewniono sobie ich wierność dzięki poborom wypłacanym z królewskich trybutów. Dla pragnących przywrócenia imperium Inków ostrzeżeniem miała być egzekucja ostatniego przywódcy inkaskiego Tupaca Amaru. Co więcej, Toledo podjął zdecydowane działania zmierzające do ożywienia górnictwa srebra w Potosí, gdzie najbogatsze złoża zostały już wcześniej wyeksploatowane przez *encomenderos* i *kurakas*. Przeprowadził próby mające dowieść, że najuboższą rudę można oczyścić przez dodanie rtęci i innych substancji, możliwy jest więc wzrost wydobycia, tym bardziej że hiszpańscy przedsiębiorcy mogli zastąpić używane przez Indian proste gliniane piece wymyślnymi urządzeniami wykorzystującymi koło wodne. Odkrył także w Huancavelica w środkowym Peru ogromne zasoby rtęci i pozwolił ją wydobywać niezależnym górnikom.

Toledo przywrócił również obowiązujący w państwie Inków przymus cyklicznego udziału w robotach publicznych (*mita*); przymus ten dotyczył jednej siódmej wszystkich dorosłych mężczyzn, mieszkańców czternastu prowincji rozciągających się na terenach od Potosí do Cuzco, co dawało sto trzydzieści pięć tysięcy robotników do pracy w kopalniach w Potosí. Wcześniej w kopalniach zatrudniano już wielu wykwalifikowanych górników, których przyciągnęły wysokie płace, *mita* miał więc dostarczyć tylko masowej taniej siły roboczej, otrzymującej mniej niż połowę płacy pobieranej przez pracowników długoterminowych. Postęp techniczny, inwestowanie kapitału i tania siła robocza przyczyniły się do ogromnego wzrostu produkcji srebra – podczas gdy jeszcze w latach sześćdziesiątych wartość królewskiej piątej części spadła poniżej 200 tysięcy pesos rocznie, dziesięć lat później wzrosła do powyżej miliona pesos. W latach osiemdziesiątych to właśnie napływ srebra, przede wszystkim z Potosí, uratował Filipa II od bankructwa i umożliwił mu działania wojskowe w Europie. Dzięki ciężkiej pracy andyjskich chłopów Hiszpania utrzymywała hegemonię w Europie i – jak przekonamy się później – umożliwiła Europie utrzymanie równowagi handlowej w Azji.

W Nowej Hiszpanii katastrofa demograficzna, dotkliwie odczuwalna zwłaszcza po epidemii z 1576 roku, sprawiła, że *encomenderos* i inni hiszpańscy osadnicy uzyskiwali od wicekrólów nadania ziemi w środkowych i południowych regionach kraju, gdzie powoli zaczęły powstawać wielkie posiadłości; w niektórych prowadzono tylko hodowlę owiec, w innych uprawiano pszenicę i kukurydzę, w nielicznych natomiast, położonych w subtropikalnym Morelos – trzcinę cukrową. Właściciele otrzymywali siłę roboczą dzięki systemowi *repartimientos*, czyli rozsyłania do pracy 10 procent mieszkających na danym terenie mężczyzn, ale tylko na ograniczoną odległość. Z tego rodzaju tubylczej siły roboczej korzystały również kopalnie srebra w środkowym Meksyku, takie jak Tasco, Pachuca czy Real del Monte. Odkrycie w 1546 roku dużych złóż srebra w Zacatecas, a następnie kilku mniejszych, wszystkich położonych na północy, daleko poza rejonami osadnictwa wiejskiego Mezoameryki, spowodowało pojawienie się nowej formy naboru do pracy. Do Zacatecas musiano ściągać wolnych, wędrownych indiańskich robotników ze środkowego Meksyku, kusząc ich wysokimi płacami; ludzie ci przybywali grupami i osiadali, dołączając do swych krajanów, w licznych wioskach otaczających miasto. Baskijscy górnicy z kolei, którzy dominowali w przemyśle wydobywczym na Północy, stawali się królewskimi gubernatorami, otrzymywali ogromne nadania ziemi i rozwijali hodowlę owiec na wielką skalę. W latach dziewięćdziesiątych synowie owych baskijskich górników w całości sfinansowali podbój Nowego Meksyku.

Dzięki wpływom z Nowej Hiszpanii Filip II mógł dostawać większe kredyty u niemieckich bankierów, takich jak Fuggerowie, a produkcja amerykańskich kopalń srebra umożliwiła rozwój handlu zamorskiego. Ponad 80 procent eksportu z Meksyku i Peru stanowiły metale szlachetne, głównie srebro, resztę – barwniki i cenne gatunki drewna; kolonie importowały z kolei luksusowe tkaniny (co najmniej 65 procent importu), a ponadto wino, papier i towary żelazne. Z powodu napadów francuskich piratów od 1564 roku statki handlowe przepływały Atlantyk w dwóch konwojach w roku; jeden docierał do Vera Cruz, drugi do Nombre de Dios w Panamie, skąd towary przewożono Przesmykiem Panamskim, a później dostarczano statkami do Limy. Znaczenie tego handlu i dochody z niego były tak ogromne, że wielu kupców hiszpańskich założyło stałe rezydencje w mieście Meksyk i w Limie, a często utrzymywało też składy w miastach prowincjonalnych i ośrodkach górniczych. Bogatsi kupcy zaczęli udzielać kredytów przedsiębiorcom górniczym, angażując się w ten sposób w produkcję. Bogate kupiectwo założyło w 1592 roku własną gildię, *consulado*, w Meksyku, a w 1613 w Limie. Przez następne dwieście lat dominującą pozycję utrzymywali w gildiach przybysze z Hiszpanii. Najbogatsi kupcy często kupowali hacjendy i dorównywali, a nawet ich pod tym względem przewyższali zamożnością posiadaczom ziemskim i przedsiębiorcom górniczym.

W 1600 roku na hiszpańskie imperium w Ameryce składały się dwa wicekrólestwa, Nowa Hiszpania i Peru, które dzieliły się na prowincje, gdzie organami władzy wicekróla były tak zwane *audiencias*, mające pierwotnie kompetencje sądownicze. Siedziby *audiencias* mieściły się w Guadalajarze, mieście Meksyk, Gwatemali, Panamie, Santo Domingo, Santa Fé de Bogotá, Quito, Limie, Charcas (dziś Sucre), Santiago de Chile i Manili. Wszystkie te miasta z wyjątkiem Guadalajary zostały stolicami niepodległych republik. W posiadłościach hiszpańskich działało sześciu arcybiskupów, trzydziestu biskupów i dziewięciuset sześciu kanoników katedralnych. W Nowej Hiszpanii zorganizowano sto czterdzieści dziewięć okręgów administracyjnych, w Peru około siedemdziesięciu. W stolicach założono skarbce królewskie, działały porty i ośrodki górnicze. To wspaniałe imperium zostało zbudowane rękoma indiańskich chłopów i sprowadzonych tu w XVI wieku siedemdziesięciu pięciu tysięcy afrykańskich niewolników, a także dzięki przedsiębiorczości i energii pięćdziesięciu sześciu tysięcy znanych z nazwiska hiszpańskich kolonizatorów, z których jedną czwartą w ostatnich dekadach stulecia stanowiły kobiety. Liczba ta mogła być oczywiście wyższa, niektórzy uczeni szacują ją nawet na dwieście pięćdziesiąt tysięcy, choć bardziej prawdopodobna wydaje się o połowę niższa, ponieważ w latach sześćdziesiątych w Nowej Hiszpanii naliczono tylko dziesięć tysięcy hiszpańskich *vecinos*, czyli głów rodziny, z których połowa mieszkała w stolicy. W tym samym dziesięcioleciu około sześciu tysięcy Hiszpanów mieszkało w Peru, z czego zaledwie jedną ósmą stanowiły kobiety. Pod koniec XVI wieku coraz szybciej wzrastała liczba ludności pochodzącej z mieszanych związków, Metysów i Mulatów, którzy zaczęli tworzyć grupę pośrednią między społecznościami indiańską i hiszpańską.

W 1600 roku widoczne już były również pierwsze oznaki rodzącej się świadomości kreolskiej, czego świadectwem są wspomnienia pisane przez Hiszpanów urodzonych w Ameryce, potomków konkwistadorów i *encomenderos*, przeciwstawiających się żarliwie utracie dziedzictwa i coraz większemu bogaceniu się napływających kupców. Po przybyciu jezuitów, którzy w latach 1569–1571 zjeżdżali zarówno do Meksyku, jak i do Peru, szybko powstały liczne kolegia, które dały młodym Kreolom możliwość nauki i przygotowywały do studiów na uniwersytetach założonych w 1551 roku w mieście Meksyk i w Limie. Absolwenci tych uczelni, często wywodzący się ze zubożałych rodów, zasilali szeregi duchowieństwa i domagali się stanowisk w administracji cywilnej. Całe społeczeństwo hiszpańskie odtworzyło się w Nowym Świecie.

Imperium portugalskie

W lipcu 1497 roku Vasco da Gama (1469–1524), portugalski szlachcic i członek zakonu rycerskiego Świętego Jakuba od Miecza, wyruszył z Lizbony, prowadząc małą flotyllę czterech statków ze sto dziewięćdziesięcioma osobami załogi. Opłynąwszy Wyspy Zielonego Przylądka, pożeglował dalej przez Atlantyk na południe, po dziewięćdziesięciu dniach dotarł do Przylądka Dobrej Nadziei, po czym skierował się na północ. Zawijał do małych sułtanatów muzułmańskich rozrzuconych na wybrzeżu afrykańskim od Mozambiku po Malindi, gdzie wynajął pilota mówiącego w języku gujarati, aby poprowadził ekspedycję przez Ocean Indyjski. W maju 1498 roku da Gama dotarł do portu Kalikat na wybrzeżu Malabaru. Od wyprawy Bartolomeu Diaza minęło już dziewięć lat; zwlekano tak długo po części z powodu konfliktów o sukcesję tronu portugalskiego, a po części z powodu zamieszania, jakie wywołało odkrycie Ameryki. Dopiero Manuel I (1495–1521), wykształcony król wizjoner, marzący o wyzwoleniu Jerozolimy w sojuszu z legendarnym Prezbiterem Janem, chrześcijańskim „królem Indii", zainteresował się ponownie poszukiwaniami drogi morskiej do nieznanego wciąż kraju. Gdy w lipcu 1499 roku Vasco da Gama powrócił z Indii do Lizbony, Manuel natychmiast mianował się królem „Etiopii, Arabii, Persji i Indii" oraz przekazał wieści o „odkryciu" – słowo to zakwestionował później Amerigo Vespucci – papieżowi i katolickim królom Hiszpanii.

„Odkrycie" mogło wydawać się określeniem niewłaściwym dlatego, że w portach Oceanu Indyjskiego, do których zawijał Vasco da Gama ze swą załogą, ożywioną działalność prowadzili kupcy muzułmańscy. W dzienniku okrętowym zanotowano, że gdy jeden z Portugalczyków zszedł na brzeg w Kalikacie, spotkał „dwóch Maurów z Tunisu, umiejących mówić po kastylijsku i genueńsku", którzy na jego widok wykrzyknęli: „Niech was diabli wezmą! Po coście tu przyjechali?". Marynarz odpowiedział: „Przyjechaliśmy szukać chrześcijan i korzeni". Większość terytorium Indii była w istocie od wieków połączona z Bliskim Wschodem ścisłymi więzami handlowymi, a także religijnymi. Portugalczycy liczyli jednak na to, że dowiedzą się czegoś o Prezbiterze Janie, a gdy po raz pierwszy zobaczyli świątynie hinduistyczne w Kalikacie, uznali, że panuje tam dziwaczna odmiana chrześcijaństwa. Wszelkie nadzieje na sojusz przeciwko islamowi szybko się rozwiały, ponieważ radża Kalikatu z pogardą odrzucił skromne podarki Vasco da Gamy jako niegodne kupca, nie mówiąc już o wysłanniku monarchy.

W 1502 roku da Gama wrócił do Indii; tym razem prowadził tysiąc ludzi i trzynaście okrętów wojennych wiozących srebro z Europy oraz złoty piasek z Afryki Wschodniej. W odwecie za wymordowanie obsady portugalskiej faktorii handlowej ostrzelał Kalikat, przekonano go już bowiem, że hinduizm to religia pogańska. Wkrótce potem zaatakował i zatopił, mimo obietnicy okupu, statek z muzułmańskimi pielgrzymami wracającymi z Mekki. Jednym słowem, rozszerzył prowadzoną przez Portugalię wojnę przeciwko islamowi na wybrzeża Oceanu Indyjskiego. Za przywiezione srebro i złoto kupił ogromny ładunek pieprzu i przypraw korzennych, a odjeżdżając, zostawił pięć okrętów z załogą, które miały bronić założonej przezeń faktorii w Koczin. W latach 1501–1505 król Manuel wyekspediował do Azji co najmniej osiemdziesiąt jeden okrętów i siedem tysięcy ludzi.

Twórcą portugalskiej potęgi morskiej w Azji był Alfonso de Albuquerque, wicekról w latach 1509–1515. W 1509 roku Portugalczycy rozbili wielką flotę egipskich mameluków, która miała nie dopuścić do ataków portugalskich na muzułmańskie statki i porty na wybrzeżu Oceanu Indyjskiego. W następnym roku Albuquerque zajął Goa, a rok później Malakkę, duży port nad cieśniną między Półwyspem Malajskim a Sumatrą. W 1515 roku, po nieudanej próbie zdobycia Adenu, ufortyfikowanego portu broniącego dostępu do Morza Czerwonego, Albuquerque zajął port na wyspie w cieśninie Hormuz, u wejścia do Zatoki Perskiej. Portugalczycy żądali od tej pory opłat od wszystkich statków zawijających do tych portów w zamian za eskortę. Zakładali również faktorie handlowe na wybrzeżu Oceanu Indyjskiego, a w 1521 roku przejęli kontrolę nad Ternate w archipelagu Moluków, zwanych również Wyspami Korzennymi. Portugalskie imperium kolonialne zbudowane zostało stosunkowo niewielkim nakładem kosztów, przede wszystkim za sprawą doskonałej floty i artylerii, dzięki którym szybkie karawele i ciężkie statki typu nao zamieniły się w „pływające fortece". Gdy Osmanowie, podbijający kraje arabskie, raz po raz wysyłali flotę mającą wyprzeć Portugalczyków, w roku 1533 i ponownie w 1554 ponieśli sromotną klęskę. Co więcej, królowie portugalscy nie tylko regularnie wysyłali statki do Azji, ale utrzymywali również małą flotę na Oceanie Indyjskim i budowali statki w Goa.

W pierwszym okresie podstawę gospodarki tego odległego imperium stanowiła wymiana srebra, najpierw niemieckiego, później amerykańskiego, na pieprz i inne przyprawy, czyli handel między Lizboną a Goa, leżący całkowicie w gestii króla portugalskiego i prowadzony przez statki należące do króla. Początkowo ponad 90 procent importu z Azji stanowił indyjski pieprz, sprowadzano ponadto cynamon z Cejlonu, kwiat i gałkę muszkatołową oraz goździki z Moluków. Było to bardzo dochodowe przedsięwzięcie, a rozprowadzaniem tych przypraw po Europie zajmowały się syndykaty kupieckie z Antwerpii. Monopol królewski szybko został złamany, ponieważ ładownie statków zaczęto wynajmować niezależnym przedsiębiorcom, a w 1570 roku został ostatecznie zniesiony. Należy podkreślić, że Portugalczycy nie zdołali w żadnym okresie zmonopolizować handlu korzeniami, ponieważ popyt na nie był zbyt wielki. Ponadto w latach 1580–1640, dla których zachowały się dokładne liczby, konwoje żeglujące między Lizboną a Goa przewoziły głównie tkaniny bawełniane i jedwabne z Gudźaratu, co stanowiło 62 procent wartości ładunku, podczas gdy dla pieprzu i korzeni liczba ta wynosiła 15 procent, a dla diamentów i innych kamieni szlachetnych – 14 procent.

Imperium portugalskie miało być w założeniu samowystarczalne, dlatego królewski handel korzeniami stanowił tylko część tamtejszej działalności handlowej. Podobnie jak wcześniej w Azji trwał ożywiony handel prowadzony przez kupców muzułmańskich i hinduskich, a teraz i portugalskich. Z Bliskiego Wschodu sprowadzano przez Zatokę Perską konie, natomiast tkaniny z Gudźaratu sprzedawano na Sumatrze i Jawie, a także w Afryce Wschodniej. Co więcej, prowadzenie handlu z Dalekim Wschodem pozostawiono prywatnym przedsiębiorcom. W 1557 roku Chiny wydzierżawiły Portugalii Makau, gdzie założono faktorię i prowadzono dochodowy handel, zwłaszcza od czasu, gdy w Japonii gwałtownie wzrosło wydobycie srebra, ponieważ można było sprzedawać za nie chińskie jedwabie i porcelanę, a następnie korzystnie wymieniać w Chinach to srebro na złoto. Ponadto w 1567 roku hiszpańska ekspedycja, która wyruszyła z Meksyku, zajęła Filipiny i założyła stolicę w Manili. W następnych latach rozwinął się zyskowny handel indyjskimi tkaninami oraz chińskimi jedwabiami i porcelaną w zamian za meksykańskie srebro; dużą rolę odgrywała w nim liczna grupa osiadłych w Manili chińskich kupców. W końcu XVI wieku portugalski handel w Azji miał się doskonale, tym bardziej że zaangażowali się w niego kupcy żydowscy, konwertyci, z których wielu miało krewnych w Amsterdamie, nowej stolicy finansowej Europy.

Król Portugalii Manuel I ogłosił się panem Brazylii w 1500 roku, ale dopiero w 1533 roku jego następca, Jan III, podzielił to rozległe terytorium na piętnaście kapitanii i nadawał ziemię szlachcie, co zapoczątkowało kolonizację. Na jej charakter ogromny wpływ miało wprowadzenie uprawy trzciny cukrowej. Gdy w 1548 roku król mianował pierwszego gubernatora w Salvador de Bahia, polecił mu założyć królewską plantację trzciny cukrowej i zainstalować prasę do wyciskania soku z trzciny. Takie portugalskie plantacje powstawały już wcześniej na Maderze – pracowali tam niewolnicy sprowadzeni z Wysp Kanaryjskich – oraz na Wyspie Świętego Tomasza, gdzie przywożono niewolników z Afryki Zachodniej. W Brazylii najwięcej plantacji znajdowało się w Pernambuco, na terenach otaczających wielką zatokę Bahia. Do lat siedemdziesiątych siłę roboczą stanowili tam Indianie, po części niewolnicy, po części przysyłani z zarządzanych przez jezuitów wolnych wsi, wszyscy jednak byli podatni na przywożone przez Europejczyków choroby. Dopiero w ostatnich dwóch dekadach XVI wieku gwałtownie wzrosła liczba niewolników sprowadzanych z Afryki, a wraz z nią produkcja trzciny cukrowej, tak że Brazylia stała się głównym dostawcą cukru spożywanego w Europie, pozostawiając daleko w tyle hiszpańskie Karaiby. Skutki tego zjawiska dały o sobie znać w XVII wieku, a znaczenie Brazylii wzrosło jeszcze po odkryciu w 1695 roku dużych złóż złota w Minas Gerais w środkowo-wschodniej części kraju.

Królowie portugalscy, podobnie jak rywalizujący z nimi władcy hiszpańscy, mieli prawo i obowiązek szerzenia wiary chrześcijańskiej i mianowania władz kościelnych (*padroado*). W 1534 roku ustanowiono biskupstwo w Goa, przekształcone w 1577 roku w arcybiskupstwo i obdarowane okazałą katedrą. W 1542 roku przybyli tam jezuici, otworzyli kolegium i rozpoczęli działalność misyjną. Wkrótce w ich ślady poszły inne zakony. Najbardziej typowym członkiem chrześcijańskiej społeczności parafialnej był Portugalczyk ożeniony z miejscową kobietą; w rezultacie we wszystkich większych miastach wzrastała liczba mieszkańców pochodzących z małżeństw mieszanych. W południowych Indiach istniał jednak także liczący około trzydziestu tysięcy wiernych chrześcijański Kościół syryjski, skupiający wyznawców nestorianizmu. Początkowo stosunki między tą społecznością a Portugalczykami układały się poprawnie; konflikt wybuchł, gdy katoliccy duchowni zaczęli domagać się, by nestorianie zerwali ze swoją wiarą, a nawet zastąpili język aramejski łaciną, co doprowadziło do rozłamu we wspólnocie. Zaskakującym sukcesem portugalskich misjonarzy okazało się nawrócenie na chrześcijaństwo w latach 1535–1537 całego ludu Parawów (poławiaczy pereł) na Wybrzeżu Malabarskim, niechcącego znaleźć się pod władzą muzułmańską. Portugalczycy w zasadzie nie przyciągnęli w Azji rzesz konwertytów, większą siłę oddziaływania miał islam, nadal silny pozostał też hinduizm. Chrześcijaństwo zyskało przewagę tylko na Filipinach, gdzie, z wyjątkiem Mindanao, nie dotarł jeszcze islam i gdzie nie wykształciły się jeszcze wyższe formy religii czy państwowości. Ponadto Hiszpanie przez cztery wieki rządzili w tej kolonii twardą ręką.

Mocarstwa europejskie i kolonie

W XVI wieku ekspansji europejskiej przewodziły Hiszpania i Portugalia, ale ich pozycji zaczęli zagrażać francuscy, angielscy i holenderscy poszukiwacze, kupcy i korsarze. W latach 1534–1542 Francuz Jacques Cartier poprowadził trzy wyprawy, które, płynąc rzeką Świętego Wawrzyńca tysiące kilometrów w głąb lądu, dotarły do miejsc, gdzie dziś znajdują się Quebec i Montreal; tereny te zaczęto jednak systematycznie badać dopiero w następnym stuleciu. Francuscy korsarze i kupcy pływali na Karaiby, a w roku 1555 najechali na Hawanę. Prowadzili również handel na wybrzeżach Brazylii, a w roku 1555 francuska ekspedycja, dowodzona przez Nicolasa Duranda de Villegaignona, zajęła wyspę w Zatoce Rio de Janeiro, skąd pięć lat później została wypędzona przez Portugalczyków. Pierwszą próbę założenia kolonii w Kanadzie podjął dopiero w 1603 roku Samuel de Champlain. Po zdradzieckim ataku Hiszpanów na flotę angielską, kotwiczącą w porcie San Juan de Ulúa w 1568 roku, jej dowódcy, John Hawkins i Francis Drake, wylądowali w Nombre de Dios i przejęli transport srebra z Peru w chwili, gdy przewożono je Przesmykiem Panamskim. W 1577 roku Drake poprowadził trzy statki i stu sześćdziesięciu ludzi na wyprawę dookoła świata. Przepłynąwszy Cieśninę Magellana, pożeglował wzdłuż wybrzeży Peru i zdobył galeon wyładowany srebrem. Następnie popłynął na północ, dotarł do Vancouver, zawinął do Zatoki San Francisco, po czym ruszył przez Pacyfik, kupił ładunek korzeni na Molukach i wreszcie po dwóch latach i dziesięciu miesiącach żeglugi dotarł do Plymouth. Wyczyn Drake'a powtórzył w latach 1586–1588 Thomas

Cavendish, który zajął z kolei hiszpański galeon odbywający doroczny rejs między Acapulco a Manilą. Inni angielscy korsarze najeżdżali na posiadłości hiszpańskie na Karaibach. W 1585 roku Drake poprowadził najazd na Santo Domingo, gdzie zbezcześcił kościoły katolickie i zażądał okupu za mieszkańców. Zarówno Drake, jak i Hawkins zmarli w 1595 roku na morzu, podczas nieudanej wyprawy podjętej w celu zdobycia Panamy. W 1600 roku powstała angielska Kompania Wschodnioindyjska i zaczęły się pierwsze wyprawy kupieckie na Ocean Indyjski.

W Azji spuściznę po Portugalczykach przejęli po części Holendrzy. Po wybuchu w 1567 roku w Niderlandach buntu protestantów przeciwko Filipowi II rozpoczęła się otwarta, trwająca kilka dziesiątków lat wojna między Holandią a Hiszpanią, choć wymiana handlowa nie ustała. Gdy jednak w 1580 roku Filip II został także królem Portugalii, Holendrzy zaczęli najeżdżać na portugalskie faktorie handlowe w Azji. W 1595 roku założyli Kompanię Wschodnioindyjską i jeszcze w tym samym roku wysłali pierwsze statki, które miały dotrzeć, okrążając Przylądek Dobrej Nadziei, na Moluki. Od tej pory Holendrzy systematycznie najeżdżali posiadłości portugalskie i choć nie udało im się zdobyć Goa ani Makau, przejęli kontrolę nad handlem z wyspami Indonezji. Później, w latach 1631–1652, holenderska Kompania Zachodnioindyjska okupowała Pernambuco i eksploatowała tamtejsze plantacje trzciny cukrowej, została jednak wyparta przez brazylijską milicję, co było dobitnym świadectwem umacniania się społeczności kreolskiej w tym rozległym kraju. Gdy Holendrzy zajęli Luandę, założoną w 1567 roku portugalską kolonię w dzisiejszej Angoli, z Brazylii wyruszyła ekspedycja, która w 1648 roku odbiła miasto.

Europejczycy w Afryce

Co w tym czasie działo się w Afryce? W XVI wieku Portugalczycy utrzymywali łańcuch warownych portów i wysp u zachodnich i wschodnich wybrzeży tego kontynentu. Podbojom hiszpańskim w Ameryce towarzyszyły epidemie, ale w Afryce epidemie malarii niezwykle utrudniały europejską kolonizację. W Afryce nie występowały ponadto złoża srebra czy duże ilości korzeni, które można by z zyskiem sprzedawać. Plemiona afrykańskie znały przy tym broń żelazną i miały tradycje wojenne, tak że podporządkowanie ich nie było sprawą łatwą. W rezultacie oprócz kości słoniowej i złotego piasku najważniejszym towarem eksportowym Afryki stali się niewolnicy. Należy pamiętać, że w społeczeństwach afrykańskich niewolnicy bardziej niż ziemia świadczyli o bogactwie jednostki i że zwykle rekrutowali się z jeńców wojennych. Spodziewano się, że władcy afrykańscy będą sprzedawali niewolników za konie, luksusowe tkaniny i towary żelazne, zarówno narzędzia, jak i broń. Do lat dwudziestych większość niewolników kupowanych przez Portugalczyków trafiała do Europy lub na plantacje trzciny cukrowej na Maderze, Wyspach Kanaryjskich i Wyspie Świętego Tomasza, ale w późniejszym okresie coraz większą ich liczbę wysyłano do Ameryki. Oblicza się, że w latach 1451–1600 z Afryki wywieziono około dwustu pięćdziesięciu czterech tysięcy niewolników, z których siedemdziesiąt pięć tysięcy znalazło się w koloniach hiszpańskich w Ameryce, pięćdziesiąt tysięcy w Brazylii i, co zaskakujące, siedemdziesiąt sześć tysięcy na Wyspie Świętego Tomasza. W XVI wieku narodziło się więc zjawisko, które w następnych trzech stuleciach przybrało ogromne rozmiary – największej wymuszonej migracji w dziejach ludzkości. Początek dali jej Portugalczycy kupujący ładunki żywego towaru w portach afrykańskich.

W pogoni za niewolnikami i w chęci szerzenia chrześcijaństwa Portugalczycy, choć niezbyt liczni, zapuszczali się daleko w głąb kontynentu, co jednak nie przyniosło trwałych efektów. Udało się na przykład nawrócić króla Konga, który przeszedł na chrześcijaństwo, uczynił je religią państwową i przyjął imię Alfonso I (1506–1543), choć zatrzymał swoje liczne żony. Po śmierci króla jego poddani powrócili jednak do dawnych wierzeń, zachowując tylko nieliczne elementy chrześcijaństwa. Zasadnicze znaczenie miała portugalska interwencja w Etiopii, dokąd w roku 1541 wysłano świetnie wyposażoną ekspedycję zbrojną pod dowództwem Cristovão da Gamy, syna wielkiego żeglarza; ekspedycja po dwóch latach walk wyzwoliła ten kraj spod okupacji muzułmańskiej. Wcześniej przez dwanaście lat władca sąsiedniego sułtanatu, Ahmed ibn Ibrahim al-Gazi (1506–1543), zwany Granim (Mańkutem), ogłosiwszy się imamem, podbijał i pustoszył Etiopię, niszcząc starożytne kościoły i klasztory, paląc bezcenne manuskrypty, biorąc w niewolę i zmuszając do przejścia na islam tysiące swoich nowych poddanych. Krajowi groził taki sam lub gorszy los jak państwom Azteków i Inków ze strony Hiszpanów. Młody król etiopski i królowa matka stawiali dość skuteczny opór, ale o zwycięstwie zadecydowały portugalska broń i działa – to one ocaliły od zniszczenia to starożytne królestwo i afrykańską formę chrześcijaństwa, choć w walce zginęło wielu Portugalczyków, łącznie z dowódcą wyprawy.

Jezuici w koloniach

Hiszpanom i Portugalczykom, działającym niczym straż przednia europejskiej ekspansji gospodarczej na świecie, często towarzyszyli Europejczycy innych narodowości, przede wszystkim misjonarze, wśród których najwięcej było jezuitów. Od chwili założenia w 1540 roku Towarzystwo Jezusowe podjęło zadanie głoszenia Ewangelii wszystkim ludom na całym świecie. Już w 1542 roku legat papieski i późniejszy święty, Franciszek Ksawery, Bask z pochodzenia, wylądował w Goa, następnie działał w Indiach i na Molukach, a w 1549 roku dotarł do Japonii, skąd wysyłał pełne entuzjazmu relacje na temat mieszkańców tego kraju. Od początku starał się pozyskać przychylność miejscowych feudałów, którzy w owym czasie toczyli między sobą nieustanne walki. Gdy udało mu się doprowadzić do nawrócenia jednego *daimyō*, poszli za nim inni, a Kościół zdobył w Japonii około trzystu tysięcy dusz. Po przybyciu Alessandra Valignano, wizytatora misji jezuickich, zaczęto intensywnie nauczać mieszkańców, drukować przekłady katechizmu i pism religijnych, zabiegać o powołania, szanując przy tym miejscowe obyczaje i ubiór. Valignano krzewił idee włoskiego humanizmu i odrzucał przyrodzoną Hiszpanom i Portugalczykom podejrzliwość co do prawowierności wszystkich nowochrzczeńców, czy byli to – wcześniej – żydzi, czy teraz buddyści. Jednocześnie jezuici nie wahali się niszczyć świątyń buddyjskich i szintoistycznych na terenach, na których zdobyli wpływy. Nastąpił jednak odwrót od chrześcijaństwa, po części wskutek zmian politycznych; w 1587 roku zaczęły się prześladowania wiernych i duchowieństwa, których część zginęła śmiercią męczeńską, tak że przetrwały tylko nieliczne grupki praktykujące wiarę potajemnie.

Godną uwagi próbę poznania i zrozumienia kultury niechrześcijańskiej podjął w Chinach włoski jezuita Matteo Ricci (1552–1610), który przybył do tego kraju w 1583 roku i nie tylko doskonale opanował język, ale zapoznał się z klasycznymi dziełami konfucjanizmu. W chwili przybycia do Pekinu w 1601 roku pisał już po chińsku traktaty na temat moralności i cieszył się opinią wybitnego uczonego. Podobnie jak inni jezuici swoich czasów Ricci osądzał buddyzm na podstawie oglądanych świątyń i wizerunków i potępiał go jako formę pogaństwa, konfucjanizm postrzegał jednak jako filozofię, w której zawarta jest koncepcja najwyższego dobra i która opowiada się za moralnością i przestrzeganiem prawa naturalnego. Twierdził, że Konfucjusz mógłby zostać zbawiony. Pekińscy jezuici zadziwiali swoich gospodarzy znajomością astronomii i geografii, o matematyce nie wspominając, a ich misja przetrwała do XVIII wieku.

Nowy Świat w literaturze europejskiej

Jak można się było spodziewać, zarówno kronikarze hiszpańscy, jak i portugalscy z zachwytem wysławiali odkrycia i podboje. Autor portugalskiej epopei narodowej, *Luzjady* (1572), Luís Vaz de Camões, który spędził wiele lat w Azji, chwalił swoich rodaków jako bohaterów nie tyko potrafiących okiełznać żywioły, ale i prowadzących wojny z poganami. Z kolei Francisco López de Gómara, humanista i kapelan Cortésa, pisał w *Historia general de las Indias* (Ogólna historia Indii Zachodnich 1552): „Największym wydarzeniem od stworzenia świata, pomijając wcielenie Tego, który stworzył świat, jest odkrycie Indii, które dlatego nazywa się Nowym Światem". Dalej wygłaszał bezwstydne peany na cześć Hiszpanów, oznajmiając: „Nigdy jeszcze ani król, ani lud nie zrobili tak wiele w tak krótkim czasie, jak my... dużo tak w dziele wojny i poszukiwań, jak i głoszenia Ewangelii i nawracania bałwochwalców". Nic dziwnego, że choć widział i doceniał świetność Tenochtitlan, przedstawił jego mieszkańców jako czcicieli diabła, składających ofiary z ludzi i uprawiających kanibalizm.

Gloryfikowaniu konkwistadorów przeciwstawił się jednak Las Casas, który pod koniec długiego życia oświadczył, że Cortés i Pizarro powinni zawisnąć na szubienicy jak zwykli przestępcy. *Krótką relację o wyniszczeniu Indian* przetłumaczono na większość języków europejskich, często powoływali się na nią protestanccy nieprzyjaciele Hiszpanii. Dzieła Las Casasa poświęcone religii, kulturze i państwowości Inków i Azteków wywarły wpływ na historyków następnych pokoleń, choć były dostępne tylko w rękopisach. Juan de Torquemada, franciszkanin, który w dzieciństwie nauczył się języka nahuatl, wykorzystał wiele rękopiśmiennych kronik, kodeksów azteckich i ustaleń Las Casasa, aby przedstawić w dziele *Monarchia Indiana* (1615) Meksyk sprzed najazdu Hiszpanów jako olśniewający Babilon, czyli państwo o rozwiniętej cywilizacji i surowym kodeksie moralnym, ale nieuleczalnie przeżarte bałwochwalstwem. Torquemada wychwalał założenie Kościoła w Meksyku i pełną poświęcenia pracę franciszkanów. Mimo to dzięki jego dziełu przetrwała pamięć o przeszłości Azteków i Tolteków, a datę założenia Tenochtitlan przesunięto z roku 1521 na 1325. Nową Hiszpanię postrzegano więc odtąd raczej jako spadkobierczynię państwa Azteków niż kraj, który narodził się *de novo* w chwili podboju Meksyku.

Erudyta i badacz Inca Garcilaso de la Vega (1539–1616), syn inkaskiej księżniczki i konkwistadora, wykorzystał znajomość historiografii renesansowej, zdobytą podczas pobytu w Hiszpanii, do przedstawienia byłych władców Peru jako kastę istot natchnionych przez Boga. W utworze *O Inkach uwagi prawdziwe* pisał, że królowie i *amautas*, mędrcy, wiedzieli o jedynym, prawdziwym Bogu, ale ze względu na materialistyczne skłonności swoich poddanych krzewili monoteizm poprzez popieranie kultu słońca. Rządzili podbitymi krajami łaskawie, pragnąc zapewnić dobrobyt wszystkim mieszkańcom, i zawsze przestrzegali prawa naturalnego. W rezultacie przynieśli więc tubylcom cywilizację. Tego rodzaju interpretacja dziejów spotkała się z gorącym przyjęciem ze strony wykształconej przez jezuitów miejscowej elity w Cuzco. Gdy w 1780 roku daleki potomek Inków wzniecił bunt przeciw panowaniu hiszpańskiemu, argumenty czerpał ze stworzonej przez Garcilaso wizji inkaskiego państwa doskonałego. W wykształconych kręgach kreolskich, zarówno w Peru, jak i w Meksyku, zgadzano się już wówczas, że cywilizacja ich krajów z okresu przedhiszpańskiego stanowi fundament dalszych dziejów. Gdy w 1821 roku Meksyk uzyskał niepodległość, głoszono, że oto wróciła wolność, którą naród cieszył się w roku 1519. Przekonanie to, niemające nic wspólnego z prawdą historyczną, miało wielką siłę oddziaływania.

Podsumowanie

Euan Cameron

Wiek XVI zwykle uważa się za początek epoki nowożytnej i mimo wszelkich zastrzeżeń jest to słuszne, ponieważ wtedy właśnie zaczęły występować zjawiska, które doprowadziły do powstania w Europie nader zróżnicowanej i nieregulowanej gospodarki nastawionej na konsumpcję, wolnego obiegu myśli, wyzwolenia nauk ścisłych spod dyktatu teologii, tolerancji religijnej i systemu politycznego opartego zarówno na pragmatyzmie, władzy zbiorowości i podziale odpowiedzialności, jak i na tradycji, przywilejach i immunitetach. Żadne z tych zjawisk nie objawiło się jednak w całej pełni przed rokiem 1800, nie mówiąc już o 1600. W Europie XVI wieku prawdopodobnie nikt nie traktowałby takiego rozwoju sytuacji jako możliwy czy nawet pożądany. Nie podejmowano w tym kierunku żadnych starań. Zadziałała po prostu tak zwana logika wydarzeń.

Rodzi się pytanie, czy wydarzenia i trendy wyraźnie widoczne w następnym stuleciu stanowiły kontynuację wydarzeń i zjawisk występujących w XVI wieku, tak że słusznie można by uznać XVI wiek za część „wczesnej nowożytności", czy też procesy charakterystyczne dla wieku XVII wykazywały istotne różnice i kierowały się własną „wewnętrzną logiką"? Jeśli chodzi o sferę gospodarki, nie ma, jak należało się spodziewać, jednoznacznej odpowiedzi. Tom Scott wykazał, że wiele ważnych zjawisk, tradycyjnie uznawanych za typowe dla całej epoki nowożytnej, takich jak grodzenie ziemi gminnej w Anglii, całkowite ubezwłasnowolnienie większości chłopstwa w krajach na wschód od Łaby czy rozwój rynku dóbr konsumpcyjnych, zwłaszcza w Anglii i Niderlandach, wystąpiło w całej pełni dopiero w wieku XVII, nie zaś w XVI. Co ważniejsze, Scott podkreśla, że większość istotnych czy charakterystycznych czynników jednej fazy rozwoju gospodarczego nie musi wcale pełnić takiej funkcji w kolejnych etapach. Zwykle uznaje się na przykład urynkowienie rolnictwa i system nakładczy w produkcji włókienniczej za czynniki sprzyjające późniejszemu rozwojowi gospodarki, Scott wykazuje jednak, że wczesnokapitalistyczne rolnictwo i rozwój wytwórczości manufakturowej nie musiały automatycznie prowadzić do powstania kapitalizmu na wsi i uprzemysłowienia. Z drugiej strony w niektórych regionach, zwłaszcza tam, gdzie rozwinął się system kredytowy i coraz większą rolę odgrywały spółki akcyjne prowadzące handel międzynarodowy, istniały rzeczywiste związki między wcześniejszymi a późniejszymi zjawiskami. Pierwsze oznaki rodzącego się w efekcie działania spółek kapitalizmu wystąpiły przed 1600 rokiem tylko w Anglii; sukcesy kompanii handlowych przyszły później, ale trend już się pojawił.

Jednym z najważniejszych wniosków płynących z naszych rozważań jest to, że jedna sfera ludzkiej aktywności często wywiera wpływ na inną. U podstaw wyjątkowego rozwoju gospodarczego Anglii i Rzeczypospolitej Zjednoczonych Prowincji leżały decyzje o charakterze politycznym. W obu tych krajach rządzący musieli liczyć się z ciałem ustawodawczym i nie mogli pozwolić sobie na dowolne nakładanie podatków, nie mogli więc również wypuszczać obligacji państwowych na poczet przyszłych wpływów z podatków, dlatego i szlachcie, i mieszczaństwu opłacało się inwestować kapitał. Wszędzie indziej w Europie, a zwłaszcza w Hiszpanii, Francji i Państwie Kościelnym, obligacje wypuszczano w takich ilościach i tak korzystnie oprocentowane, że ich zakup pochłaniał kapitały, które mogłyby zostać zainwestowane w handel czy wytwórczość. W niektórych krajach tendencję te pogłębiały ponadto ograniczenia prawne zakazujące szlachcie podejmowania pewnych rodzajów działalności pod groźbą utraty przywilejów podatkowych, choć znaczenie tych restrykcji bywa wyolbrzymiane. We Francji narastające z latami zadłużenie korony doprowadziło w rezultacie do wybuchu rewolucji w 1789 roku. W Anglii z kolei podatki bezpośrednie, a i to niewysokie i nieregularnie ściągane, wprowadzono dopiero po roku 1688. Polityka wewnętrzna miała więc, jak się okazuje, wyraźne konsekwencje społeczno-ekonomiczne.

Polityka jest dziedziną, w której poszukiwanie ogólnych prawideł czy wyraźnych linii rozwoju wydaje się najmniej owocne – choćby dlatego, że relatywny rozwój czy upadek takiej czy innej dynastii lub narodu nie wynikał z żadnej dającej się logicznie uzasadnić konieczności. Mimo to zarówno w myśli politycznej, jak i w podstawowych zasadach uprawiania polityki, nie mówiąc już o metodach, jakimi jedno państwo chciało wywrzeć nacisk na inne, daje się zauważyć pewne prawidłowości. Niezwykle trudno natomiast określić, co kryło się pod rozpowszechnionym wówczas terminem „racja stanu". W XVI wieku rozumiano go różnie i należy podejrzewać, że nie było zgody co do jego znaczenia. Można przyjąć, że zakładał on usprawiedliwienie arbitralnych decyzji podyktowanych względami praktycznymi lub dobrem społeczeństwa, nie sposób jednak udowodnić, że popularność tego konceptu uczyniła polityków XVI czy XVII wieku bardziej bezwzględnymi, cynicznymi czy skłonnymi do zdrady niż ich poprzedników. „Racja stanu" dobrze wpisuje się jednak w ogólną tendencję do analizy intelektualnej ludzkich działań w różnych, niezależnych od siebie dziedzinach. Polityka przestała już być częścią motywowanej religijnie etyki. W XVII wieku sytuacja znów się skomplikowała. Powstały wówczas i stały się przedmiotem dyskusji rozprawy traktujące politykę w najbardziej pragmatycznych kategoriach. Thomas Hobbes połączył w *Lewiatanie* teorie Bodina na temat absolutyzmu z logiką Kartezjusza. (Z drugiej strony w 1680 roku Robert Filmer stworzył teorię polityczną, której podstawę stanowiła koncepcja „naturalnej" jakoby władzy patriarchalnej Adama i jego następców). Jakkolwiek by na to patrzeć, w wieku XVI postawiono kwestię, czym jest „suwerenność" (zwierzchność), a w wieku XVII podjęto wiele wysiłków, aby odpowiedzieć na to pytanie. Teorie polityczne nie znajdowały raczej odbicia w praktyce. Niektórzy najbardziej despotyczni władcy XVII wieku, jak choćby cesarz Ferdynand II czy później Ludwik XIV, nieustannie zasięgali porady spowiedników i innych doradców duchowych. Obaj byli gotowi podejmować decyzje polityczne, które stały w jawnej sprzeczności z ich doczesnymi interesami, najwyraźniej pod wpływem rozważań religijnych.

Wojskowość rozwijała się w XVII wieku według wzorów wytyczonych w poprzednim stuleciu. Coraz większe zbierano armie i coraz donioślejszego znaczenia nabierała kwestia ich wyekwipowania i zaopatrzenia. Prowadzenie bitew przez ogromne rzesze piechoty wymagało coraz staranniejszego planowania i większej dyscypliny. Gdy najważniejszą sprawą stawało się zdobycie mających znaczenie strategiczne twierdz (jak na przykład w ostatniej fazie holenderskiej wojny z Hiszpanią o niepodległość), oblężenia ciągnęły się w nieskończoność, ponieważ ówczesna artyleria nie potrafiła dać sobie rady z umocnieniami. Maurycy książę Orański oraz król szwedzki Gustaw Adolf wprowadzili nowe zasady sztuki wojennej. W walce w polu coraz większą rolę odgrywała broń palna.

Najbardziej widocznym być może trendem, dającym się zauważyć w początkach nowożytności, była wzrastająca możliwość wydawania przez Europejczyków pieniędzy na wszelkiego rodzaju dobra i przedsięwzięcia. Rządzący powiększali dwory i armie, rozbudowywali personel administracyjny i prowadzili coraz wystawniejsze życie. Ludzie z niemal wszystkich warstw społecznych wydawali pieniądze na ubrania, książki, domy oraz ich umeblowanie i wyposażenie. Wielką wagę przywiązywano do estetyki ubioru i wnętrz, powstawały coraz to nowe mody i style dekoracji. Wielkość importu towarów luksusowych z odległych zakątków świata (cukier, korzenie, jedwabie) zawsze nieco się wyolbrzymia, czasem dlatego, że na upodobania do luksusów głośno narzekali moraliści. Marcin Luter pisał w latach dwudziestych, że nawet jeśli Niemców nie będzie grabił papież, i tak padną oni ofiarą miejscowych rabusiów, kupców jedwabi i aksamitów, ponieważ każdy chce być równy każdemu, szerzą się pycha i zawiść. Wszystkiego tego i o wiele większych nieszczęść można by, zdaniem Lutra, uniknąć, gdyby ludzie umieli być wdzięczni Bogu za dobra, którymi ich obdarzył.

Nie ulega jednak wątpliwości, że handel towarami luksusowymi, przeznaczonymi głównie dla szlachty, w XVI wieku prowadzony na stosunkowo małą skalę, w następnym stuleciu nabierał coraz większego znaczenia.

W dziedzinie „filozofii natury", nazwanej później „nauką", relacje i powiązania między XVI a XVII wiekiem są nader złożone i problematyczne. Historycy nauki podkreślają rozwój w końcu XVI wieku z jednej strony niezależnych od teologii nauk ścisłych, z drugiej zaś – okultyzmu, wiedzy ezoterycznej, kabalistyki, które okazały się ślepą uliczką europejskich poszukiwań badawczych. Wielu współczesnych badaczy wykazało się wielką pomysłowością, udowadniając, że w różnego rodzaju „okultyzmach" zawierały się zalążki myślenia, które doprowadziło później do rozwoju nauk przyrodniczych, i że wielu uczonych parających się naukami ścisłymi, od Johannesa Keplera po Isaaca Newtona, interesowało się także ezoteryką i myślą spekulatywną. Niektórzy zwolennicy koncepcji podkreślających witalność nurtów spekulatywnych w późnym renesansie z przyczyn ideologicznych podważają słuszność przypisywania pierwszeństwa naukom ścisłym, uważając tego rodzaju hegemonię za zaprzeczenie wolności. Podobny sposób myślenia prowadzi na manowce płytko pojmowanego postmodernizmu lub efekciarstwa.

Warto jednak wspomnieć o pewnej ważnej kwestii. Myśliciele początków nowożytności nie mogli wiedzieć, które kierunki poszukiwań okażą się najbardziej owocne, zagłębiali się więc w wiele obszarów, których badanie wydaje nam się dziś dziwaczne. Niepodobna było w inny sposób rozstrzygnąć, czy siłą spajającą wszechświat jest magnetyzm, czy siła grawitacji. Poza tym, od czasów renesansu i reformacji ludzie myślący poszukiwali nowej teorii poznania. Wedle jakich kryteriów można ocenić, że coś jest „prawdą"? W średniowieczu decydowały o tym autorytety (przede wszystkim Biblia) i „racja dostateczna", czyli twierdzenie należycie uzasadnione, zgodnie z regułami logiki. Podczas przesłuchania na synodzie w Wormacji w 1521 roku Luter utrzymywał, że aby zadać mu kłam, trzeba udowodnić mu błąd na podstawie świadectwa Biblii albo wykazać brak „racji dostatecznej". W ciągu XVI wieku następował zmierzch niektórych autorytetów (zakwestionowano na przykład pisma wielu teologów i filozofów średniowiecznych), odkrywano natomiast na nowo pisma starożytnych. Pojawiła się jednak potrzeba znalezienia w nauce miejsca dla sprawdzalnych danych i wiarygodnych eksperymentów. Charles Nauert cytuje w zakończeniu swego rozdziału słowa Francisa Bacona o filozofii greckiej: „mądrość, którą czerpiemy głównie od Greków, jest mądrością dzieci... jest bowiem pełna sprzeczności, ale niezdolna stworzyć dzieł". Bacon pisał na początku XVII wieku, gdy dopiero zaczęto tworzyć podwaliny nauki opartej na wiedzy opisowej, i należał do jej najlepszych propagatorów. Nie osiągnąłby jednak wiele, nie znając osiągnięć szesnastowiecznych botaników, zoologów i anatomów, takich jak Fuchs, Gesner czy Vesalius. Przekonanie o ważności drobiazgowego opisywania świata, zamieszkanego przez wyraźnie określone gatunki, stanowiło jeden z najważniejszych elementów spuścizny przekazanej przez wiek XVI następnemu stuleciu.

Przejście od XVI do XVII wieku wyraźniej niż w innych dziedzinach widać w sferze religii. Zależnie od światopoglądu lub przynależności wyznaniowej okres od lat sześćdziesiątych do drugiej połowy XVII wieku jawi się jako epoka albo spełnienia, albo zdrady ideałów reformacji. Reformacja i (lub) kontrreformacja „przywróciły" właściwe nauczanie chrześcijaństwa, teraz nauczanie to wprowadzono w życie. Z drugiej strony, o ile w okresie reformacji trwały dyskusje i polemiki na temat wiary i nie kwestionowano prawa jednostki do myślenia i wyrażania poglądów zgodnie z własnym sumieniem, o tyle od połowy XVI wieku sytuacja radykalnie się zmieniała. Wolność sumienia przestała być wartością. W Niemczech wprowadzono na przykład program systematycznego nadzoru moralnego i dogmatycznego nad ludnością, zarówno w księstwach protestanckich, jak i katolickich. Nie tylko wolność sumienia padła wówczas ofiarą.

Przeciwstawianie obu tych okresów jest zbytnim uproszczeniem. Po pierwsze, jak pisaliśmy wcześniej, między pierwszymi reformatorami a ich następcami, drugim i trzecim pokoleniem teologów głoszących zreformowaną naukę, nie istniała zasadnicza różnica celów i zamierzeń. Niekończące się płomienne dyskusje, trwanie w ekscytującym, uderzającym do głowy chaosie lat dwudziestych nigdy nie były tym, do czego dążyli reformatorzy. Przywódcy religijni XVI wieku wyznawali koncepcję „prawdy", w której brakowało miejsca na pluralizm. Kwestionowanie zasad wiary, od czego sami zaczęli, uważali za swe nieszczęście, nie ideał. Po drugie, nawet w tamtych czasach w odpowiednich okolicznościach mógł wybuchnąć taki chaos, jak w latach dwudziestych XVI wieku. W Anglii w latach czterdziestych i pięćdziesiątych XVII wieku upadł autorytet Kościoła narodowego i episkopatu – tak samo jak w latach 1521–1525 w Niemczech. Skutki okazały się identyczne. Kraj został zasypany wszelkiego rodzaju drukami ulotnymi, broszurami i traktatami polemicznymi, zaczęły powstawać najrozmaitsze sekty, świeccy mężczyźni i kobiety pisali i głosili kazania, co wcześniej uznawano za niedopuszczalne. Co więcej, gdy sytuacja się uspokoiła, w 1662 roku w Anglii wprowadzono tego samego rodzaju „dyscyplinę" jak w Niemczech po 1525 roku. Najważniejsze jednak, że ortodoksja wyznaniowa nigdy nie odniosła całkowitego zwycięstwa. Żadne wyznanie nie pokonało swoich przeciwników. Przetrwały nawet najbardziej bezbronne zgromadzenia, takie jak mennonici czy huterianie. Ostatecznie władcy zarzucili próby narzucania wiary swoim poddanym. Skoro Wszechmocny, jak się wydawało, pozwalał istnieć, a nawet rozkwitać różnym odłamom chrześcijaństwa, coraz częściej dopuszczano możliwość, że nie ma po prostu tylko jednej prawdziwej wiary. W końcu XVII wieku luterański pietysta Gottfried Arnold napisał nawet:

Niewidzialny Kościół powszechny... nie jest związany z jedną widzialną społecznością, ale rozprzestrzenia się na cały świat, między wszystkich ludzi i kongregacje... Trudno więc powiedzieć, którą z kongregacji kościelnych można nazwać Kościołem prawdziwym.

Słowa te powinni wziąć pod rozwagę ci, którzy na początku XXI wieku prowadzą teologiczne strony internetowe wychwalające jedynie słuszną ortodoksję luterańską, kalwińską czy katolicką.

Z tekstu Davida Bradinga poświęconego stosunkom Europejczyków ze światem zaskakująco jasno wynika, w jakim kierunku potoczą się wydarzenia. Wiek XVI nie był tylko stuleciem odkryć i spotkań z nieznanym, ale także eksploatacji gospodarczej i ekspansji terytorialnej. Początkowo wierzono naiwnie, że najważniejsze jest wywiezienie z Ameryki jak największej ilości „skarbów", srebra i złota, ale z punktu widzenia gospodarki nie miało to na dłuższą metę większego sensu; wpływ tego importu na inflację w Europie zwykle się przecenia. Nie tylko Hiszpania padła ofiarą tego szaleństwa. Walter Raleigh, wychwalając w broszurze z 1596 roku zalety swego „wielkiego, bogatego i pięknego imperium Gujany", zapowiadał powstanie w Anglii kantoru takiego jak kantor w Sewilli, przez który będą przechodzić wszystkie ładunki skarbów przywożonych z Ameryki Południowej.

Błędem byłoby przeciwstawiać wiek XVI jako okres rabowania skarbów wiekowi XVII jako okresowi rozwoju plantacji i handlu. Hiszpańskie statki ze srebrem i złotem żeglowały przez cały XVII wiek, natomiast Anglicy i Holendrzy po 1600 roku wdali się w tego samego rodzaju przedsięwzięcia w koloniach jak ich hiszpańscy rywale w poprzednim stuleciu. Organizowali za oceanem społeczności na wzór europejski: handlowali z tubylcami towarami luksusowymi, zakładali plantacje egzystujące dzięki przymusowej lub niewolniczej pracy, aby zaopatrywać rynek krajowy w surowce. Mocarstwa europejskie odkryły w posiadaniu kolonii daleko za oceanem coś szczególnego i pociągającego. Kolonie prowadziły między sobą wojny na skalę na tyle ograniczoną, że nie zawsze musiały one wpływać na stosunki między macierzystymi krajami w Europie.

Każdy wiek w taki czy inny sposób stawia pytania, na które następne stulecie stara się odpowiedzieć, ale truizm ten w większym niż zazwyczaj stopniu odnosi się do relacji między wiekiem XVI a XVII. Jak już wskazywaliśmy, XVI wiek był okresem szybkiego i bolesnego przystosowywania się do nieznanych wcześniej zagrożeń, niepewności i dylematów. Niezrozumiałe dla współczesnych mechanizmy rozwoju gospodarki wystawiły na ciężką próbę tradycyjne rolnictwo i handel. Pojęcie „suwerenności" politycznej nie zamykało się już w ramach średniowiecznej koncepcji równoległości władzy papieskiej i cesarskiej. Scholastyczna metafizyka i filozofia natury utraciły wyłączność zarówno w sferze intelektualnej, jak religijnej. Coraz bardziej stawało się jasne, że w pewnych dziedzinach wiedzy należy zakwestionować autorytet uczonych starożytnych. Przede wszystkim jednak Europejczycy nie mogli już być pewni, jakimi drogami można zbliżyć się do Boga, w którego niemal wszyscy wierzyli. W Kościele powszechnym i w społeczności wierzących nastąpił rozłam, powstały dwa skłócone i rywalizujące ze sobą obozy. I wreszcie – Europa musiała zmierzyć się z wyzwaniem, jakim było rozszerzenie się granic poznawalnego świata. Wydawało się, że jedynym sposobem potwierdzenia słuszności europejskiego systemu norm i wartości było narzucenie tych norm wszystkim mieszkańcom globu, którzy znaleźli się pod panowaniem Europejczyków. Wiek XVII musiał znaleźć nową odpowiedź na to wyzwanie. Jak można się było spodziewać, stawało się nią nierzadko dążenie do większej kontroli, dyscyplinowania, regulacji, kodyfikowania i porządkowania. Próby ujęcia w karby wszelkich przejawów ludzkich zachowań nieuchronnie prowadziły do powstawania nowych problemów i wprowadzały w świadomości Europejczyków jeszcze większe zamieszanie co do ich miejsca w świecie. Z zamętu tego wyłaniały się burzliwe i nieprzewidywalne przeobrażenia epoki „wczesnej nowożytności".

Wskazówki bibliograficzne

Gospodarka

Gospodarki europejskiej XVI wieku nie można rozpatrywać tak, jakby stanowiła ona wyodrębnioną, wyraźną całość. Wpływ miały na nią głębokie zmiany, jakie zaszły w końcu średniowiecza, zbyt chętnie postrzeganego jako epoka zastoju gospodarczego. Z kolei wiek XVI nadał kierunek rozwojowi gospodarki w następnych stuleciach, dlatego niewiele tylko z wymienionych tu prac poświęconych jest wyłącznie wiekowi XVI.

Z nowszych opracowań należy przede wszystkim wymienić książkę Roberta S. DuPlessis, *Transitions to Capitalism in Early Modern Europe*, Cambridge 1997; wbrew tytułowi autor zajmuje bardzo rozważne stanowisko i nie widzi w każdej zmianie przejawów kapitalizmu. Książka zawiera również obszerną bibliografię. DuPlessis prawie nie zamieszcza tabel, wykresów i zestawień liczbowych, odwrotnie niż Peter Kriedte, którego praca *Peasants, Landlords and Merchant Capitalists: Europe and World Economy, 1500–1800*, przeł. V.R. Berghahn, Leamington Spa 1983, przeładowana jest danymi statystycznymi, często zawiłymi i niedokładnymi. Kriedte próbował pogodzić marksizm z nowszym podejściem do gospodarki początków epoki nowożytnej; jego ustalenia wciąż mają duże znaczenie. Ustalenia te zostały umieszczone w odpowiednim kontekście w ważnym opracowaniu Williama W. Hagena, *Capitalism and the Countryside in Early Modern Europe: Interpretations, Models, Debates*, „Agricultural History", 62 (1988), s. 13–47. W nowszych czasach próbę reinterpretacji koncepcji wyrosłych z ducha zarówno marksizmu, jak teorii niemarksistowskich podjął Peter Musgrave w *The Early Modern European Economy*, Houndmills – New York, 1999, ale jego praca, pomyślana jako polemika, grzeszy powierzchownością. Wydana wcześniej książka Hermanna Kellenbenza, *The Rise of the European Economy: An Economic History of Continental Europe 1500–1750*, przeł. G. Benecke, London 1976, niedostatecznie podbudowana teoretycznie, ciągle pozostaje wartościowa pod względem faktografii, zwłaszcza dotyczącej krajów niemieckich. Zawsze warto sięgnąć po *The Cambridge Economic History of Europe*, choć t. IV, *The Economy of Expanding Europe in the Sixteenth and Seventeenth Centuries*, red. E.E. Rich i C.H. Wilson, Cambridge 1967, oraz t. V, *The Economic Organization of Early Modern Europe*, red. E.E. Rich i C.H. Wilson, Cambridge 1977, wymagają poprawek. Aktualniejszy jest dziś *Handbook of European History 1400––1600: Late Middle Ages, Renaissance and Reformation*, t. I, *Structures and Assertions*, red. T.A. Brady jun., H.A. Oberman, J.D. Tracy, Leiden 1994.

O kształtowaniu się od XVI wieku gospodarki światowej pisze Immanuel Wallerstein, *The Modern World-System*, t. I, *Capitalist Agriculture and the Origins of the European World-Economy in the Sixteenth Century*, New York 1974; t. II, *Mercantilism and the Consolidation of European World-Economy, 1600–1730*, New York 1980, ale autor nie poświęcił dostatecznej uwagi Europie Środkowej i Wschodniej, poszerzył natomiast zasięg geograficzny tematyki podjętej przez Fernanda Braudela w wybitnej pracy *Morze Śródziemne i świat śródziemnomorski w epoce Filipa II*, t. I przeł. T. Mrówczyński i M. Ochab, t. II przeł. M. Król i M. Kwiecińska, wyd. 2, Warszawa 2004. Braudel podtrzymuje pogląd, że odkrycie Ameryki wywarło ogromny wpływ na gospodarkę Europy XVI wieku. Jego *Kultura materialna, gospodarka i kapitalizm, XV–XVIII wiek*, t. I, *Struktury codzienności: możliwe i niemożliwe*, przeł. M. Ochab i P. Graff; t. II, *Gry i wymiany*, przeł. E.D. Żółkiewska; t. III, *Czas świata*, przeł. J. i J. Strzeleccy, Warszawa 1992, wykazuje te same zalety i słabości co studium o świecie śródziemnomorskim. O dominacji gospodarczej Europy Północnej pisze Ralph Davis, *The Rise of the Atlantic Economies*, London 1973; praca ta nadal pozostaje inspirująca, choć teza o wyjątkowości Europy została zakwestionowana w znakomitej książce Kennetha Pomeranza, *The Great Divergence: China, Europe, and the Making of the Modern World Economy*, Princeton––Oxford 2000.

Nie ma potrzeby podawania tu szczegółowego wykazu prac poświęconych tak zwanemu kryzysowi gospodarki średniowiecza, a stanowiących podstawę dyskusji nad transformacją kapitalistyczną zainicjowanej przez Roberta Brennera. Zostały one zebrane w książce *The Brenner Debate: Agrarian Class Structure and Economic Development in Pre-Industrial Europe*, red. T.H. Aston i C.H.E. Philpin, Cambridge 1985. Po kilku dziesięcioleciach przerwy debata ostatnio odżyła, czego świadectwem jest ważny zbiór tekstów poświęconych gospodarce Niderlandów, *Peasants into Farmers? The Transformation of Rural Economy and Society in the Low Countries (Middle Ages–19th Century) in Light of the Brenner Debate*, red. P. Hoppenbrouwers i J.L. van Zanden, Turnhout 2001. Kilku autorów połączyło tu dane szczegółowe z nowatorską refleksją teoretyczną; w obszernym artykule końcowym Robert Brenner wyraźnie odszedł od tez stawianych w 1975 roku. Poszczególnym aspektom poświęcone są ponadto: *Early Modern Capitalism. Economic and Social Change in Europe, 1400–1800*, red. M. Prak, London 2001; *Town and Country in Europe, 1300–1800*, red. S.R. Epstein, Cambridge 2001; *The Peasantries of Europe from the Fourteenth to the Eighteenth Centuries*, red. T. Scott, London–New York 1998, oraz *European Proto-Industrialization*, red. S. Ogilvie, M. Cerman, Cambridge 1996. Do listy tej można dołączyć pracę Myrona Gutmanna, *Towards the Modern Economy: Early Industry in Europe, 1500–1800*, Philadelphia 1988. O urbanizacji piszą Jan de Vries, *European Urbanization 1500–1800*, London 1984, wykorzystujący skomplikowane badania ekonometryczne, a także David Nicholas, *Urban Europe, 1100–1700*, Houndmills–New York 2003. Rynkom oraz instytucjonalnym ramom rozwoju gospodarczego poświęcone jest skłaniające do refleksji studium Stephana R. Epsteina, *Freedom and Growth: The Rise of States and Markets in Europe, 1300–1750*, London–New York 2000.

Ceny, płace i cykle gospodarki zostały omówione w dwóch fundamentalnych pracach: B.H. Silchera van Bath, *The Agrarian History of Western Europe A.D. 500–1830*, przeł. O. Ordish, London 1963, i Wilhelma Abela, *Agricultural Fluctuations in Europe from the Thirteenth to the Twentieth Centuries*, przeł. O. Ordish z 3. wydania niemieckiego z 1978, London 1980. Obie są jednak nieco przestarzałe, dlatego powinny zostać uzupełnione dwoma nowszymi artykułami Roberta C. Allena *The Great Divergence in European Wages and Prices from the Middle Ages to the First World War*, „Explorations in Economic History", 38 (2001), s. 411–447, oraz *Economic Structure and Agricultural Productivity in Europe, 1300––1800*, „European Review of Economic History", 4 (2000), s. 1–25. O zmianach klimatycznych pisze w pionierskiej pracy Christian Pfister, *The Little Ice Age: Thermal and Wetness Indices for Cenral Europe*, „Journal of Interdisciplinary History", 10 (1980), s. 665–696, a także J.M. Grove, *The Little Ice Age*, London 1988.

Sytuacji w Europie Wschodniej poświęcony jest zbiór *The Origins of Backwardness in Eastern Europe: Economics and Politics from the Middle Ages until the Early Twentieth Century*, red. D. Chirot, Berkeley, Calif 1989, nierówny pod względem poziomu opracowań, ale zawierający ważne teksty Roberta Brennera i Jacka Kochanowicza. Zbiór ten stanowi uzupełnienie wcześniejszego zbioru *East-Central Europe in Transition from the Fourteenth to the Seventeenth Century*, red. A. Mączak, H. Samsonowicz i P. Burke, Cambridge–Paris 1985, gdzie szczególnie godne uwagi są artykuły Leonida Żytkowicza, Mariana Małowista i Jerzego Topolskiego (choć podane tam informacje statystyczne powinno się traktować z wielką ostrożnością). Złożone kwestie związane z tak zwanym wtórnym poddaństwem chłopów na terenach na wschód od Łaby można zrozumieć tylko po lekturze opracowań niemieckich lub polskich, ale warto zapoznać się z książkami Toma Scotta, *Society and Economy in Germany, 1300–1600*, Houndmills–New York 2002, oraz Williama W. Hagena, *Ordinary Prussians: Brandenburg Junkers and Villagers, 1500–1840*, Cambridge 2002. Napisana z pozycji neomarksistowskich książka Witolda Kuli, *Teoria ekonomiczna ustroju feudalnego*, wyd. 2 rozszerzone, Warszawa 1983, jest jednostronna; autor zbytnio obstaje przy zasadniczym znaczeniu rynków eksportowych.

O zachodnich Niemczech zob.: Tom Scott, *Society and Economy* oraz *Germany: A New Social and Economic History*, t. I. *1450–1630*, red. B. Scribner, London 1996. Warto też zapoznać się z doskonałą monografią Thomasa Robisheaux, *Rural*

Society and the Search for Order in Early Modern Germany, Cambridge 1989. O Bawarii pisze Govind P. Sreenivasan, *The Peasants of Ottobeuren, 1487–1726: A Rulal Society in Early Modern Europe*, Cambridge 2004.

O Nadrenii – Tom Scott, *Freiburg and the Breisgau: Town-Country Relations in the Age of Reformation and Peasants' War*, Oxford 1986 oraz tenże, *Regional Identity and Economy Change: The Upper Rhine, 1450–1600*, Oxford 1997. Niezbyt przekonywająca wydaje się natomiast praca Williama J. Wrighta, *Capitalism, the State and the Lutheran Reformation: Sixteenth-Century Hesse*, Athens, Ohio 1988. O Fuggerach zob.: Richard Ehrenberg, *Capital and Finance in the Age of the Renaissance: A Study of the Fuggers and their Connections*, przeł. H.M. Lucas, New York 1963 (książka została po raz pierwszy wydana w języku angielskim w 1896 roku!). O Augsburgu – Martha White Paas, *Population Change, Labor Supply, and the Agriculture in Augsburg, 1480–1618: A Study of Early Demographic-Economic Interactions*, New York 1981. O Norymberdze zob.: Wolfgang von Stromer, *Commercial Policy and Economic Conjuncture in Nuremberg at the Close of the Middle Ages: A Model of Economic Policy*, „Journal of European Economic History", 10 (1980), s. 119–129. Najlepszym opracowaniem na temat Hanzy pozostaje studium Philippe'a Dollingera, *The German Hansa*, przeł. D.S. Ault, S.H. Steinberg, London 1970; wydanie poprawione i opatrzone wstępem Marka Cassona, London–New York 1999. Można zapoznać się także z bogato ilustrowaną pracą Johannesa Schildhauera, *The Hansa: History and Culture*, przeł. K. Vanovitch, Leipzig 1985.

Na temat gospodarki Niderlandów istnieje bogata literatura, choć przed ukazaniem się wymienionej już pracy pod redakcją Hoppenbrouwersa i van Zandena, *Peasants into Farmers?*, historycy belgijscy skupiali się przede wszystkim na rozkwicie średniowiecznej Flandrii i Brabantu, historycy holenderscy zaś na dominującej roli handlu północnych Niderlandów. O Niderlandach południowych zob.: John H. Munro, *Textiles, Towns and Trade: Essays in the Economic History of Late-Medieval England and the Low Countries*, Aldershot 1984; o Flandrii i północnych Włoszech – *The Rise and Decline of Urban Industries in Italy and the Low Countries: Late Middle Ages-Early Modern Times*, red. H. van der Wee, Leuven 1988. O przemyśle włókienniczym w ogólności zob.: *Drapery Production in the Late Medieval Low Countries: Markets and Strategies for Survival (14th–16th Centuries*, red. M. Boone i Walter Prevenier, Leuven–Apeldoorn 1993, o nowych bławatach Robert S. DuPlessis, *One Theory, Two Draperies, Three Provinces, and a Multitude of Fabries: The New Drapery of French Flanders, Hainaut, and the Tournaisis, c.1500–c.1800*, w: *The New Draperies in the Low Countries and England, 1300–1800*, red. N.B. Harte, Oxford 1997, s. 129––172. Na temat Antwerpii zob. klasyczne studium Hermana van der Wee, *The Growth of the Antwerp Market and the European Economy, Fourteenth–Sixteenth Centuries*, t. I–III, The Hague 1963. Najnowsze studium na temat Niderlandów to praca

Jana de Vriesa i Adriaana van der Woude, *The First Modern Economy: Success, Failure, and Perseverance of the Dutch Economy, 1500–1815*, Cambridge 1997. Zob. także: *The Dutch Economy in the Golden Age: Nine Studies*, red. K. Davids, L. Noordegraaf, Amsterdam 1993. Na temat gospodarki wiejskiej Niderlandów północnych zob.: Jan de Vries, *The Dutch Rural Economy in the Golden Age 1500–1700*, New Haven–London 1974; tezy zawarte w tym błyskotliwym studium zostały poddane krytyce, lecz nie obalone, w wymienionym wyżej zbiorze przygotowanym przez Hoppenbrouwersa i van Zandena, *Peasants into Farmers?*; po trzydziestu latach pozostaje ono aktualne, podobnie jak książka Violet Barbour, *Capitalism in Amsterdam in the Seventeenth Century*, Baltimore, Md. 1950, po pięćdziesięciu latach. Z nowszych pozycji na temat kapitalizmu holenderskiego warto wymienić: Jan Luiten van Zanden, *The Rise and Decline of Holland's Economy: Merchant Capitalism and the Labour Market*, Manchester 1993; *Dutch Capitalism and World Capitalism*, red. M. Aymard, Cambridge–Paris 1982, oraz Jonathan Israel, *Dutch Primacy in World Trade, 1585–1740*, Oxford 1989. Na temat kredytu zob. studia Jamesa D. Tracy, *A Financial Revolution in the Habsburg Netherlands: 'Renten' and 'Renteniers' in the County of Holland, 1515–1565*, Berkeley–Los Angeles 1985, oraz Marjolein 't Hart, *The Making of a Bourgeois State: War, Politics and Finance during the Dutch Revolt*, Manchester 1993.

O chłopstwie i gospodarstwie wiejskim we Francji zob.: Emmanuel Le Roy Ladurie, *The French Peasantry 1450–1660*, przeł. A. Sheridan, Aldershot 1987, nowsza praca Philipa T. Hoffmana, *Growth in a Traditional Society: The French Countryside 1450–1815*, Princeton 1996, oraz Jonathan Dewald, *Pont-St-Pierre 1398–1789: Lordship, Community and Capitalism in Early Modern France*, Berkeley, Calif. 1987. Napisane z pozycji marksistowskich studium Guy Bois, *The Crisis of Feudalism: Economy and Society in Eastern Normandy c.1300–1550*, przeł. anon., Cambridge–Paris 1984, zawiera tezy, które sam autor w większości odrzucił w nowszej książce, *La Grande Dépression médiévale: XIVe et XVe siècles. Le Précédent d'une crise systémique*, Paris 2000. O przemyśle miejskim i wiejskim zob.: Gaston Zeller, *Industry in France before Colbert*, w: *Essays in French Economic History*, red. R. Cameron, Homewood 1970, oraz studium porównawcze Johna U. Nef, *Industry and Government in France and England, 1540–1640*, Philadelphia 1940.

Dobrym punktem wyjścia do zapoznania się z dziejami gospodarki hiszpańskiej jest praca Teófilo F. Ruiza, *Crisis and Continuity: Land and Town in Late Medieval Castile*, Philadelphia 1994, omawiająca rozkwit i upadek Kastylii w XVI i XVII wieku. Warto sięgnąć także po *The Castilian Crisis of the Seventeenth Century: New Perspectives on the Economic and Social History of Seventeenth-Century Spain*, red. I.A.A. Thompson i B.Y. Casalilla, Cambridge 1994, oraz godne uwagi studium Davida Vassberga, *Land and Society in Golden Age Castile*, Cambridge 1984. O mesta i handlu wełną piszą Carla Rahn Phillips i William Phillips jun., *Spain's Golden*

Fleece: Wool Production and the Wool Trade from the Middle Ages to the Nineteenth Century, Baltimore–London 1997. O stosunkach miasto–wieś zob.: David Reher, *Town and Country in Pre-Industrial Spain: Cuenca, 1550–1870*, Cambridge 1990. Rozwój Madrytu szczegółowo przedstawił David R. Ringrose, *Madrid and the Spanish Economy (1560–1860)*, Berkeley, Calif. 1983. Cenną pozycją jest podręcznik autorstwa Antonia Domingueza Ortiza, *The Golden Age of Spain 1516–1659*, przeł. J. Casey, London 1971.

Jeśli chodzi o Włochy, szczególnie ważna dla zrozumienia gospodarki XVI wieku jest znajomość sytuacji w końcu średniowiecza. Monografia Stephana R. Epsteina, *An Island for Itself: Economic Development and Social Change in Late Medieval Sicily*, Cambridge 1992, wykracza poza ramy zakreślone w tytule; autor kwestionuje rozpowszechnione mniemanie o „zacofaniu" południowych Włoch i wkracza w wiek XVI. Za uzupełnienie tej pozycji można uznać obszerny artykuł Epsteina *Cities, Regions and the Late Medieval Crisis: Sicily and Tuscany Compared*, „Past and Present", 130 (1991), s. 3–50. O gospodarce wiejskiej w Toskanii pisze Frank McArdle, *Altopascio: A Study in Tuscan Rural Society, 1587–1784*, Cambridge 1978, o Neapolu – John A. Marino, *Pastoral Economics in the Kingdom of Naples*, Baltimore–London 1988. O wytwórczości wiejskiej zob.: Carlo Marco Belfanti, *Rural Manufactures and Rural Proto-Industries*, w: *„Italy of the Cities" from the Sixteenth through the Eighteenth Century*, „Continuity and Change", 8 (1993), s. 253–280; o przemyśle bawełnianym – Maureen Mazzaoui, *The Italian Cotton Industry in the Late Middle Ages, 1100–1600*, Cambridge 1981. O życiu w miastach zob.: Richard Mackenney, *Tradesmen and Traders: The World of the Guilds in Venice and Europe, c. 1250–c. 1650*, London 1987, oraz *Crisis and Change in the Venetian Economy in the Sixteenth and Seventeenth Centuries*, red. B. Pullan, London 1968. Kredytowi i systemowi bankowemu poświęcone są studia zebrane w tomie *Buisness, Banking and Economic Thought in Late Medieval and Early Modern Europe: Selected Studies of Raymond De Roover*, red. J. Kirshner, Chicago–London 1974.

Z obszernej literatury poświęconej Anglii na początku nowożytności podamy tylko kilka wybranych pozycji. Na pierwszym miejscu należy wymienić *The Agrarian History of England and Wales*, t. IV *1500–1640*, red. J. Thirsk, London, Cambridge University Press 1967. Z nowszych prac zob.: Mark Overton, *Agricultural Revolution in England: The Transformation of the Agrarian Economy 1500–1850*, Cambridge 1996. O grodzeniu pisze w ujęciu kwestionującym wcześniejsze ustalenia Robert C. Allen, *Enclosure and the Yeoman: The Agricultural Development of the South Midlands 1450–1850*, Oxford 1992, w ujęciu tradycyjnym zaś James A. Yelling, *Common Field and Enclosure in England, 1450–1850*, London 1977. O problemach wsi zob. kontrowersyjną niekiedy pracę Erica Kerridge'a, *Agrarian Problems in the Sixteenth Century and After*, London 1969, w której autor kładzie nacisk na postęp

232

techniczny. O rozwoju kapitalizmu na wsi zob.: Richard W. Hoyle, *Tenure and the Land Market in Early Modern England: or a Late Contribution to the Brenner Debate*, „Economic History Review", 2 ser., 43 (1990), s. 1–20, oraz doskonałe studium Jane Whittle, *The Development of Agrarian Capitalism: Land and Labour in Norfolk, 1440–1580*, Oxford 2000, dotyczące Anglii Wschodniej. Znaczenie *gentry* przedstawia G.E. Chambers, *The Gentry: The Rise and Fall of a Ruling Class*, London 1976, a średniowieczne korzenie tej grupy ukazuje Peter Coss, *The Origins of the English Gentry*, Cambridge 2003. O przemyśle piszą Donald C. Coleman, *Industry in Tudor and Stuart England*, London 1975, oraz George D. Ramsay, *The English Woollen Industry, 1500–1750*, London 1982. Z nowszych opracowań warto wymienić studia Michaela Zella, *Industry in the Countryside: Wealden Society in the Sixteenth Century*, Cambridge 1994, oraz Davida Rollisona, *The Local Origins of Modern Society: Gloucestershire 1500–1800*, London 1992. O przemyśle wiejskim zob. klasyczny już artykuł Joan Thirsk *Industries in the Countryside*, w: *Essays in the Economic and Social History of Tudor and Stuart England*, red. F.J. Fisher, Cambridge 1961, s. 70–88. O wydobyciu węgla zob.: John Hatcher, *The History of the British Coal Industry*, t. I *Before 1700: Towards the Age of Coal*, Oxford 1993; cyny – tenże, *English Tin Production and Trade before 1550*, Oxford 1973; o hutnictwie szkła Eleanor Godfrey, *The Development of English Glassmaking 1560–1640*, Chapel Hill, NC 1975. O rozwoju przemysłu zapokajającego potrzeby konsumpcyjne pisze Joan Thirsk, *Economic Policy and Projects: The Development of a Consumer Society in Early Modern England*, Oxford 1978. O biciu monety zob.: John D. Gould, *The Great Debasement: Currency and the Economy in Mid-Tudor England*, Oxford 1970, o inflacji R.B. Outhwaite, *Inflation in Tudor and Early Stuart England*, wyd. 2, London 1982.

Na koniec należy wymienić kilka prac poświęconych poszczególnym działom gospodarki. O handlu bydłem zob.: Ian Blanchard, *The Continental European Cattle Trade, 1400–1600*, „Economic History Review", 2 ser., 39 (1986), s. 427–460. O przemyśle wydobywczym zob.: tenże, *International Lead Production and Trade in the „Age of the Saigerprozess" 1450–1560*, „Zeitschrift für Unternehmensgeschichte", suppl. 85, Stuttgart 1995, gdzie znalazły się również ważne informacje dotyczące produkcji srebra. O produkcji żelaza zob.: *Schwerpunkte der Eisengewinnung und Eisenverarbeitung in Europa 1500–1650*, red. H. Kellenbenz, Köln–Wien 1974, tam artykuły Davida W. Crossleya, *The English Iron Industry 1500–1650: The Problem of New Techniques*, s. 17–34, oraz Domenica Selli, *The Iron Industry in Italy, 1500––1650*, s. 91–105; a także Milan Myška, *Pre-Industrial Iron-Making in the Czech Lands: The Labour Force and Production Relations circa 1350 – circa 1840*, „Past and Present" 82 (1979), s. 44–72. Problemom gospodarczym i społecznym schyłku XVI wieku poświęcony jest zbiór *The European Crisis of the 1590s: Essays in Comparative History*, red. P. Clark, London 1985.

Polityka i wojna

Najnowszym angielskojęzycznym opracowaniem historii politycznej Europy XVI wieku jest książka Richarda Bonneya, *The European Dynastic States, 1494–1660*, Oxford 1991; w bibliografii podano tam wszystkie wcześniejsze pozycje na ten temat. Dzieje największych państw europejskich mają dość bogatą literaturę. W przypadku Hiszpanii aktualność zachowały dwa klasyczne opracowania, Johna H. Elliotta, *Imperial Spain, 1469–1716*, London 1963, oraz Henry'ego Kamena, *Spain, 1469–1714: A Society of Conflict*, London 1983, ale na potrzeby tego rozdziału w największym stopniu korzystano z książki Henry'ego Kamena *Spain's Road to Empire: How Spain became a World Power, 1492–1763*, London 2002. O Francji Walezjuszów pisze Robert J. Knecht, *The Rise and Fall of Renaissance France, 1483–1610*, wyd. 2, Oxford 2001, kładąc nacisk na związki między polityką a kulturą tego okresu. John H.M. Salmon dowodzi natomiast w *Society in Crisis: France in the Sixteenth Century*, London 1975, że kryzysy polityczne wstrząsające Francją w końcu XVI wieku miały źródło w systemie ustrojowym tego kraju. Michael Hughes w *Early-Modern Germany 1477–1806*, London–Basingstoke 1992, daje ogólny zarys dziejów państw niemieckich, ale ówczesna sytuacja polityczna w tym regionie lepiej przedstawiona jest w książce Petera F. Wilsona, *The Holy Roman Empire, 1495–1800*, New York 1999. Najgłośniejszym opracowaniem dotyczącym historii Polski jest książka Normana Daviesa *Boże igrzysko*, przeł. A. Ponarska i J. Piwko, wyd. 1, Warszawa 1987, ale więcej użytecznych informacji zawiera nowsza praca Daniela Stone'a, *The Polish-Lithuanian State, 1386–1795*, Seattle 2001. O Państwie Kościelnym piszą John A.F. Thomson, *Popes and Princes, 1416–1517*, London–Boston 1980, oraz Paulo Prodi, *The Papal Prince: One Body and Two Souls*, Cambridge 1987. Dzieje polityczne Anglii wyczerpująco omawia Penry Williams, *The Tudor Régime*, Oxford 1979, Szkocji natomiast – Jenny Wormald, *Court, Kirk and Community: Scotland, 1470–1625*, London 1981.

Należy wymienić także dotyczące Niemiec prace *Die Territorien des Reichs im Zeitalter der Reformation und Konfessionalisierung: Land und Konfession, 1500–1650*, t. I–VII, red. A. Schindling i W. Ziegler, Münster 1989–1997, oraz Francis L. Carsten, *Princes and Parliaments in Germany, from the Fifteenth to the Eighteenth Century*, Oxford 1959. O państwach Półwyspu Apenińskiego piszą Eric Cochrane, *Italy, 1530–1630*, New York–London 1988; Helmut G. Koenigsberger, *The Government of Sicily under Philip II of Spain: A Study in the Practice of Empire*, London 1951, oraz Richard Mackenney, *The City State, 1500–1700: Republican Liberty in an Age of Princely Power*, London 1989. Sytuację w Niderlandach omawia James D. Tracy, *Holland under Habsburg Rule 1506–1566: The Formation of a Body Politic*,

Berkeley, Calif. 1990, na Węgrzech zaś Istvan G. Tóth, *History of Hungary*, Budapest 2005.

Jeśli chodzi o dzieje instytucji politycznych i elit władzy, podstawową lekturę stanowią prace dotyczące dworów książęcych: *The Courts of Europe: Politics, Patronage and Royalty, 1400–1800*, red. A.G. Dickens, London 1977; *Princes, Patronage and the Nobility: The Court at the Beginning of the Modern Age*, red. R.G. Asch i A.M. Birke, London–Oxford 1991, oraz niezwykle interesujący zbiór tekstów na temat papiestwa, *Court and Politics in Papal Rome, 1492–1700*, red. G. Signoroto i M.A. Visceglia, Cambridge 2002. O znaczeniu faworytów na dworze zob.: *The World of the Favourite*, red. J.H. Elliott i L.W.B. Brockliss, New Haven–London 1999; o znaczeniu politycznym klienteli – Sharon Kettering, *Clientage during the French Wars of Religion*, „Sixteenth Century Journal", 20 (1989), s. 68–87, oraz Mark Greengrass, *Functions and Limits of Political Clientelism in France before Cardinal Richelieu*, w: *L'État ou le Roi: fondations de la modernité monarchique (XIVe–XVIIIe siècles)*, red. N. Bulst, R. Descimon i A. Guerreau, Paris 1996, s. 69–82. O relacjach między instytucjami a nieformalnymi siłami politycznymi w Anglii zob.: Geoffrey Elton, *The Tudor Revolution in Government*, Cambridge 1953, oraz *Revolution Reassessed: Revisions in the History of Tudor Government and Administration*, red. C. Coleman i D. Starkey, Oxford 1986. Spośród bardziej ogólnych opracowań na temat instytucji i elit szczególnie wartościowe są dwa tomy powstałe w ramach projektu European Science Foundation „The Origins of the Modern State in Europe": *Power Elites and State Building*, red. W. Reinhard, Oxford 1998, oraz *Legislation and Justice*, red. A. Padoa-Schioppa, Oxford 1997; oba zawierają wyczerpującą bibliografię, uwzględniającą pozycje w różnych językach. Należy wymienić także dwie prace omawiające bazę społeczną sił politycznych: Dennis Romano, *Particians and Popolani: The Social Foundations of the Venetian Renaissance State*, Baltimore–London 1987, oraz Geoffrey R. Elton, *Tudor Government: The Points of Contact*, w: *Studies in Tudor and Stuart Politics and Government*, t. III, Cambridge 1983.

Politykę europejską XVI wieku należy rozpatrywać w szerszym kontekście formowania się systemów państwowych w Europie. Problem ten podjęty został w: *The Formation of National States in Western Europe*, red. Ch. Tilly, Princeton 1975, s. 3–83; Wim Blockmans, Jean-Philippe Genet, *Les Origines de l'état moderne en Europe, XIIIe–XVIIIe siècles*, Paris 2000, oraz Kenneth H.F. Dyson, *The State Tradition in Western Europe: A Study of an Idea and Institution*, Oxford 1980.

Przegląd przełomowych wydarzeń w dziejach politycznych Europy XVI wieku należy zacząć od książki Marka Hansena, *The Royal Facts of Life: Biology and Politics in Sixteenth Century Europe*, Metuchen, NJ–London 1980, której ustalenia wykorzystane zostały w tym rozdziale. Z wielu względów najważniejszymi wydarzeniami politycznymi w Europie Zachodniej były wojny domowe we Francji i Niderlandach. Zostały one omówione w studium porównanwczym *Reformation, Revolt and Civil War in France and the Netherlands, 1555–1585*, red. Ph. Benedict, G. Marnef, H. van Nierop i M. Venard, Amsterdam 1999. Inne aspekty tych wojen przedstawiają Nicola M. Sutherland, *Princes, Politics and Religion, 1547–1589*, London 1984, oraz Geoffrey Parker, *The Dutch Revolt*, London 1977. Z pozycji na temat nocy św. Bartłomieja warto wymienić: Robert McCune Kingdon, *Myths about the St. Bartholomew's Day Massacres, 1572–1576*, Cambridge 1988; James R. Smither, *The St. Bartholomew's Day Massacre and Images of Kingship in France: 1572––1574*, „Sixteenth Century Journal", 22/1 (1991), s. 27–46; Nicola Mary Sutherland, *The Massacre of St Bartholomew and the European Conflict*, London–Basingstoke 1973.

Na temat polityków szesnastowiecznej Europy napisano stosunkowo dużo. O Karolu V i Filipie II zob.: *Charles V, 1500–1558, and his Time*, red. H. Soly (i in.), Antwerp 1999; William S. Maltby, *The Reign of Charles V*, Basingstoke–London 2001; James D. Tracy, *Emperor Charles V, Impresario of War: Campaign Strategy, International Finance, and Domestic Politics*, Cambridge 2002; Mia Rodríguez-Salgado, *The Changing Face of Empire: Charles V, Philip II and Habsburg Authority, 1551–1559*, Cambridge 1988; Helmut Koenigsberger, *Orange, Granvelle and Philip II*, w: tenże, *Politicians and Virtuosi: Essays in Early-Modern History*, London 1986, s. 97–119; Mia J. Rodríguez-Salgado, *King, Bishop, Pawn? Philip II and Granvelle in the 1550s and 1560s*, w: *Les Granvelle et les anciens Pays-Bas*, red. K. De Jonge i G. Janssens, Leuven 2000, s. 105–134; Helmut G. Koenigsberger, *The Statecraft of Philip II*, „European Studies Review", 1 (1971), s. 1–21; Geoffrey Parker, *The Grand Strategy of Philip II*, New Haven–London 1998; Henry Kamen, *Philip of Spain*, New Haven–London 1997; Geoffrey Parker, *Philip II*, Chicago 2002. O Rudolfie II zob.: Robert J.W. Evans, *Rudolf II and his World: A Study in Intetellectual History*, Oxford 1973. Spośród pozycji poświęconych szesnastowiecznym królowym wymienimy dwie – Robert J. Knecht, *Catherine de'Medici*, London 1998, oraz Christopher Haigh, *Elizabeth I*, London 1988.

W ostatnich latach wielkie zainteresowanie badaczy budzi zagadnienie teatru politycznego i rytuałów. Z pozycji poświęconych tej tematyce warto wymienić: Roy Strong, *Art and Power: Renaissance Festivals, 1450–1600*, London 1986; Edward Muir, *Civic Ritual in Renaissance Venice*, Princeton 1981; tenże, *Ritual in Early Modern Europe*, Cambridge 1997; Frances A. Yates, *Astrea: The Imperial Theme in the Sixteenth Century*, London 1975; *Iconography, Propaganda and Legitimation*, red. Allan Ellenius, Oxford 1998 (książka zawiera bibliografię uwzględniającą najnowsze prace); Ralph A. Giesey, *The Royal Funeral Ceremony in Renaissance France*, Geneva 1960; R.A. Jackson, *Vivat Rex! A History of the French Coronation Ceremony from Charles V to Charles X*, Chapel Hill, NC, 1984.

O szesnastowiecznej sztuce rządzenia zob.: Quentin Skinner, *The Foundations of Modern Political Thought*, Cambridge 1978, oraz *The Cambridge History of Political Thought, 1450–1700*, red. J.H. Burns, Cambridge 1991. Na temat Machiavellego piszą m.in.: Peter Bondanella, Mark Musa, *The Portable Machiavelli*, London 1979 (książka zawiera pełny tekst *Księcia* i *Mandragory* oraz fragmenty *Uwag...*); Felix Gilbert, *Machiavelli and Guicciardini*, Princeton 1965; Roberto Ridolfi, *The Life of Niccolò Machiavelli*, Chicago 1965. Z opracowań poświęconych myśli politycznej XVI wieku warto polecić także: John G.A. Pocock, *The Machiavellian Moment: Florentine Political Thought and the Atlantic Republic Imaginations*, Princeton 1975; Robert Bireley, *The Counter-Reformation Prince: Anti-Machiavellianism or Catholic Statecraft in Early-Modern Europe*, Chapel Hill, NC 1990; Julian H. Franklin, *John Bodin and the Rise of Absolutist Theory*, Cambridge 1973; *The Languages of Political Theory in Early-Modern Europe*, red. A. Pagden, Cambridge 1987.

O sztuce wojennej i konfliktach militarnych zob.: John R. Hale, *War and Society in Renaissance Europe*, London 1985; Michael Roberts, *The Military Revolution, 1560–1660*, w: *Essays in Swedish History*, red. M. Roberts, London 1967; Geoffrey Parker, *The Military Revolution, 1560–1660 – a Myth?*, w: *Spain and the Netherlands, 1559–1659*, red. G. Parker, London 1979. Zagadnienie rewolucji w wojskowości wykracza poza XVI wiek, czego dowodzą Jeremy Black, *A Military Revolution? Military Change and European Society, 1550–1800*, London–Basingstoke 1991, oraz Geoffrey Parker, *The Military Revolution: Military Innovation and the Rise of the West*, London 1988. Ten sam autor w pracy *The Army of Flanders and the Spanish Road 1567–1659: The Logistics of Spanish Victory and Defeat in the Low Countries' Wars*, Cambridge 1972, ukazuje realia prowadzenia wojen w szesnastowiecznej Europie. Problem najemników podejmuje Michael E. Mallett, *Mercenaries and their Masters: Warfare in Renaissance Italy*, London 1974; z kolei książka tegoż i Johna R. Hale'a, *The Military Organization of a Renaissance State: Venice, c. 1400–1617*, Cambridge 1984, jest doskonałym studium państwa uważającego postęp w wojskowości za podstawowy warunek bezpieczeństwa. Praca zbiorowa *War, Literature and the Arts in Sixteenth-Century Europe*, red. J.R. Mulryne i M. Shewring, London–Basingstoke 1989, ukazuje wpływ konfliktów militarnych na europejską literaturę i sztukę. Książka Philippe'a Contamine'a, *War and Competition between States*, Oxford 2000, oprócz doskonałych studiów zawiera obszerną bibliografię.

Społeczeństwo

Najlepszym z nowszych syntetycznych opracowań tego tematu jest książka Henry'ego Kamena, *Early Modern European Society*, London 2000, zawierająca dobrą bibliografię, lecz niemająca indeksu. Z pozycji dotyczących poszczególnych krajów należy wymienić: Christopher Black, *Early Modern Italy: A Social History*, London 2000; James Casey, *Early Modern Spain: A Social History*, London 1999; Jean Bérenger, *A History of the Habsburg Empire 1273–1700*, Harlow 1994 (w szczególności rozdz. 16); Keith Wrightson, *English Society 1580–1680*, London 1982; Natalie Zemon Davis, *Society and Culture in Early Modern France*, Stanford, Calif. 1975. Inspirująca praca tej samej autorki, *The Return of Martin Guerre*, Cambridge, Mass. 1983; Harmondsworth 1985, powstała w rezultacie poszukiwań materiałów do filmu pod tym samym tytułem, przy którym Zemon Davis była konsultantką. Najważniejszym problemom poruszonym w tym rozdziale poświęcone są książki Roberta Jütte, *Poverty and Deviance in Early Modern Europe*, Cambridge 1994, oraz Merry Wiesner, *Women and Gender in Early Modern Europe*, Cambridge 1993. Dzieje Menocchia opisuje Carlo Ginzburg, *The Cheese and the Worms: The Cosmos of a Sixteenth-Century Miller*, przeł. J. i A. Tedeschi, Baltimore 1980; Harmondsworth 1982, natomiast protokoły z jego procesu znaleźć można w książce Andrei Del Col, *Domenico Scandella Known as Menocchio: His Trials before the Inquisition*, Binghampton, NY 1996. W pracy zbiorowej *A Companion to the Worlds of the Renaissance*, red. G. Ruggiero, Oxford 2002, znalazło się wiele wartościowych tekstów wybitnych przedstawicieli różnych dziedzin nauki, zawiera ona również bardzo obszerną bibliografię.

Życie umysłowe

Na życiu umysłowym Europy XVI wieku niezatarte piętno odcisnął renesans włoski. Nie powstało jeszcze opracowanie, które przedstawiałoby w sposób wyczerpujący historię kultury szesnastowiecznych Włoch, nie brak jednak wartościowych studiów poświęconych najważniejszym ośrodkom. O Wenecji zob.: William J. Bouwsma, *Venice and the Defense of Republican Liberty: Renaissance Values in the Age of the Counter-Reformation*, Berkeley, Calif. 1978; Oliver Logan, *Culture and Society in Venice, 1470–1790*, London 1972, oraz Margaret L. King, *Venetian Humanism in an Age of Patrician Dominance*, Princeton 1986. O Rzymie zob.: John F. D'Amico, *Renaissance Humanism in Papal Rome*, Baltimore 1983, oraz Ingrid Rowland, *The Culture of the High Renaissance: Ancients and Moderns in Sixteenth-Century Rome*, Cambridge 1998. O Neapolu zob.: Jerry H. Bentley, *Politics and Culture in Renaissance Naples*, Princeton 1987. O Florencji traktują prace Erica Cochrane, *Florence in the Forgotten Centuries, 1527–1800*, Chicago 1973, oraz *The Late Italian Renaissance, 1525–1630*, red. E. Cochrane, New York 1970.

O przenikaniu nowych prądów umysłowych do krajów na północ od Alp pisze Denys Hay w rozdziale 7 pracy *The Italian Renaissance in its Historical Background*, wyd. 2, Cambridge 1977; podobną problematykę podejmuje Charles G. Nauert, *Humanism and the Culture of Renaissance Europe*, Cambridge 1995. O wpływie renesansu na kultury rodzime zob.: *Itinerarium Italicum: The Profile of the Italian Renaissance in the Mirror of its European Transformations*, red. H. A. Oberman, Thomas A. Brady jun., Leiden 1975; *Renaissance Humanism: Foundations, Forms, and Legacy*, t. II pod red. A. Rabila jun., Philadelphia 1988; *The Impact of Humanism on Western Europe*, red. A. Goodman i A. MacKay, New York 1990; *The Renaissance in National Context*, red. R. A. Porter, M. Teich, Cambridge 1992. Większość studiów na temat renesansu północnego dotyczy poszczególnych krajów. O Francji zob.: Franco Simone, *The French Renaissance*, London 1969; *French Humanism, 1470– 1600*, red. W. L. Gundersheimer, London 1969; *Humanism in France and in the Early Renaissance*, red. A. H. T. Levi, Manchester 1970; Augustin Renaudet, *Préréforme et humanisme à Paris pendant les premières guerres d'Italie, 1494–1517*, wyd. 2, Paris 1952. O humanizmie angielskim przed rokiem 1500 zob.: Roberto Weiss, *Humanism in England during the Fifteenth Century*, wyd. 2, Oxford 1957. O politycznym wykorzystaniu nauki humanistycznej za panowania Henryka VIII i Edwarda VI zob.: James K. McConica, *English Humanists and the Reformation Politics*, Oxford 1965. Dla okresu 1500–1534 trzeba sięgnąć do biografii takich postaci, jak John Colet i Thomas More. Jeśli chodzi o Niemcy w problematykę wprowadza Eckhard Bernstein, *German Humanism*, Boston 1983, ale podstawowym opracowaniem w języku angielskim jest studium Lewisa W. Spitza, *The Religious Renaissance of the German Humanists*, Cambridge, Mass., 1963. O Hiszpanii pisze Marcel Bataillon, *Erasme et l'Espagne*, t. I–III, Geneva 1991.

Twórcami „humanizmu chrześcijańskiego" byli przede wszystkim francuski humanista Jacques Lefèvre d'Etaples i holenderski Erazm z Rotterdamu. O Lefèvrze zob.: Philip Edgcumbe Hughes, *Lefèvre: Pioneer of Ecclesiastical Renewal in France*, Grand Rapids, Mich., 1971; artykuł Eugene'a F. Rice'a jun. we *French Humanism*, s. 163–180 oraz wstęp Rice'a do *The Prefatory Epistles of Jacques Lefèvre d'Etaples and Related Texts*, New York 1971.

Literatura dotycząca Erazma z Rotterdamu jest o wiele bogatsza. Ze starszych pozycji największą wartość zachowała rozprawa Johana Huizingi, *Erasmus of Rotterdam*, 1. wyd. ang. 1924; repr. Princeton 1984. Z innych biografii warto wymienić prace: Margaret Mann Phillips, London 1949; Rolanda H. Baintona, New York 1969; Cornelisa Augustijna, Toronto 1991; Lisy Jardine, Princeton 1993, oraz Jamesa D. Tracy, Geneva 1996. Relacje między humanizmem Erazma a reformacją niemiecką przedstawia Erika Rummel, *The Confessionalization of Humanism in Reformation Germany*, Oxford 2000. O innych wybitnych chrześcijańskich humanistach zob.: John B. Gleason, *John Colet*, Berkeley 1989, oraz liczne biografie Thomasa More'a, w tym R.W. Chambersa, New York 1935, a spośród nowszych – Alistaira Foksa, New Haven 1983; Richarda Mariusa, New York 1984; Petera Ackroyda, London 1998. O najsłynniejszym dziele More'a zob.: Jack H. Hexter, *More's Utopia: The Biography of an Idea*, Princeton 1952.

Na poziomie najbardziej podstawowym humanizm związany był ze studiami nad piśmiennictwem starożytnym. Fundamentalną pracą poświęconą nauce początków humanizmu jest książka Ronalda G. Witta, *In the Footsteps of the Ancients': The Origins of Humanism from Lovato to Bruni*, Leiden 2000. O odkrywaniu literatury greckiej i rzymskiej piszą: Robert R. Bolgar, *The Classical Heritage and Its Beneficiaries*, Cambridge 1954; Rudolf Pfeiffer, *History of Classical Scholarship, 1300–1850*, Oxford 1976, oraz Leighton D. Reynolds, Nigel G. Wilson, *Scribes and Scholars: A Guide to the Transmission of Greek and Latin Literature*, wyd. 2, Oxford 1974. O wprowadzeniu greki zob.: Nigel G. Wilson, *From Byzantium to Italy: Greek Studies in the Italian Renaissance*, Baltimore 1992. O intelektualnych konsekwencjach odejścia od łaciny średniowiecznej pisze Ann Moss, *Renaissance Truth and the Latin Language Turn*, Oxford 2003. O humanistycznej biblistyce zob.: Jerry H. Bentley, *Humanists and Holy Writ: New Testament Scholarship in the Renaissance*, Princeton 1983. Rozwój analizy krytycznej tekstów przedstawiają Anthony Grafton, *Joseph Scaliger: A Study in the History of Classical Scholarship*, 2 tomy, Oxford 1983–1993, i *Defenders of the Text: The Traditions of Scholarship in an Age of Science*, Cambridge, Mass. 1991.

Humanizm wywarł wielki wpływ na edukację. O szkołach włoskich podstawowe opracowania napisali Paul F. Gendler, *Schooling in Renaissance Italy: Literacy and Learning, 1300–1600*, Baltimore 1989; tenże, *The Universities of the Italian Renaissance*, Baltimore 2001, oraz Robert Black, *Humanism and Education in Medieval and Renaissance Italy*, Cambridge 2000, choć autorzy nie zgadzają się w kilku ważnych kwestiach.

Na północ od Alp reforma szkolnictwa w duchu humanizmu napotykała poważniejsze przeszkody. Pisze o tym Terrence Heath, *Logical Grammar, Grammatical Logic, and Humanism in Three German Universities*, „Studies in the Renaissance", 18 (1971), s. 9–64. James H. Overfield, *Humanism and Scholasticism in Late Medieval Germany*, Princeton 1984, i Erika Rummel, *The Humanist-Scholastic Debate in the Renaissance and Reformation*, Cambridge Mass. 1995, prezentują różne opinie w kwestii tego, czy reforma programów nauczania oznaczała rzeczywiste starcie między umysłowością średniowiecza i renesansu.

Mark H. Curtis w *Oxford and Cambridge in Transition, 1558–1642*, Oxford 1959, podważa tradycyjny pogląd, że na uniwersytetach angielskich duch średniowiecza przetrwał do XIX wieku. Jego wnioski potwierdzają dwa nowsze opracowania: *The Collegiate University*, red. J. McConica, Oxford 1986, t. III *The History of the University of Oxford*, oraz Damian Riehl Leader, *The University to 1546*, Cambridge 1988, tom I: *A History of the University of Cambridge*. O uniwersytecie paryskim, ale tylko około 1517 roku, pisze wyczerpująco wspomniany wyżej Renaudet w *Préréforme*. O Hiszpanii zob.: Richard Kagan, *Students and Society in Early Modern Spain*, Baltimore 1974. Josef Ijsewijn, *The Cominig of Humanism to the Low Countries*, w: *Itinerarium Italicum*, red. H.A. Oberman, T.A. Brady jun., Leiden 1975, s. 193–301, omawia reformę szkolnictwa w Niderlandach. O rozkwicie francuskich kolegiów miejskich pisze George Huppert, *Public Schools in Renaissance France*, Urbana, Ill. 1984; o szkołach angielskich zob.: Joan Simon, *Education and Society in Tudor England*, Cambridge 1969, i Rosemary O'Day, *Education and Society, 1560–1800*, London 1982.

Dyskusje uczonych wokół koncepcji „humanizmu obywatelskiego" Hansa Barona omawiają badacze zajmujący się wiekiem XV, ale tezy Barona dotyczące republikanizmu florenckiego są ważne dla zrozumienia dzieł Niccolò Machiavellego. Jako spadkobiercę tego republikanizmu postrzega Machiavellego Felix Gilbert, *Machiavelli and Guicciardini: Politics and History in Sixteenth-Century Florence*, Princeton 1965; związki myśliciela z wczesnym humanizmem florenckim podkreśla Peter Godman, *From Poliziano to Machiavelli: Florentine Humanism in the High Renaissance*, Princeton 1998. Późniejsze dzieje ideologii republikańskiej we Florencji opisuje John G.A. Pocock, *The Machiavellian Moment: Florentine Political Thought and the Atlantic Revolution*, Princeton 1975.

O francuskich humanistach, którzy odkryli, że francuskie prawo i instytucje polityczne nie wywodzą się z prawa rzymskiego, ale mają rodzime średniowieczne korzenie, zob.: Donald R. Kelley, *Foundations of Modern Historical Scholarship: Language, Law, and History in the French Renaissance*, New York 1970; oraz George Huppert, *The Idea of Perfect History: Historical Erudition and Historical Philosophy in Renaissance France*, Urbana, Ill. 1970.

Renesansowe analizy tekstów wywarły ogromny wpływ na filozofię. Dwie najważniejsze pozycje na ten temat to: *The Cambridge History of Renaissance Philosophy*, red. Ch.B. Schmitt i Q. Skinner, Cambridge 1988, oraz Brian P. Copenhaver, Charles B. Schmitt, *Renaissance Philosophy*, Oxford 1992. O rensansowym neoplatonizmie zob.: Paul O. Kristeller, *Renaissance Thought*, New York 1961, rozdz. 3; Michael J.B. Allen, *The Platonism of Marsilio Ficino: A Study of his Phaedrus Commentary*, Berkeley, Calif. 1984, oraz *Icastes: Marsilio Ficino's Interpretation of Plato's Sophist*, Berkeley, Calif. 1989; Arthur Field, *The Origins of the Platonic Academy of Florence*, Princeton 1988; James Hankins, *Plato in the Italian Renaissance*, wyd. 2, t. I–II, Leiden 1991.

Neplatonizm przyczynił się do wzrostu zainteresowania naukami tajemnymi, astrologią, filozofią hermetyczną. O renesansowym okultyzmie zob.: Wayne Shumaker, *The Occult Sciences in the Renaissance*, Berkeley, Calif. 1972; *Hermeticism and the*

Renaissance: Intellectual History and the Occult in Early Modern Europe, red. I. Merkel, A.G. Debus, Washington, DC 1988; Gary K. Waite, *Heresy, Magic, and Witchcraft in Early Modern Europe*, New York 2003; Daniel P. Walker, *Spiritual and Demonic Magic from Ficino to Campanella*, London 1958; Frances A. Yates, *Giordano Bruno and the Hermetic Tradition*, Chicago 1964. Z opracowań na temat zainteresowania żydowską kabalistyką w okresie renesansu należy wymienić: Gershom Scholem, *Major Trends in Jewish Mysticism*, wyd. 3, New York 1944, oraz François Secret, *Les Kabbalistes chrétiens de la Renaissance*, Paris 1964.

Mimo że dzieła Platona wywarły głęboki wpływ na życie umysłowe XVI wieku, nie znalazło to odbicia w nauczaniu uniwersyteckim, gdzie autorytetem pozostał Arystoteles. Pisze o tym Charles B. Schmitt w: *Aristotle and the Renaissance*, Cambridge, Mass. 1983; *Studies in Renaissance Philosophy and Science*, London 1981; *The Aristotelian Tradition and Renaissance Universities*, London 1984.

Arystoteles ustanowił filozoficzne podstawy wykładania na uniwersytetach nauk przyrodniczych i medycyny. Dobre wprowadzenie w tę tematykę stanowią prace Marie Boas, *The Scientific Renaissance, 1450–1630*, New York 1962, oraz Roberta Mandrou, *From Humanism to Science, 1480–1700*, Harmondsworth 1978. Wzrastającej świadomości znaczenia matematyki poświęcona jest książka *The Scientific Enterprise in Early Modern Europe: Readings from Isis*, red. P. Dear, Chicago 1997. Najważniejsza „rewolucja naukowa" dokonała się w dziedzinie astronomii, co wiązało się z dokonaniami Mikołaja Kopernika i jego następców. O rewolucji kopernikańskiej zob.: Thomas S. Kuhn, *The Copernican Revolution: Planetary Astronomy in the Development of Western Thought*, New York 1959; Alexandre Koyré, *The Astronomical Revolution: Copernicus, Kepler, Borelli*, Ithaca, NY 1973; *The Copernican Achievement*, red. R. Westman, Berkeley, Calif. 1975; Edward Rosen, *Copernicus and the Scientific Revolution*, Malabar, Fla. 1984; Owen Gingerich, *The Eye of Heaven: Ptolemy, Copernicus, Kepler*, New York 1993. Szersze spojrzenie na naukę okresu renesansu prezentują Paula Findlen, *Possessing Nature: Museums, Collecting, and Scientific Culture in Early Modern Italy*, Berkeley, Calif. 1994, oraz Lorraine Daston i Katharine Park, *Wonders and the Order of Nature*, New York 1998.

O medycynie okresu renesansu zob.: Nancy G. Siraisi, *Medieval and Early Renaissance Medicine: An Introduction to Knowledge and Practice*, Chicago 1990, oraz *Medicine in the Italian Universities, 1250–1600*, Leiden 2001. O spuściźnie Paracelsusa w medycynie pisze Allen Debus, *The Chemical Philosophy: Paracelsian Science and Medicine in Sixteenth and Seventeenth Centuries*, t. I–II, New York 1977.

O stoickiej filozofii moralnej w renesansowych Włoszech zob.: Charles Trinkaus, *Adversity's Noblemen: The Italian Humanists on Happiness*, New York 1940. O rozwoju neostoicyzmu w czasie wojen religijnych pisze Jason L. Saunders, *Justus Lipsius: The Philosophy of Renaissance Stoicism* New York 1955. Wojny religijne rozbudziły także zainteresowanie filozofią polityki. Dzieła uzasadniające prawo buntu przeciwko tyranii omawia Quentin Skinner, *The Foundations of Modern Political Thought*, t. I–II, Cambridge 1978. O najwybitniejszym myślicielu politycznym epoki, Jeanie Bodinie, zob.: Julian Franklin, *Jean Bodin and the Sixteenth-Century Revolution in the Methodology of Law and History*, New York 1963, oraz *Jean Bodin and the Rise of Absolutist Theory*, Cambridge 1973.

Humanistyczna retoryka rzuciła wyzwanie racjonalizmowi Arystotelesa, zwłaszcza po pośmiertnym wydaniu w 1515 roku *Disputationes dialecticae* fryzyjskiego humanisty Rudolfa Agricoli. O Agricoli zob.: *Rodolphus Agricola Phrisius, 1444–1485*, red. F. Akkerman, A.J. Vanderjagt, Leiden 1988, oraz Peter Mack, *Renaissance Argument: Valla and Agricola in the Traditions of Rhetoric and Dialectic*, Leiden 1993. Retorycy rzadko podważali autorytet Arystotelesa, ale stał się on przedmiotem krytyki wpływowego francuskiego filozofa Petrusa Ramusa. O Ramusie zob.: Walter J. Ong, *Ramus, Method, and the Decay of Dialogue*, Cambridge, Mass. 1958; Wilbur Samuel Howell, *Logic and Rhetoric in England, 1500–1700*, Princeton 1956; Neal W. Gilbert, *Renaissance Concepts of Method*, New York 1960.

O rozwoju sceptycyzmu pisze Richard H. Popkin, *The History of Scepticism from Erasmus to Descartes*, Assen 1960. wyd. wzn. Berkeley, Calif. 1979; warto także wymienić: Luciano Floridi, *Sextus Empiricus: The Transmission and Recovery of Pyrrhonism*, New York 2002; Victoria Kahn, *Rhetoric, Prudence, and Scepticism in the Renaissance*, Ithaca, NY 1985; Zachary Sayre Schiffman, *On the Threshold of Modernity: Relativism in the French Renaissance*, Baltimore 1991. Rabelais nie był sceptykiem, ale odwoływał się do pism sceptyków i uwielbiał paradoksy; zob. na ten temat Barbara C. Bowen, *The Age of Bluff: Paradox and Ambiguity in Rabelais and Montaigne*, Urbana, 1972. O niepokojach intelektualnych we Francji pisze Lucien Febvre, *The Problem of Unbelief in the Sixteenth Century: The Religion of Rabelais*, Cambridge, Mass. 1982. Spośród biografii Rabelais'go warto wymienić prace Marcela Tetela, New York 1967, oraz M.A. Screecha, Ithaca, NY 1979. Biografie Montaigne'a, najwybitniejszego zwolennika sceptycyzmu przed Kartezjuszem, napisali m.in. Peter Burke, New York 1982, oraz Donald M. Frame, New York 1968. O Francisie Baconie zob.: Paolo Rossi, *Francis Bacon: From Magic to Science*, London 1968, a także Lisa Jardine, *Francis Bacon: Discovery and the Art of Discourse*, Cambridge 1974.

Niepokoje religijne

Przejście od średniowiecza do renesansu i reformacji zostało najpełniej omówione w *Handbook of European History, 1400–1600: Late Middle Ages, Renaissance, and Reformation*, red. T.A. Brady, H.A. Oberman, J.D. Tracy, t. I–II, Leiden–New

York 1994–1995. Doskonałym wprowadzeniem w tę problematykę pozostaje nadal praca Stevena Ozmenta, *The Age of Reform 1250–1550: An Intellectual and Religious History of Late Medieval and Reformation Europe*, New Haven 1980. Tom V *History of the Church*, New York 1980, *Reformation and Counter Reformation*, tłum. A. Biggs, P.W. Becker, red. E. Iserloh, J. Glazik i H. Jedin, jest przestarzały, a ponadto napisany ze zbyt prokatolickich pozycji. O reformacji zob.: *The Reformation World*, red. A. Pettegree, London–New York 2000; *A Companion to the Reformation World*, red. R. Po-chia Hsia, Oxford 2004; Euan Cameron, *The European Reformation*, Oxford–New York 1991; Carter Lindberg, *The European Reformations*, Oxford–Cambridge, Mass. 1996); a z nowszych Owen Chadwick, *The Early Reformation on the Continent*, Oxford–New York 2001, oraz Diarmaid MacCulloch, *Reformation: Europe's House Divided, 1490–1700*, London 2004; wyd. amerykańskie *The Reformation: A History*, New York–London 2004.

Religijność ludowa w okresie reformacji nadal nie doczekała się gruntownego opracowania z powodu problemów zarówno źródłowych, jak i metodologicznych. Warto polecić książkę Keitha Thomasa, *Religion and the Decline of Magic: Studies in Popular Beliefs in Sixteenth and Seventeenth Century England*, New York 1997; wg pierwszego wydania London 1971, mimo że autor zbytnią wagę przykłada do poreformacyjnych źródeł protestanckich. Z perspektywy katolickiej podchodzi do tego zagadnienia Eamon Duffy, *The Stripping of the Altars: Traditional Religion in England, 1400–1580*, New Haven 1992. Obie te prace dotyczą Anglii, choć część zawartych tam ustaleń można zastosować do całej Europy. Spośród opracowań dotyczących Europy kontynentalnej należy wymienić: William A. Christian, *Local Religion in Sixteenth-Century Spain*, Princeton 1981; J.N. Galpern, *The Religions of the People in Sixteenth-Century Champagne*, Cambridge, Mass. 1976; David Gentilcore, *From Bishop to Witch: The System of the Sacred in Early Modern Terra d'Otranto*, Manchester–New York 1992; Robert W. Scribner, *Popular Culture and Popular Movements in Reformation Germany*, London–Ronceverte, WV 1988. Książka Stephena Wilsona, *The Magical Universe: Everyday Ritual and Magic in Pre-Modern Europe*, London 2000, zawiera bogactwo informacji, ma jednak niedostatki chronologii i brak w niej refleksji teoretycznej, nie uwzględnia również specyfiki poszczególnych regionów.

O Kościele przedreformacyjnym zob.: Francis Oakley, *The Western Church in the Later Middle Ages*, Ithaca, NY–London 1979, oraz Robert Swanson, *Religion and Devotion in Europe, c. 1215–c. 1515*, Cambridge–New York, 1995. O nauczaniu kościelnym pisze Larissa Taylor, *Soldiers of Christ: Preaching in Late Medieval and Reformation France*, New York 1992; o Eucharystii natomiast – Miri Rubin, *Corpus Christi: The Eucharist in Late Medieval Culture*, Cambridge–New York 1991. Zagadnienie teorii i praktyki spowiedzi podejmują: Thomas N. Tentler, *Sin and Confession on the Eve of the Reformation*, Princeton 1977; W. David Myers, *„Poor Sinning*

Folk": *Confession and Conscience in Counter-Reformation Germany*, Ithaca, NY–London 1996, oraz Anne T. Thayer, *Penitence, Preaching and the Coming of the Reformation*, Aldershot 2002. O papiestwie przed reformacją zob.: John A.F. Thomson, *Popes and Princes, 1417–1517: Politics and Polity in the Late Medieval Church*, London–Boston 1980.

Marcin Luter doczekał się ogromnej liczby biografii i opracowań, spośród nowszych należy wymienić: Martin Brecht, *Martin Luther*, przeł. J.L. Schaaf, t. I–III, Philadelphia 1985–1993; Heiko A. Oberman, *Luther: Man between God and the Devil*, przeł. E. Walliser-Schwarzbart, New Haven 1989. O propagandzie reformacyjnej piszą Robert W. Scribner, *For the Sake of Simple Folk: Popular Propaganda for the German Reformation*, Cambridge–New York 1994; Mark U. Edwards, *Printing, Propaganda, and Martin Luther*, Berkeley, Calif. 1994, oraz Peter Matheson, *The Rhetoric of the Reformation*, Edinburgh 1998.

Obszerną literaturę dotyczącą recepcji reformacji w miastach europejskich omawia Arthur G. Dickens, *The German Nation and Martin Luther*, London 1974. Należy wymienić też: Steven E. Ozment, *The Reformation in the Cities: The Appeal of Protestantism to Sixteenth-Century Germany and Switzerland*, New Haven 1975; Bernd Moeller, *Imperial Cities and the Reformation: Three Essays*, red. i przeł. H.C.E. Midelfort i M.U. Edwards jun., Durham, NC; Labyrinth Press 1982; Thomas A. Brady, *Turning Swiss: Cities and Empire, 1450–1550*, Cambridge–New York 1985; Lorna Jane Abray, *The People's Reformation: Magistrates, Clergy, and Commons in Strasbourg, 1500–1598*, Ithaca, NY 1985; Susan C. Karant-Nunn, *Zwickau in Transition, 1500––1547: The Reformation as an Agent of Change*, Colubus, Ohio 1987; Lee Palmer Wandel, *Voracious Idols and Violent Hands: Iconoclasm in Reformation Zurich, Strasbourg, and Basel*, Cambridge–New York: Cambridge University Press 1995.

O wprowadzaniu zasad nowych wyznań na poziomie parafialnym powstało wiele warościowych prac, wymienimy spośród nich: *The Reformation of the Parishes: The Ministry and the Reformation in Town and Country*, red. A. Pettegree, Manchester 1993; C. Scott Dixon, *The Reformation and the Rural Society: The Parishes of Brandenburg-Ansbach-Kulmbach, 1528–1603*, Cambridge 1996, oraz Bruce Tolley, *Pastors and Parishioners in Württemberg during the late Reformation, 1581–1621*, Stanford, Calif. 1995. O niemieckojęzycznych regionach Szwajcarii zob.: Bruce Gordon, *The Swiss Reformation*, Manchester–New York 2002. Zagadniemie zmian kulturalnych interesująco ujmuje Susan Karant-Nunn, *The Reformation of Ritual: An Interpretation of Early Modern Germany*, London 1997.

Spośród opracowań poświęconych ruchom chłopskim w latach dwudziestych XVI wieku za najwartościowsze uznaje się obecnie książkę Petera Blickle, *The Revolution of 1525: The German Peasants' War from a New Perspective*, przeł. T.A. Brady jun., H.C.E. Midelfort, Baltimore 1981. Z pozostałych warto polecić: Tom Scott,

„*The Peasants*" *War: A Historiographical Review*, „Historical Journal", 22 (1979), s. 693–720, 953–974, oraz *The German Peasants' War: A History in Documents*, red. T. Scott, R.W. Scribner, Atlantic Highlands, NJ 1991. O Tomaszu Müntzerze zob.: Hans-Jürgen Goertz, *Thomas Müntzer: Apocalyptic Mystic and Visionary*, przeł. J. Jaquiery, red. P. Matheson, Edinburgh 1993; oraz Tom Scott, *Thomas Müntzer: Theology and Revolution in the German Reformation*, New York 1989.

Najlepszą pracą na temat Kalwina i jego ruchu jest obecnie książka Philipa Benedicta, *Christ's Churches Purely Reformed: A Social History of Calvinism*, New Haven 2002, pod wieloma względami przewyższająca wcześniejsze, choć również warte uwzględnienia pozycje, takie jak: *International Calvinism 1541–1715*, red. M. Prestwich, Oxford 1985, czy *Calvinism in Europe, 1540–1620*, red. A. Pettegree, A. Duke, G. Lewis, Cambridge–New York 1994. O Kalwinie zob.: William James Bouwsma, *John Calvin: A Sixteenth-Century Portrait*, New York 1988, i David Curtis Steinmetz, *Calvin in Context*, New York 1995. Warto także zapoznać się z pracą Heiko A. Obermana, *The Two Reformations: The Journey from the Last Days to the New World*, red. D. Weinstein, New Haven–London 2003, rozdz. 7–10.

Na temat katolicyzmu początków nowożytności powstało w ostatnich latach sporo nowych opracowań, m.in.: Robert Bireley, *The Refashioning of Catholicism, 1450–1700: A Reassessment of the Counter Reformation*, Basingstoke 1999; R. Po-chia Hsia, *The World of Catholic Renewal, 1540–1770*, wyd. 2, Cambridge 2005; Michael A. Mullett, *The Catholic Reformation*, London 1999, oraz najbardziej kontrowersyjna z nich książka Johna W. O'Malleya, *Trent and All That: Renaming Catholicism in the Early Modern Era*, Cambridge, Mass. 2000. Wcześniejsza literatura omówiona została w pracy Davida Martina Luebke, *The Counter-Reformation: The Essential Readings*, Malden, Mass.–Oxford 1999. Nadal zachowują warość, choć budzą kontrowersje, dawniejsze studia Jeana Delumeau, a zwłaszcza *Catholicism between Luther and Voltaire: A New View of the Counter-Reformation*, London–Phildelphia 1977.

O anabaptyzmie powstawały głównie prace utrzymane w tonie apologetycznym, pisane z pozycji wyznaniowych; do wyjątków należy książka George'a Huntstona Williamsa, *The Radical Reformation*, wyd. 3, Kirksville, Mo., 1992; najważniejsze teksty źródłowe znaleźć można w:*The Radical Reformation*, red. i przeł. M.G. Baylor, Cambridge–New York 1991. Ciągle warta uwagi jest kontrowersyjna praca Clausa Petera Clasena, *Anabaptism, a Social History, 1525–1618: Switzerland, Austria, Moravia, South and Central Germany*, Ithaca, NY 1972. Z nowszych pozycji wymienimy: Klaus Deppermann, *Melchior Hoffman: Social Unrest and Apocalyptic Vision in the Age of Reformation*, przeł. M. Wren, red. B. Drewery, Edinburgh 1987; Hans-Jürgen Goertz, *The Anabaptists*, przeł. T. Johnson, London–New York 1996; oraz *Radical Reformation Studies: Essays Presented to James M. Stayer*, red. W.O. Packull, G.L. Dipple, Aldershot 1999.

Europa i świat

Spośród ogólnych opracowań należy wymienić: John H. Parry, *The Age of the Reconnaissance*, London 1963, oraz Geoffrey V. Scammell, *The World Encompassed*, London 1981. Pierwsze kontakty Europejczyków z mieszkańcami nowo odkrytych kontynentów przedstawione są w: Carlo M. Cipolla, *Guns, Sails and Empires*, New York 1965, oraz *Implicit Understandings*, red. S.B. Schwartz, Cambridge 1994. O Hiszpanach i Portugalczykach w Ameryce zob.: *Cambridge History of Latin America*, red. L. Bethell, t. I–II, Cambridge 1984. O Kolumbie i Karaibach piszą Samuel Eliot Morison, *The European Discovery of America: The Southern Voyages AD 1492–1616*, Oxford–New York 1974, oraz Carl Ortwin Sauer, *The Early Spanish Main*, Berkeley–Los Angeles 1966. O hiszpańskich konkwistadorach zob.: James Lockhart, *The Men of Cajamarca*, Austin, Tex. 1972; Rafael Varón Gabai, *Francisco Pizarro and his Brothers*, Norman, Okla. 1997. Problem katastrofy demograficznej omawia David Cook, *Born to Die*, Cambridge 1998. O Las Casasie i jego następcach pisze D.A. Brading, *The First America: The Spanish Monarchy, Creole Patriots, and the Liberal State 1492–1867*, Cambridge 1991. Spośród prac poświęconych społeczeństwu i gospodarce w koloniach można polecić: James Lockhart, *The Nahuas after the Conquest*, Stanford, Calif. 1992; P.J. Bakewell, *Silver Mining and Society in Colonial Mexico*, Cambridge 1971; James Lockhart, *Spanish Peru 1532–1560*, Madison 1968; Steve J. Stern, *Peru's Indian Peoples and the Challenge of Spanish Conquest*, Madison 1982; Peter J. Bakewell, *Miners of the Red Mountain*, Albuquerque 1984.

O imperium portugalskim piszą m.in.: Charles R. Boxer, *The Portuguese Seaborne Empire 1415–1825*, London 1969; Sanjay Subrahmanyam, *The Portuguese Empire in Asia, 1500–1700*, London 1993; Bailey W. Diffie i George W. Winius, *Foundations of the Portuguese Empire 1415–1580*, Minneapolis 1977; James C. Boyajian, *Portuguese Trade in Asia and Habsburgs, 1580–1640*, Baltimore 1993. Wspomnieć należy o dwóch biografiach: Peter Russell, *Prince Henry „the Navigator": A Life*, New Haven 2000, oraz Sanjay Subrahmanyam, *The Career and Legend of Vasco da Gama*, Cambridge 1997. Handel niewolnikami omawia Philip P. Curtin, *The Atlantic Slave Trade: A Census*, Madison 1969. O Afryce zob.: John Thornton, *Africa and Africans in the Making of the Atlantic World, 1400–1800*, Cambridge 1992; o niewolniczej pracy Afrykanów: Stuart B. Schwartz, *Sugar Plantations in the Formation of Brazilian Society, 1550–1835*, Cambridge 1985; Robin Blackburn, *The Making of New World Slavery*, London 1997. Na temat misji jezuickich i działalności Kościoła w koloniach pisali m.in. Gauvin Alexander Bailey, *Art on the Jesuit Missions in Asia and Latin America 1542–1773*, Toronto 1999; Adrian Hastings, *The Church in Africa 1450–1950*, Oxford 1994; Stephen Neill, *A History of Christianity in India: The Beginnings to AD 1707*, Cambridge 1984.

Chronologia

1492   Krzysztof Kolumb dociera na Karaiby i odkrywa Indie Zachodnie, prze-
konany, że należą one do Azji
Śmierć Wawrzyńca Wspaniałego, Medyceusza, władcy Florencji
Upadek ostatniego muzułmańskiego emiratu w Granadzie; Ferdynand
Aragoński i Izabela Kastylijska nakazują żydom przymusową konwersję
albo wygnanie

1493   Pietro Martire d'Anghieria opisuje odkrycia Kolumba w szeroko rozpo-
wszechnianym liście do kardynała Ascanio Sforzy

1494   Król francuski Karol VIII najeżdża na Włochy
Piero di Lorenzo de'Medici wygnany z Florencji; w mieście ustanowiono
teokratyczną republikę pod rządami Girolama Savonaroli
Na mocy traktatu z Tordesillas nowo odkryte ziemie podzielone między
Hiszpanię a Portugalię

1495   Cesarz Maksymilian I przedstawia w Wormacji program reformy Świętego
Cesarstwa Rzymskiego

1497   Vasco da Gama opływa w drodze do Indii Przylądek Dobrej Nadziei

1498   Śmierć Karola VIII, na tron francuski wstępuje Ludwik XII

1499   Wojna między Związkiem Szwajcarskim a cesarzem Maksymilianem I;
Szwajcaria uzyskuje *de facto* niepodległość

1500   Pedro Alvarez Cabral odkrywa dzisiejszą Brazylię i ogłasza jej przynależność do Portugalii

1503   Śmierć papieża Aleksandra VI (Rodrigo Borgia); po krótkim pontyfikacie
Piusa III na tron papieski wstępuje Juliusz II; kres władzy Borgiów w Państwie Kościelnym
Ukazuje się pierwsze wydanie *Podręcznika rycerza Chrystusowego* Erazma
z Rotterdamu

1505   Erazm z Rotterdamu wydaje komentarze do Nowego Testamentu
       autorstwa Lorenzo Valli

1506   Juliusz II zleca Donato Bramantemu rozpoczęcie przebudowy Bazyliki
       Świętego Piotra w Rzymie

1507   Martin Waldseemüller wydaje mapę świata, na której nowo odkryty
       kontynent nazwany jest Ameryką

1508   Papiestwo, Francja, cesarstwo niemieckie i Aragonia zawierają w Cambrai
       sojusz przeciwko Wenecji
       Michał Anioł zaczyna malować freski na sklepieniu Kaplicy Sykstyńskiej

1509   Śmierć Henryka VII; na tron angielski wstępuje Henryk VIII, który
       poślubia wdowę po swym bracie, Katarzynę Aragońską
       Wojska ligi z Cambrai zwyciężają Wenecję w bitwie pod Agnadello
       Juliusz II wydaje bullę *Liquet omnibus*, w której udziela odpustu
       ofiarodawcom datków na przebudowę Bazyliki Świętego Piotra

1511   Wychodzi drukiem pierwsze wydanie *Pochwały głupoty* Erazma
       z Rotterdamu

1512   Jacques Lefèvre d'Etaples publikuje komentarze do *Listów* świętego Pawła
       Upadek Republiki Florenckiej, Medyceusze wracają do władzy
       W Rzymie zbiera się Sobór Laterański V

1513   Śmierć papieża Juliusza II; jego następcą zostaje Leon X (Giovanni
       de'Medici)
       Szwajcaria zwycięża Francję w bitwie pod Novarą
       Anglia pokonuje Francję pod Guinegatte i Szkocję pod Flodden
       Machiavelli pisze *Księcia* i *Uwagi Machiawela wysnute z Liwiusza historii rzymskiej*

1514   Albrecht von Hohenzollern zostaje biskupem elektorem Moguncji, zaciąga
       ogromny dług u papiestwa

1515   Śmierć Ludwika XII; Franciszek I królem Francji
       Bitwa pod Marignano, Francja i Wenecja pokonują Szwajcarię
       Albrecht von Hohenzollern uzyskuje pozwolenie na sprzedaż odpustów
       na swoich ziemiach

1516 Śmierć króla Ferdynanda Aragońskiego, na tron hiszpański wstępuje Karol Habsburg, późniejszy cesarz Karol V
Erazm z Rotterdamu wydaje *Novum Instrumentum*, łaciński przekład Nowego Testamentu
Pierwsze wydanie *Utopii* Thomasa More'a
Ukazuje się pierwszy zbiór *De Orbo Nuovo Decades* Pietra Martire Anghierii, najchętniej czytana relacja o Nowym Świecie

1517 Marcin Luter ogłasza w Wittenberdze 95 tez

1518 Dyskusja Lutra z Johannem von Eckiem w Lipsku

1519 Śmierć Maksymiliana I; Karol V władcą Świętego Cesarstwa Rzymskiego
Hernán Cortés ląduje w Meksyku i zaczyna podbój państwa Azteków w imieniu króla Hiszpanii
Ferdynand Magellan wyrusza w podróż dookoła świata

1520 Luter wydaje swe najsłynniejsze pisma, szeroko rozpowszechniane, następnie ekskomunikowane przez papieża Leona X
Rewolta *comuneros* w Kastylii
Sulejman I zostaje sułtanem Imperium Osmańskiego

1521 Luter poddany przesłuchaniu na sejmie Rzeszy w Wormacji, odmawia odwołania swoich poglądów
Śmierć papieża Leona X
Filip Melanchton wydaje *Loci communes rerum theologicarum seu hypotyposes theologicae*, objaśniające teologię Lutra
Turcy zdobywają Belgrad

1522 Ukazuje się Nowy Testament w niemieckim przekładzie Lutra
Elekcja papieża Hadriana VI
Bitwa pod Biocca, wojska cesarskie zwyciężają Francuzów
Rodos poddaje się Turkom

1523 Śmierć Hadriana VI, Giulio de'Medici wybrany na papieża jako Klemens VII
Początek reformacji w Zurychu
Lefèvre d'Etaples wydaje Nowy Testament po francusku
Szwecja uzyskuje niezależność od Danii, na tronie zasiada Gustaw I Waza

1524 Erazm z Rotterdamu wydaje traktat *O wolnej woli*, negujący poglądy Lutra
i jego zwolenników

1525 Bitwa pod Pawią, Karol V pokonuje Franciszka I i bierze go do niewoli
Wojna chłopska w Niemczech
Luter żeni się z Katarzyną von Bora i publikuje *O niewolnej woli*, odpowiedź
na rozprawę Erazma z Rotterdamu
Hołd pruski, władca Prus książęcych Albrecht Hohenzollern uznaje się
za lennika króla polskiego; jest to pierwszy układ w Europie zawarty
między królem katolickim a księciem protestanckim
Zwycięstwo reformacji w Norymberdze

1526 Bitwa pod Mohaczem, śmierć króla Ludwika Jagiellończyka i koniec
niezawisłości Węgier
Sejm Rzeszy w Spirze godzi się na tymczasowy podział religijny
w Niemczech

1527 Sacco di Roma – złupienie Rzymu przez nieopłacanych żołnierzy
Karola V; papież Klemens VII musi szukać ochrony u cesarza
Wypędzenie Medyceuszów z Florencji i przywrócenie republiki
Na zgromadzeniu stanów w Västerås Gustaw I Waza ogłasza przejęcie
dóbr kościelnych w Szwecji
Król angielski Henryk VIII rozpoczyna starania o rozwód z Katarzyną
Aragońską

1528 Ukazuje się *Dworzanin* Castiglionego
Zwycięstwo reformacji w Hamburgu, Konstancji i Bernie

1529 Protestacja książąt i miast niemieckich na sejmie Rzeszy w Spirze
Dyskusja w Marburgu między Lutrem a Zwinglim i ich zwolennikami;
nie ma zgody w kwestiach teologicznych
Zwycięstwo reformacji w Strasburgu i Bazylei
Karol V udziela zgody na podbój Peru przez Francisca Pizarra

1530 Na sejmie Rzeszy w Augsburgu zwolennicy Lutra przedstawiają swoje
wyznanie wiary, *confessio augustiana*; protestanci z południowych Niemiec
przedstawiają *confessio tetrapolitana*
Franciszek I powołuje Kolegium Królewskie
Medyceusze powracją do władzy we Florencji

1531 Powstaje protestancki Związek Szmalkaldzki
Bitwa pod Kappel, śmierć Huldrycha Zwinglego

1532 Pierwsze (pośmiertne) wydanie *Księcia* Machiavellego
Ukazuje się *Gargantua i Pantagruel* Rabelais'go

1533 Jan Kalwin, po zerwaniu z katolicyzmem, ucieka z Francji do Bazylei
Pizarro podbija państwo Inków i zdobywa Cuzco

1534 Henryk VIII ogłasza Act of Supremacy (Akt supremacji) i mianuje się
głową Kościoła angielskiego
Śmierć papieża Klemensa VII, na tron papieski wstępuje Alessandro
Farnese, który przyjmuje imię Pawła III
Luter wydaje pełny przekład Pisma Świętego na niemiecki

1535 Oblężenie i odbicie Münster z rąk anabaptystów
Edykt z Coucy, tymczasowa amnestia dla protestantów we Francji
W Neuchâtel wychodzi pierwsza wydana przez protestantów Biblia
w języku francuskim
Pizarro zakłada stolicę Peru, Limę

1536 Franciszek I najeżdża i zajmuje księstwo Piemontu i Sabaudii
Śmierć Erazma z Rotterdamu i Jaques'a Lefèvre'a d'Etaples
Porozumienie w Wittenberdze między luteranami a reformatorami
z południowych Niemiec
Luteranizm religią panującą w Danii
W Bazylei ukazuje się pierwsze wydanie *Institutio christianae religionis* Kalwina
Zwycięstwo reformacji w Genewie; osiedlenie się tam Kalwina
Szwajcarskie kościoły reformowane przyjmują helweckie wyznanie wiary

1537 Nieudana próba zwołania soboru powszechnego Kościoła katolickiego
w Mantui
Paweł III wydaje bullę *Sublimis Deus*, uznającą rdzennych mieszkańców
Ameryki za istoty ludzkie, zdolne zrozumieć wiarę katolicką

1538 Kalwin, wygnany z Genewy, osiada w Strasburgu

1540 Założenie Towarzystwa Jezusowego
Stracenie kanclerza Thomasa Cromwella w Anglii

1541   Kalwin wraca do Genewy na prośbę rady miejskiej, wydaje *Ecclesiastical Ordinances* dla miasta i poprawioną wersję *Institutio* w języku francuskim
Kolokwium w Regensburgu, nieudana próba doprowadzenia do zgody między katolikami a protestantami w Niemczech
Pedro de Valdivia zakłada w Chile miasto Santiago

1542   Powstanie inkwizycji rzymskiej

1543   Ukazuje się pierwsze wydanie *O obrotach ciał niebieskich* Kopernika

1545   Początek obrad soboru trydenckiego

1546   Śmierć Marcina Lutra
Wybuch wojny między Karolem V a Związkiem Szmalkaldzkim

1547   Bitwa pod Mühlbergiem, Karol V odnosi zwycięstwo nad Związkiem Szmalkaldzkim
Obrady soboru przeniesione do Bolonii i zamknięte
Śmierć Franciszka I; Henryk II na tronie francuskim
Śmierć Henryka VIII; na tron angielski wstępuje Edward VI

1548   Na sejmie w Augsburgu Karol V wydaje *Interim*, zbiór tymczasowych przepisów regulujących stosunki polityczne i wyznaniowe w Niemczech
Luteranie nie mogą uzgodnić stanowiska w sprawie *Interim*

1549   Ugoda w kwestiach teologicznych między Zurychem a Genewą
Do Anglii zaczynają napływać teologowie protestanccy; wydanie pierwszego wspólnego modlitewnika
Śmierć papieża Pawła III

1550   Gianmaria Ciocchi del Monte wstępuje na tron papieski jako Juliusz III
Publiczna dyskusja w Valladolid między Las Casasem a Juanem Ginésem de Sepúlvedą na temat moralnych aspektów hiszpańskich podbojów i traktowania ludności tubylczej

1551   Sobór trydencki rozpoczyna drugą turę obrad
Król francuski Henryk II i książę Maurycy Saski zawierają w Lochau sojusz przeciwko cesarzowi Karolowi V

1552 Wojna domowa w Niemczech; Maurycy Saski atakuje wojska Karola V,
Henryk II zajmuje Metz, Toul i Verdun; walki kończy zawarcie pokoju
w Passawie
Zamknięcie drugiej tury obrad soboru trydenckiego
Francisco López de Gómara wydaje *Historia general de las Indias*

1553 Śmierć Edwarda VI; Maria I królową Anglii; restytucja katolicyzmu,
wygnanie protestantów cudzoziemców

1554 Anglia wraca na łono Kościoła katolickiego

1555 Gian Pietro Carafa wybrany na papieża; przyjmuje imię Pawła IV
Pokój religijny w Augsburgu; przyjęcie zasady *cuius regio, eius religio*
Nieudany przewrót Ami Perrina w Genewie; Kalwin umacnia swą
władzę i autorytet
Początek prześladowań protestantów w Anglii
Karol V przekazuje władzę w Niderlandach swemu synowi Filipowi II

1556 Karol V przekazuje tron hiszpański Filipowi II, cesarski zaś i austriacki
Ferdynandowi I
Thomas Cranmer, arcybiskup Canterbury, skazany i stracony za herezję

1557 Filip II po raz pierwszy ogłasza niewypłacalność korony hiszpańskiej

1558 Śmierć cesarza Karola V
Śmierć królowej angielskiej Marii I; na tron wstępuje Elżbieta I

1559 Traktat w Cateau-Cambrésis kończy wojny włoskie
Śmierć Henryka II; królem francuskim zostaje małoletni Franciszek II
Pierwszy synod Kościoła reformowanego we Francji ogłasza *confessio
gallicana* (gallikańskie wyznanie wiary)
Kalwin publikuje ostateczną wersję *Institutio*
Parlament przywraca w Anglii zwierzchnictwo króla nad Kościołem
Papież Paweł IV ogłasza indeks ksiąg zakazanych
Śmierć Pawła IV; na tron papieski wstępuje Giovanni Angelo de'Medici,
przyjmując imię Piusa IV

1560 Śmierć Franciszka II; królem Francji małoletni Karol IX
Parlament Szkocji powołuje szkocki Kościół reformowany

Śmierć Filipa Melanchtona
Filip II po raz drugi ogłasza bankructwo korony hiszpańskiej

1561　Niderlandzkie kościoły reformowane ogłaszają *confessio belgica* (belgijskie wyznanie wiary)

1562　Rzeź hugenotów w Vassy i początek wojny domowej we Francji
Początek trzeciej tury obrad soboru trydenckiego

1563　Zamknięcie obrad soboru trydenckiego
Kościół reformowany w Palatynacie ogłasza heidelberskie wyznanie wiary
W Anglii ukazuje się pierwsza wersja *39 artykułów o religii*

1564　Śmierć Kalwina
Śmierć Ferdynanda I; Maksymilian II władcą Świętego Cesarstwa Rzymskiego
Ogłoszenie postanowień soboru trydenckiego

1565　Śmierć papieża Piusa IV
Kawalerowie Zakonu św. Jana (joannici) pokonują Turków na Malcie

1566　Michele Ghislieri wybrany na papieża jako Pius V
Ogłoszenie *Katechizmu Rzymskiego*
Konflikty na tle religijnym w Niderlandach
Szwajcarskie kościoły reformowane przyjmują drugie helweckie wyznanie wiary
Śmierć sułtana Sulejmana I

1567　Wojska hiszpańskie pod dowództwem księcia Alby wkraczają do Niderlandów

1568　Hiszpanie zdobywaja okręty Johna Hawkinsa i Francisa Drake'a w San Juan de Ulúa
Hrabiowie Egmont i Hoorn straceni w Brukseli na rozkaz władz hiszpańskich

1569　Bunt szlachty katolickiej z północy Anglii przeciwko panowaniu Elżbiety I
Unia lubelska, zjednoczenie Polski i Litwy w Rzeczpospolitą Obojga Narodów

1570 Papież Pius V ekskomunikuje królową angielską Elżbietę I
Ugoda sandomierska między polskimi protestantami, wykluczająca arian

1571 Zwycięstwo Ligi Świętej nad Turkami w bitwie morskiej pod Lepanto
Ostateczna wersja *39 artykułów o religii* przyjęta przez Kościół anglikański

1572 Małżeństwo Henryka z Nawarry z Małgorzatą de Valois; rzeź hugenotów
w noc świętego Bartłomieja w Paryżu i innych miastach
Wybuch rewolucji w Holandii i Zelandii
Śmierć Zygmunta Augusta, ostatniego króla polskiego z dynastii
Jagiellonów

1573 Pierwsze wydanie *Francogallii* François Hotmana

1574 Śmierć Karola IX; Henryk III wstępuje na tron francuski
Turcy odbijają Tunis z rąk Juana d'Austria

1575 Kościoły niekatolickie w Czechach przyjmują czeskie wyznanie wiary
Filip II po raz trzeci ogłasza bankructwo korony hiszpańskiej

1576 Śmierć Maksymiliana II; Rudolf II wstępuje na tron cesarski
Pokój kończący piąty etap wojen religijnych we Francji
Złupienie Antwerpii przez nieopłacane oddziały hiszpańskie tymczasowo
jednoczy Niderlandczyków przeciwko rządom Filipa II

1577 *Formuła zgody* (opublikowana w 1580 roku) jednoczy kościoły luterańskie
Podpisanie wiecznego edyktu kończącego – na krótko – wojnę
w Niderlandach

1578 Maurowie zwyciężają Portugalczyków w bitwie pod Kasr al-Kabir
(dawniej Alcázarquivir) w Afryce Północnej; ginie król Sebastian, ostatni
przedstawiciel dynastii panującej
Książę Parmy Aleksander Farnese mianowany gubernatorem Niderlandów

1579 Unia w Utrechcie zawarta przez siedem prowincji pod hasłem
bezkompromisowej walki z Hiszpanami

1580 Korona portugalska przechodzi na króla hiszpańskiego
Ukazują się *Próby* Montaigne'a

Francis Drake wraca z podróży dookoła świata z łupami zrabowanymi Hiszpanom

1581 Północne prowincje Niderlandów wypowiadają posłuszeństwo Filipowi II

1582 Wprowadzenie kalendarza gregoriańskiego; różnica w datowaniu między krajami katolickimi a protestanckimi wynosi dziesięć dni

1583 Najazd oddziałów katolickich na arcybiskupstwo Kolonii zagraża pokojowi religijnemu w Niemczech

1584 Śmierć księcia Franciszka d'Anjou, oznaczająca wygaśnięcie dynastii Walezjuszów
We Francji powstaje Liga Katolicka, której celem jest niedopuszczenie do koronacji protestanta Henryka z Nawarry
Liga podpisuje z królem hiszpańskim Filipem II traktat w Joinville
Zabójstwo księcia Wilhelma Orańskiego, przywódcy rewolucji holenderskiej

1585 Elżbieta I podpisuje z Holandią traktat w Nonsuch, co oznacza wojnę angielsko-hiszpańską
Hiszpanie odbijają Antwerpię z rąk powstańców

1587 Egzekucja Marii Stuart za udział w spisku na życie Elżbiety I
Flota angielska atakuje Kadyks

1588 Nieudana wyprawa hiszpańskiej Wielkiej Armady na Anglię
Papież Sykstus V powołuje kongregacje kardynałów
Król francuski Henryk III nakazuje zamordować przywódcę Ligi Katolickiej księcia de Guise i jego brata, kardynała lotaryńskiego

1589 Henryk III zamordowany; następcą tronu francuskiego zostaje Henryk z Nawarry z rodu Bourbonów
Giovanni Botero wydaje *Della ragion di Stato*

1590 Papież Sykstus V wydaje łaciński przekład Biblii (tzw. Wulgata Sykstusowa)
Filip II nakłada na poddanych wysokie podatki, aby pokryć wydatki wojenne
Ukazuje się *Historia natural y moral de las Indias* pióra José de Acosty

1592 Po kilku krótkich pontyfikatach papieżem zostaje Ippolito Aldobrandini, który przyjmuje imię Klemensa VIII
Klemens VIII publikuje poprawioną wersję Wulgaty Sykstusowej

1593 Król francuski Henryk IV przechodzi z protestantyzmu na katolicyzm

1594 Koronacja Henryka IV na króla Francji
W Irlandii wybucha bunt pod przywództwem hrabiego Tyrone'a

1595 Henryk IV wypowiada wojnę Hiszpanii za popieranie przez nią Ligi Katolickiej

1596 Unia brzeska – część duchownych i wyznawców prawosławia w Rzeczypospolitej Obojga Narodów uznaje papieża za głowę swego Kościoła
Kolejny najazd angielski na Kadyks
Filip II po raz czwarty ogłasza bankructwo korony hiszpańskiej
Ukazuje się *Mysterium Cosmographicum* Johannesa Keplera

1598 Edykt nantejski kończy okres wojen religijnych we Francji; hugenoci uzyskują ograniczoną wolność wyznania
Traktat w Vervins, koniec konfliktu francusko-hiszpańskiego
Śmierć Filipa II, jego następcą na tronie hiszpańskim zostaje Filip III
Powstańcy irlandzcy zadają klęskę wojskom angielskim w bitwie nad Yellow Ford

1601 Zwycięstwo wojsk angielskich w bitwie pod Kinsale

1603 Śmierć królowej angielskiej Elżbiety I; na tron angielski wstępuje król szkocki Jakub VI, który przymuje imię Jakuba I
Stłumienie powstania irlandzkiego

1604 Angielsko-hiszpański traktat pokojowy w Londynie

1606 Papiestwo okłada interdyktem Republikę Wenecką

1607 Książę Bawarii wbrew traktatom zajmuje Donauwörth, aby zburzyć pokój religijny w Niemczech

1608   Cesarz Rudolf II zmuszony zrzec się władzy nad niektórymi ziemiami
        na rzecz Macieja I

1609   Ogłoszenie dwunastoletniego rozejmu w wojnie holendersko-hiszpańskiej
        W Niemczech powstają zwalczające się związki protestantów i katolików
        Sprawa sukcesji tronu w księstwie Jülich-Kleve przyczynia się do wzrostu
        napięcia na tle religijnym w Niemczech

1610   Król francuski Henryk IV zamordowany; na tron wstępuje małoletni
        Ludwik XIII

1611   Cesarz Rudolf II pozbawiony tronu na rzecz Macieja I

Mapy

Mapa 1. Posiadłości Habsburgów w Europie ok. 1556 roku.

Legenda:

———	Stałe granice
– – –	Zmienne granice i rejony konfliktów
—·—·—	Granice wewnątrzpaństwowe
(kropkowane)	Regiony o nieustalonych granicach
(ukośne kreski)	Posiadłości Habsburgów hiszpańskich
GP	GÓRNY PALATYNAT
DP	DOLNY PALATYNAT
(siatka)	Posiadłości dziedziczne Habsburgów austriackich

• Moskwa

Kałmucy

ROSJA

ESTONIA
INGRIA
ŁOTWA
LITWA
PRUSY WSCHODNIE

VECJA

MORZE

POLSKA

Kozacy dońscy

Kozacy zaporoscy

iedeń
WĘGRY

JEDYSAN

MOŁDAWIA

SIEDMIOGRÓD

CHANAT KRYMSKI

SŁOWENIA

WOŁOSZCZYZNA

MORZE CZARNE

SERBIA

BOŚNIA

Konstantynopol

TRAPEZUNT

ESTWO
APOLU

ALBANIA

IMPERIUM OSMAŃSKIE

KURDYSTAN

ANATOLIA

PELOPONEZ

Kreta

Cypr

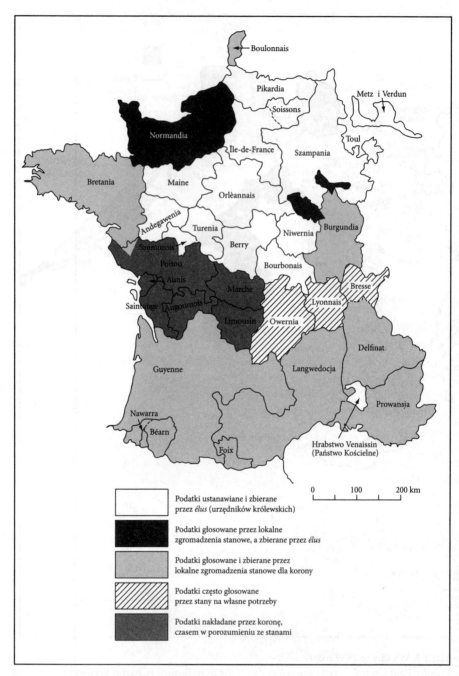

Mapa 2. Francja, różne systemy zarządzania ok. 1600 roku

Labels on map:

Boulonnais
Pikardia
Metz i Verdun
Soissons
Normandia
Toul
Île-de-France
Szampania
Bretania
Maine
Orlèannais
Andegawenia
Turenia
Niwernia
Burgundia
Saumurois
Berry
Poitou
Bourbonais
Aunis
Marche
Bresse
Saintonge
Angoumois
Lyonnais
Limousin
Owernia
Delfinat
Guyenne
Langwedocja
Nawarra
Prowansja
Béarn
Foix
Hrabstwo Venaissin
(Państwo Kościelne)

0   100   200 km

Legend:

Podatki ustanawiane i zbierane
przez *élus* (urzędników królewskich)

Podatki głosowane przez lokalne
zgromadzenia stanowe, a zbierane przez *élus*

Podatki głosowane i zbierane przez
lokalne zgromadzenia stanowe dla korony

Podatki często głosowane
przez stany na własne potrzeby

Podatki nakładane przez koronę,
czasem w porozumieniu ze stanami

Mapa 3. Włochy w 1559 roku
Źródło: Paul Grendler, red., *Encyclopedia of the Renaissance* (Charles Scribner's
Sons, © Charles Scribner's Sons 2000. Reprinted by permission of the Gale
Group).

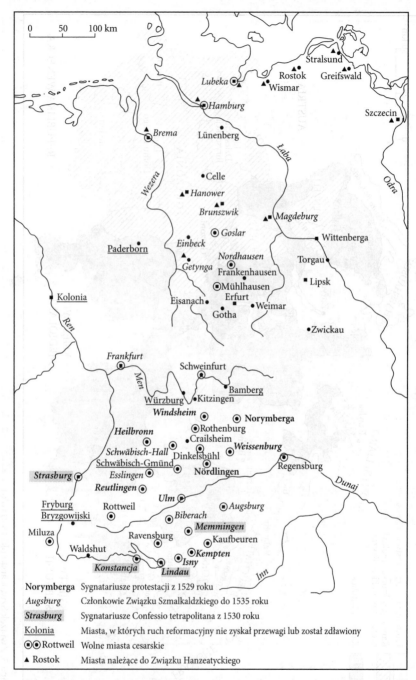

Mapa 4. Miasta niemieckie w czasach reformacji
Źródło: Euan Cameron, *The European Reformation* (Oxford University Press,
Oxford, 1991), s. 211.

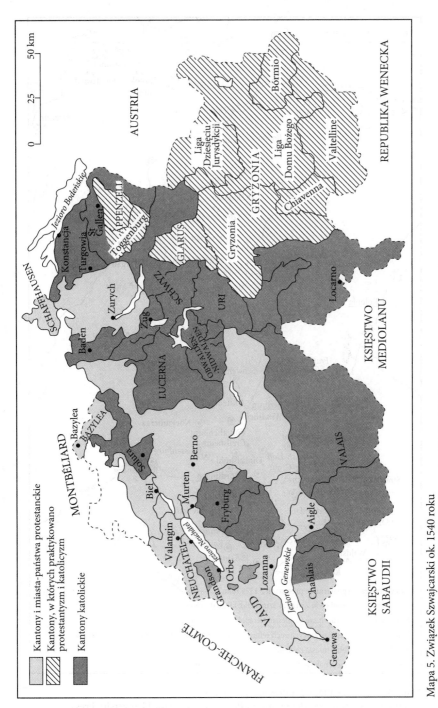

Mapa 5. Związek Szwajcarski ok. 1540 roku

Źródło: Euan Cameron, *The European Reformation* (Oxford University Press, Oxford, 1991), s. 220.

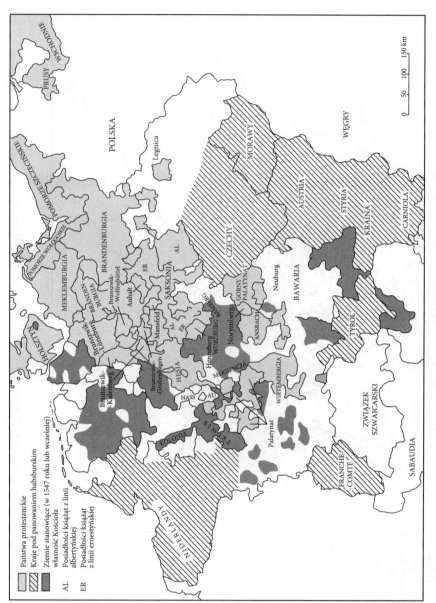

Mapa 6. Państwa niemieckie w przededniu wojny szmalkaldzkiej w 1547 roku
Źródło: Euan Cameron, *The European Reformation* (Oxford University Press, Oxford, 1991) s. 264.

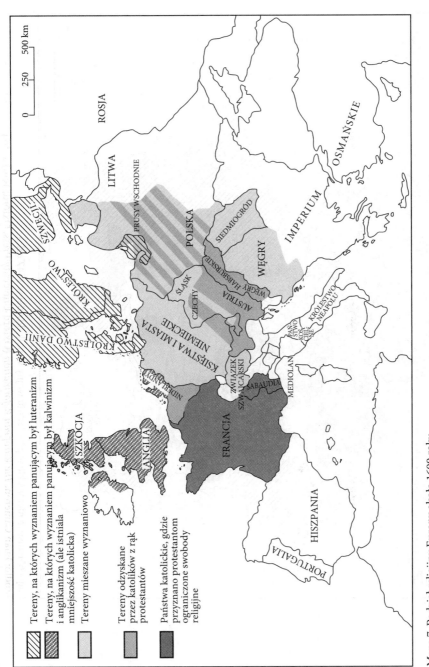

Mapa 7. Podział religijny Europy około 1600 roku
Źródło: Euan Cameron, *The European Reformation* (Oxford University Press, Oxford, 1991), s. 262.

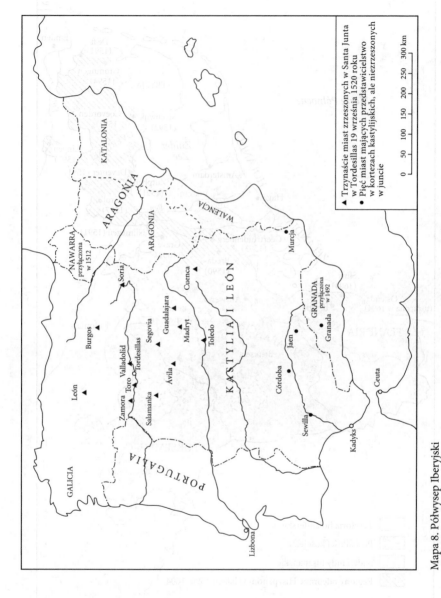

Mapa 8. Półwysep Iberyjski
Źródło: Richard Bonney, *The European Dynastic States 1494–1660* (Oxford University Press, Oxford, 1991), s. 536.

Mapa 9. Ziemie odebrane Hiszpanom przez Holendrów w latach 1590–1604
Źródło: Jonathan I. Israel, *The Dutch Republic: Its Rise, Greatness, and Fall 1477–1806* (Oxford University Press, Oxford, 1995), s. 243.

Spis map

Indeks